스포츠 의학 및 과학 핸드북

카누편

EDITED BY

Don McKenzie, MD, PhD

Professor & Director

Division of Sport and Exercise Medicine

Faculty of Medicine & School of Kinesiology

The University of British Columbia, Vancouver, BC, Canada

Bo Berglund, MD, PhD

Associate Professor

Department of Medicine

Karolinska University Hospital, Solna, Sweden

Handbook of Sports Medicine and Science : Canoeing

스포츠의학 : 카누편

첫째판 1쇄 인쇄 | 2019년 8월 7일
첫째판 1쇄 발행 | 2019년 8월 14일

저 자 Don McKenzie, Bo Berglund
역 자 한상호, 윤항구
발 행 인 장주연
출 판 기 획 조형석
편 집 디 자 인 정다운
표 지 디 자 인 김재욱
발 행 처 군자출판사(주)
등록 제 4-139호(1991. 6. 24)
본사 (10881) 파주출판단지 경기도 파주시 회동길 338(서패동 474-1)
전화 (031) 943-1888 팩스 (031) 955-9545
홈페이지 | www.koonja.co.kr

All Rights Reserved. Authorized translation from the English language edition published by John Wiley & Sons Limited. Responsibility for the accuracy of the translation rests solely with Koonja Publishing Inc. and is not the responsibility of John Wiley & Sons Limited. No part of this book may be reproduced in any form without the written permission of the original copyright holder, John Wiley & Sons Limited.
Korean language edition published by Koonja Publishing Inc. © 2019

ⓒ 2019년, 스포츠의학 : 카누편 / 군자출판사(주)
본서는 저자와의 계약에 의해 군자출판사(주)에서 발행합니다.
본서의 내용 일부 혹은 전부를 무단으로 복제하는 것은 법으로 금지되어 있습니다.

* 파본은 교환해 드립니다.
* 검인은 저자와의 합의하에 생략합니다.

ISBN 979-11-5955-420-9
정가 25,000원

역자소개

한상호

어릴 적부터 스키와 테니스를 좋아하던 역자는 스포츠와는 떼려야 뗄 수 없는 정형외과 전문의가 됐습니다.

현재 IOC팀 닥터로서 대찬병원을 2018 동계올림픽 슬라이딩센터 지정병원으로 이끌었으며, 대한 카누연맹 의무위원장과 프로 배드민턴팀 주치의 역임 등 스포츠 의학계에서 활발하게 활동하고 있습니다.

윤항구

카누와 카약을 사랑하는 낭만닥터.

역자는 부산 고신의대에서 산부인과 의사로 고 위험 임산부들을 돕고 있습니다.

2012년 부터 지금까지 아마추어 카누 선수, 어드벤처 카약커로 활동중이며 스포츠 의학 분야에 큰 관심을 가지고 공부하고 있습니다.

목차

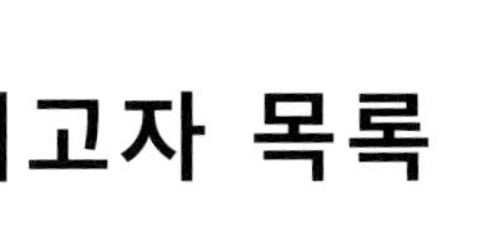

Bo Berglund, MD, PhD
Associate Professor, Department of Medicine, Karolinska University Hospital, Solna, Sweden

Anna Bjerkefors, PhD, RPT
Senior Researcher, Lecturer, and Physiotherapist, Swedish School of Sport and Health Sciences (GIH), Laboratory of Biomechanics and Motor Control, Stockholm, Sweden

Robert Boushel, DSc
Professor and Director, School of Kinesiology, Faculties of Education and Medicine, The University of British Columbia, Vancouver, BC, Canada

Jose Calbet, MD, PhD
Department of Physical Education, University of Las Palmas de Gran Canaria, Las Palmas de Gran Canaria, Spain
Research Institute of Biomedical and Health Sciences (IUIBS), University of Las Palmas de Gran Canaria, Las Palmas de Gran Canaria, Spain

Sylvain Curinier, MS
Coach, National Canoe-Kayak Slalom, Fédération Française de Canoë-Kayak (FFCK), Joinville-le-Pont, France
Accompagnateur Coach, Diplomé de l'Executive Master, INSEP, Paris, France
Practitioner, France PNL, Paris, France

Jozsef Dobos, MD
Department of Sport Surgery, National Institute of Sports Medicine, Budapest, Hungary

John Edwards, BArch, BEd
Chair, ICF Paracanoe Committee, Mississippi Hills, ON, Canada

Martin Hunter, MS, MA
Head Coach, Swedish Canoe Federation, Rosvalla, Sweden
Lecturer, School of Business, Örebro University, Örebro, Sweden

Petra Lundström, PhLic
Department of Molecular Medicine and Surgery, Karolinska Institute, Solna, Sweden

Don McKenzie, MD, PhD
Professor and Director, Division of Sport and Exercise Medicine, Faculty of Medicine & School of Kinesiology, The University of British Columbia, Vancouver, BC, Canada

Kari-Jean McKenzie, MS, MD, FRCPC
Clinical Assistant Professor, Department of Medicine, The University of British Columbia, Vancouver, BC, Canada

Ian Mortimer, MA
Director of Development, Canoe Kayak Canada, Ottawa, ON, Canada

Hans Rosdahl, PhD
Senior Lecturer, Swedish School of Sport and Health Sciences (GIH), Stockholm, Sweden

Johanna Rosen, MSc
PhD Student, Sport Scientist, Swedish School of Sport and Health Sciences (GIH), Laboratory of Biomechanics and Motor Control, Stockholm, Sweden

A. William Sheel, PhD
Professor, School of Kinesiology, Faculty of Education, The University of British Columbia, Vancouver, BC, Canada

Jorunn Sundgot Borgen, PhD
Professor, Physical Activity and Health, Department of Sports Medicine, Norwegian School of Sports Sciences, Oslo, Norway

Olga Tarassova, MSc
Laboratory Engineer, Swedish School of Sport and Health Sciences (GIH), Laboratory of Biomechanics and Motor Control, Stockholm, Sweden

Barney Wainwright, PhD
Research Fellow, Leeds Beckett University, Carnegie School of Sport, Leeds, UK

Penny Werthner, PhD
Professor and Dean, Faculty of Kinesiology, University of Calgary, Calgary, AB, Canada

추천사

카누 전문 의학 서적 [스포츠 의학 : 카누 편] 발간을 축하합니다.

카누는 전 세계적으로 많은 선수들과 동호인들이 즐기는 수상 스포츠입니다. 거친 바다 위에서 모험을 즐길 수 있을 뿐 아니라, 해 질 녘 시원한 바람을 맞으며 물 위에서 자연과 하나된 절경을 만끽할 수 있는 감동적인 친환경 스포츠입니다.

카누는 즐거움만이 아니라 교육면에서도 훌륭한 스포츠입니다. 유·청소년들이 자연스럽게 물과 친해질 수 있으며 성인이 되어서도 평생 즐길 수 있는 스포츠이기 때문입니다.

우리나라는 도시마다 훌륭한 강과 호수가 있고 접근성이 좋아 현재 3만 명이 넘는 동호인이 카누를 즐기고 있습니다. 또한 우리나라 카누는 국제 대회에서도 좋은 성적을 거두고 있습니다. 특히, 2018 자카르타·팔렘방 아시안게임에서 남자 카약 200m 싱글 2연패를 달성했고, 카누용선 남북단일팀은 금메달을 획득하며 전 세계에 스포츠 정신과 평화의 메시지를 전했습니다.

대한카누연맹에서는 카누를 즐기는 선수와 동호인에게 일어날 수 있는 부상을 방지하고자 많은 노력을 기울이고 있습니다. 그러나 지금까지 국내에 카누 종목을 위한 스포츠 의학, 과학 전문 서적이 없었습니다.

그래서 이번 대한카누연맹 의무위원회에서 국제 올림픽 위원회의 서적을 번역해 발간하는 카누 전문 의학서적 [스포츠 의학 : 카누 편]은 더욱더 큰 의미가 있습니다. [스포츠 의학 :카누편]이 카누 선수 및 동호인의 부상 예방과 부상 선수의 재활에 많은 도움이 되길 바랍니다.

또한 이 출판물이 과학적인 훈련을 통한 경기력 향상에도 큰 도움이 되기를 기대하며 이 책의 번역에 힘써준 역자에게 감사의 인사를 드립니다.

대한카누연맹 회장

김용빈

서문(序文)

국제 카누 연맹(ICF)의 회장인 본인은 국제 올림픽위원회의 스포츠 의학 및 과학 시리즈 핸드북의 일부로서 카누에 관한 자세한 설명을 수록한 본서를 소개할 수 있게 되어 기쁩니다.

카누는 항상 최고 수준의 운동 능력과 멋진 경관이 한데 어우러지는 건강한 스포츠라는 이미지를 굳혔습니다.

역사를 통틀어 보더라도 스포츠의 성패는 예견하기가 그다지 쉽지 않으며 그러한 사실은 가장 높은 수준의 스포츠 대회인 올림픽에서 더욱 자명하게 드러납니다.

카누 단거리 경주가 1924년에 도입되고 1936 베를린 올림픽에서 카누가 종식 종목으로 채택됨에 따라, 카누는 올림픽과 함께 유구한 역사를 써나가고 있습니다. 슬라롬(slalom)은 1972년 독일 뮌헨 올림픽에서 데뷔하면서 올림픽에 뒤늦게 합류했습니다. 이후, 슬라롬 경기는 1992년 바르셀로나 올림픽에서 다시 펼쳐지면서 핵심적인 종목 중의 하나로 부상했습니다.

이 두 분야, 즉 카누와 슬라롬 분야는 국제 카누 연맹의 기치 하에 운영되는 다른 7개 분야와 마찬가지로 세계 최대의 스포츠 행사인 올림픽의 한 부분이 되면서 큰 인기를 끌고 있습니다.

선수는 국가 대표로 선정되는 영광을 누리기 전에 자신이 선택한 스포츠에 전념해야 합니다. 매일, 기술을 연마하고 식습관을 개선해야 하며 세계 최고 수준의 선수들과 경쟁할 수 있는 힘을 키워야 합니다. 선수가 올림픽에서 월계관을 쓰기 위해 매시간, 매일, 매주, 매달, 매년 쏟는 노력은 그다지 조명 받지 못하는 경우가 많습니다. 이 책은 전세계적으로 유수한 의학 연구로부터 입수한 정보를 스포츠 선수들에게 실제적으로 적용 가능한 지식으로 정제되었으므로 선수들에게 큰 도움이 될 것입니다.

저는 전세계의 모든 카누 커뮤니티, ICF 및 많은 카누 선수들을 대신하여, 저자들에게 감사와 찬사를 보내고자 합니다. 그러한 방대한 연구 자료를 수집하고 이를 모든 사람들이 이해할 수 있게 설명한 저자들의 능력과 기여는 놀랄만한 성과이며 지구촌에서 카누 스포츠의 지속적인 발전을 위한 초석이 될 것입니다.

이 훌륭한 출판물의 탄생에 공헌하신 모든 분들에게 축하와 감사의 말씀을 전합니다.

감사합니다.

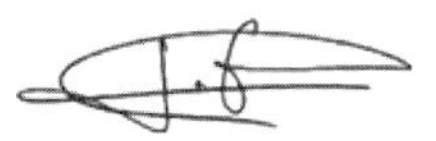

José

Perurena

ICF 회장 겸 IOC 회원

서문(序文)

70년이라는 긴 세월 동안, 카누와 카약은 남녀 선수 모두에게 올림픽 대회에서 중요한 자리를 차지해왔습니다. 2016년 리우 올림픽에서는 슬라롬(3M-1W) 부문 4개 경주와 단거리(8M-4W) 부문 4개 경주가 펼쳐졌습니다. 또한, 2016년 패럴림픽에서는 카약 부문의 6개 경주가 펼쳐졌습니다.

본 핸드북은 주제별 챕터(chapter)로 구성되었고 실제적인 적용에 관한 내용을 수록하고 있으며 카누에 관련된 최신 의학과 과학 연구를 소개하는 것을 목적으로 합니다.

프로젝트에 대한 편집자로 선정된 Don McKenzie 박사(캐나다)는 카누/카약 스포츠의 의학 및 과학적 측면에 대한 권위 있는 석학들로 집필진을 성공적으로 조직했습니다.

본 핸드북은 국내, 지역 및 국제 대회에서 경쟁하는 선수들을 직접 상대하는 코치를 비롯하여 의사 및 보건 요원 등을 위해 소중한 실무적 도구이자 안내서의 역할을 할 것입니다.

국제 올림픽 위원회(IOC) 의료과학위원회의 스포츠 의학/과학 시리즈 안내서의 일환으로서, 본 핸드북은 앞으로 수년 간 스포츠 의학과 스포츠 과학에 관련된 중요한 정보의 출처로 기능할 것입니다.

토마스 바흐

IOC 회장

머리말

카누만큼 환경과 연관있는 활동은 거의 없습니다. 카누와 카약 경주는 사용되는 다양한 기술과 물의 조건을 고려해야되는 독특한 스포츠입니다. 국제 카누 연맹은 관리 기구이며 9개 분야에서 리더십을 제공합니다. 파라카누, 단거리, 슬라롬은 올림픽 프로그램에 포함되어 있기 때문에 잘 알려져 있습니다. 이러한 대회에서 승리는 거리나 코스 완주에 소요되는 시간에 대한 객관적인 측정에 의해 결정됩니다. 선수는 경쟁을 위해 신체적, 정신적으로 매우 잘 준비되어야 합니다. 이러한 선수들은 인간의 한계를 극복하기 위해 도전합니다. 경주에서 승리하기 위해서는 많은 요인들을 관리하고 통합해야 합니다.

다른 분야 또한 마찬가지로 도전적입니다. 카누 마라톤 경주는, 기술과 전술이 필요할 뿐만 아니라 수 십 킬로미터를 달리면서도 지치지 않는 지구력이 요구됩니다. 자유형(프리스타일)에서는 강물의 격류에서 펼쳐지는 곡예가 뒤따릅니다. 1분 동안 선수가 보여주는 선회, 회전, 텀블링 묘기 마다 점수가 주어집니다. 2-4개의 급류에서 하류를 따라 질주하는 급류 경주는 순수한 노력을 상징합니다. 해양 카누 선수들은 바람불고 파도 치는 대양에서 서프 스키(surf ski), 바다 카약, 싱글 및 6인용 아웃트리거를 타고 경쟁합니다. 또한, 카누 폴로는 독특한 놀이와 경쟁을 결합한 스포츠입니다. 패들러 5명으로 구성된 각 팀은 각 피치(pitch)에서 물위로 매달린 망 안으로 골을 넣기 위해 분투합니다. 드래곤 보트는 카누의 문화적 및 전통적 구성요소를 간직하고 있습니다. 드래곤 보트는 2000년 전 중국에서 유래되었는데 오늘날의 경주에서는 10-20명의 패들러로 구성된 팀들이 200 m - 2,000 m 코스에서 경주합니다.

본 핸드북은 카누에 적용 가능한 모든 의학 및 과학 영역에서 전문가들의 노력을 통해 작성되었습니다. 본 핸드북은 스포츠 과학 및 카누 스포츠의 임상적 측면에 대한 간략하지만 상세한 정보를 제시하는 특정 챕터(chapter)로 구성되어 있으며 카누의 역사와 발전에 대한 일반적인 정보를 제공합니다. 본 핸드북은 경쟁 및 레크리에이션을 위해 사용되는 카누에 관심 있는 독자들뿐만 아니라 선수, 코치를 비롯하여 지원 팀에게도 유용한 정보를 제공할 것으로 기대됩니다.

IOC의 스포츠 의학/과학 핸드북 시리즈에 본 핸드북이 포함된 것은 영광스러운 일입니다.

저자들을 대신하여, 본 핸드북 작성에 도움을 준 Skip Knuttgen 박사, 패들러, 과학자들에게 감사를 표합니다. 그들이 보유하고 있는 전문지식은 확고합니다. 이들에게 감사를 표합니다.

Don McKenzie

2018

제1장
개요

서론

다양한 규모의 수계는 푸른 행성 지구에서 인간이 삶을 영위할 수 있게 한다. 지구상의 모든 곳에서 인간은 이러한 삶의 근원지에 가까운 장소에 모여서 생활해왔다. 인류가 '고향'이라고 부르는 바다, 대양, 강과 인류의 연관성은 물을 통해 생존하고 물 속으로 들어가려는 인류의 욕구뿐만 아니라 물 위에 떠 있는 방법을 모색하는 보편적인 본능에 반영되어 있다.

수영 기술에서 한 단계 진일보한 기술인 선박은 인류의 경험으로 축적된 역사에서 중요한 요소이다. 통나무배, 갈대 뗏목, 나무 껍질이나 동물 가죽으로 덮인 프레임 보트(framed boat), 단순한 나무 판자 보트는 무수히 많은 용도만큼이나 다양할 뿐만 아니라 뱃길을 형성하는 독특한 수계의 형태만큼이나 가지각색이다. 단순한 기술로 만들어진 단순한 선박은 사람을 원거리의 해안까지 실어 나르고 강에서 물고기를 잡고 대양을 항해하고 강을 가로질러 먼 거리를 여행하는 것을 가능하게 하면서 백 만년 동안 전세계 문화의 일부를 차지해왔다. 이러한 가장 단순한 형태의 보트는 걸어 갈 수 없는 장소 또는 바퀴 달린 운송 수단(차량) 또는 말을 타고 갈 수 없는 장소로의 이동을 가능하게 하며 노 젓는 사람, 패들(노, paddle) 등 핵심 개념을 공유한다. 근본적인 즐거움은 물 위를 걸을 수 없는 인간의 자연적인 한계를 극복하는 데 있으며 이러한 즐거움은 언제나 신선하다. 이러한 배를 타고 노를 젓는 사람들은 즐거움을 공유하며 일몰 시간에 해안에서 유유히 떠 있거나, 급경사에서 쏜살같이 내려가거나, 바닷물결을 뚫고 들어가는 배를 볼 때 미소를 금할 수 없다. 패들의 단순함이라는 매력과 보편성, 노 젓는 사람(paddler) 및 보트는 스포츠로서의 카누를 주제로 펼쳐지는 드라마에서 중요한 부분을 차지한다. 그러나 경쟁 스포츠인 카누와 카약에 대한 더욱 특징적인 스토리는 오늘날 북미의 저변을 형성하는 역사에서 카누가 자치하는 역할을 통해 그 역사를 추적한다. 카누의 스토리를 이해하려면 '북미 원주민'과 '유럽 정착민 사회' 사이에서 장기간 다사다난하게 이어진 문화적 접촉 과정의 일부를 형성하는 카누 자체를 이해해야 할 필요가 있다. 카누와 카약의 이름 자체는 이러한 토착적인 기술과 토착민의 "발견"에 대한 유럽 중심적 사고방식을 반영하는데, 오늘날 사용되는 용어는 원주민이 사용하는 용어를 유럽 언어로 힘겹게 변환하는 과정을 통해 등장한다.

크리스토퍼 콜럼버스(Christopher Columbus)는 이스파니올라(Hispaniola) 섬의 통나무 배를 의미하는 아이티(Haiti) 말을 처음 접했고 그 용어를 스페인어 카노아(canoa)로 칭했다. 이후, 카노아(canoa)는 영어권에서는 카누(canoe)로 명명되었다. 한편, 소형 가죽 보트를 의미하는 '그린랜드 이누이트족'의 말은 유럽으로 도입되어 덴마크에서는 카약(kajak)으로 명명되었고 이후 카약

(kayak)으로 변형되었다.

문화 접촉의 초기 단계부터, 대양을 가로질러 도착한 유럽인들이 북미 해역에서의 항해에 적합하도록 노 달린 배를 독특하게 개조된 배경을 쉽게 짐작할 수 있다. 이는 세인트 로렌스(St. Lawrence), 오타와, 허드슨, 오하이오, 미시시피 및 미주리로 알려진 주요 강과 수백 개의 작은 지류가 카누 여행을 위한 고속도로로 사용되고 있는 대륙의 내륙 수로에서 특히 두드러졌다. 유럽의 식민지 개척자, 탐험가 및 상인들은 가볍고 수리 가능하고 쉽게 다룰 수 있는 카누에 올라타 예컨대 Mi'kmaq, Wendat, Haudenosaunee 에서부터 노를 젓는 것이 광활한 북미 대륙을 여행하기 위해 가장 효율적인 방법임을 잘 알고 있었다. 카누는 대륙 해안의 바다를 너머 여행하려는 유럽인들의 삶에 중요한 요소가 되었으며 실제적으로 유럽 이주민들이 북미 대륙을 탐사하고 영역을 확장하면서 궁극적으로 북미 대륙을 지배하는 과정의 토대가 되었다. 카누는 루이스와 클라크를 싣고 미국 대륙을 가로질러 갔다. 또한, 오늘날의 캐나다 서부 지역 지형을 묘사하는 지도 작성에 일생을 바친 데이빗 톰슨 또한 카누를 타고 목적지로 향했다.

한편 200년이 넘는 기간 동안 영국령 북미 경제의 중추인 비버 가죽(beaver pelts) 모피 무역은 다양한 크기의 카누와 방대한 바닷길 망을 활용하여 운영되었다. 이러한 무역을 수행하도록 영국 왕실로부터 권한을 부여받은 허드슨 베이 회사(Hudson's Bay Company) 및 그 경쟁사인 노스-웨스트 컴퍼니(North-West Company)는 오늘날의 몬트리올에서 록키 산맥까지 수천 킬로미터에 달하는 강과 호수를 카누로 횡단하면서 정보를 전달하고 공급품 및 모피를 운반했다. 1800년대 중반까지 2세기 동안, 뉴프랑스(1763년까지 있었던 북미의 프랑스 식민지) 및 영국령 북미의 유럽, 원주민, 메티스(특히 캐나다에서 원주민과 유럽인 사이에서 난 사람) 남녀들은

그림 1.1 북미 모피 무역을 위한 주요 해상로에서 사용되었던 대형 카누(canot du maître)

전문 패들러 또는 항해사가 되는 것을 성공적인 커리어(career)로 간주했다(**그림 1.1**). 이러한 역사 및 이를 둘러싼 신화를 갖고 있는 카누는 북미의 문화적 지표로서 중요한 의미를 갖고 있다. 선미와 선수가 뒤집힌 클래식 카누(classic canoe) 실루엣은 야생, 탐사 및 원주민과 관련된 상징적인 이미지이다. 특히 북미뿐만 아니라 원주민에 대한 카누의 이러한 중요성과 문화적 역할에 대해 비판적으로 생각하는 것 또한 중요하다. 카누의 신화는 정착민 사회와 토착 북미 문화 간의 관계에서 갈등으로 점철된 한 부분 일 수 있다. 이러한 독창적인 북미의 보트라는 선물을 세계에 선사한 것에 대하여 그들에게 감사해야 하며 시대를 통틀어 경관과 조화를 이루는 다양하고 세련된 디자인에서 엿볼 수 있는 아름다움에 경의를 표해야 한다는 것에는 의심의 여지가 없다.

1800년대 후반까지, 북미의 모피 무역은 그 전성기를 이미 지나갔다. 철도가 대륙을 가로 질러 뻗어 있었고 고속도로의 역할을 하는 수로는 이러한 철의 리본(ribbons of steel)으로 완전히 대체되었다. 유럽과 함께 북미도 변화하고 있었다. 산업 혁명은 대서양을 마주보고 있는 미국 대륙과 유럽 대륙에서 근본적인 경제적 변혁을 가져왔으며 중산층이 발전하면서 이러한 변혁에 따라 새로운 생활방식이 등장했다. 도시로의 인구 이동, 부의 분배 확대, 교육을 원하는 젊은 인구의 증가, 육체 노동에 소요되는 시간의 감소, 여가와 레크리에이션(recreation)이라는 개념이 널리 퍼지기 시작했다.

오늘날 주요한 전통적 스포츠로 간주되는 스포츠들이 이 시대에 등장했다. 팀워크와 규칙을 중시하는 스포츠로서, 북미에서는 야구와 미식축구가 발전되었던 반면에 유럽에서는 축구가 빠르게 인기를 얻고 있었다.

속도와 현대성을 갈망하는 사람들을 위해 사이클링(cycling)이라는 새로운 스포츠가 생겨났다. 대학생들에게는 노 젓기(조정)가 중심적인 스포츠였는데 이는 분명히 수상 스포츠 중에서 가장 기술적으로 진보된 스포츠였다. 한편, 카누는 물과 가까워지고 싶어하는 사람들이 더욱 단순한 선박을 사용하여 즐길 수 있는 스포츠였다.

개척 시대의 강인한 패들러와 모피 무역의 신화가 굳게 자리잡고 있는 미국에서, 카누는 향수를 자아내는 과거를 향유하게 해주었다. 뉴욕, 몬트리올, 오타와, 워싱턴 등 도시에서의 삶의 경험은 과거 세대와 연결된 '거칠고 영웅적인 과거'라는 개념에서 점점 더 멀어져 갔다. 주말에 카누를 타기 위해 호수 또는 강으로 여행하는 것은 상상 속의 과거와 현실 간의 벽을 허물고 자연과 진정으로 하나가 되는 기분을 만끽하고 도시 생활에서 멀리 떨어져 자연의 경치를 즐길 수 있는 기회가 된다. 일몰의 경관을 즐길 수 있는 유람선 여행을 위해 조용한 호수를 찾는 사람들이 있는 반면에 봄철 해빙기의 소용돌이 치는 급류를 찾는 사람들도 있다. 모피 무역에 사용되고 전통적인 원주민 디자인에 기초한 새로운 카누는 속도, 급류 타기(whitewater)와 편의성의 측면에서 개선되었고 새로운 자재와 기술을 사용하여 제작되었지만 보트, 노(paddle), 노 젓는 사람이라는 단순성은 그대로 유지되었다. 유럽인들에 카누는 도시에서 멀리 떨어진 시골의 강 또는 도시 공원의 연못에서 배를 탈 수 있는 활동을 의미했다. 그러나 카누는 "진정한" 북미 스타일의 모험을 경험하고 대양 건너편 대륙의 야생에 대한 이야기를 가까이에서 접할 수 있는 기회였을 뿐만 아니라 모험 소설을 읽으면서 상상했던 원주민의 단순하고 이상적인 생활을 재현할 수 있는 기회였다. 북미에서 순수하게 레크리에이션 목적으로 제작되던 보트의 스타일은 유럽으로 전달되었으며 휴일에 도시에서 벗어나 시골에서 바람을 쐬고 열정적으로 노를 젓는 주말 용사라는 새로운 부류의 사람들에게 인기가 높은 것으로 판명되었다.

대서양을 마주보고 있는 두 대륙에서는 카누 애호가들에 의해 카누 클럽이 조직되었다. 이러한 카누 클럽은 단지 카누를 보관하기 위한 보트 창고(boathouse)가 아니었다. 카누 클럽은 회원들이 보트를 접할 수 있게 함으로써 대중들의 스포츠 경험 확대에 기여했다. 이러한 동지애에 기초하여, 카누 클럽은 여름 철에는 회원들을 위한 사교 클럽으로 기능했다(**그림 1.2** 및 **1.3**). 이러한 초창기 클럽들은 오늘날 우리가 알고 있는 형태의 카누가 등장하는 데 중요한 역할을 수행했다. 1866년, 영국에서는 최초의 공식적인 카누 클럽인 로열 카누 클럽(Royal Canoe Club)이 테임즈 강변에서 결성되었다. 로열 카누 클럽은 카누의 디자인, 관광 및 경쟁 부문을 개척한 "롭 로이(Rob Roy)" 맥그리거의 본거지였다. 미국에서는 1870년 뉴욕 카누 클럽(New York Canoe Club)이 결성되었다. 동일 시기에 캐나다에서는 몬트리올 섬의 라신 운하(Lachine Canal) 입구에 최초의 카누 클럽이 결성되었다. 곧, 영국과 미국 동부에서는 다른 클럽들이 우후죽순처럼 생겨났다. 얼마 후, 이러한 클럽들의 회원들은 경쟁심과 본거지 클럽의 특색에 대한 자부심을 드러내기 시작했다. 그리고 경주가 조직되었고 시간이 지남에 따라 경쟁이 심화되었다. 20세기로 접어들자, 이러한 클럽들과 초창기의 경주는 공식적인 국가 협회의 조직으로 이어졌는데 이 협회들은 규칙에 관한 도서를 출판하고 임원을 지정하고 연례적인 레가타(보트 경주) 대회를 개최했다. 오늘날과 같은 세계적인 수준의 카누와 카약 경주가 시작된 것이다(**그림 1.4**).

그림 1.2 1906년, 사람들이 만원을 이루는 Rideau 카누 클럽의 부두와 갑판 전경은 20세기로 접어 들면서 스포츠 중심지로 기능했을 뿐만 아니라 사교장으로도 이용되었던 카누 클럽의 인기를 보여준다.

그림 1.3 카누는 남성이 주도하던 부문이었어만, 초창기 카누 경주에는 여성도 포함되었다. 약 1909년 캐나다의 전쟁 카누(war canoe) 경주.

그림 1.4 롭 로이(Rob Roy)를 타고 있는 영국왕립카누클럽의 설립자 '존 맥그리거(John MacGregor)'

국제 카누 스포츠 협회(Internationalia Reprasentantskapet for Kanotidrott (IRK))

1900년 초, 카누 클럽이 빠르게 확장되고 카누에 대한 인기가 높아짐에 따라 국제적인 대회를 개최해야 할 필요성뿐만 아니라 여행, 관광, 지도(map)에 대한 국제적 신호 및 안전 등에 대하여 대중에게 조언해야 할 필요성이 부각되었다. 1924년 1월, 4개국 연합(오스트리아, 덴마크, 독일, 스웨덴) 대표가 코펜하겐에서 개최된 첫 번째 총회에서 회합했다. 그들은 IRK를 결성했으며 아래와 같이 이 조직의 목적과 비전의 근간이 되는 법령을 채택했다.

- 국가 연합 간의 연계성을 확립하고 카누와 항해 부문에서 국제 대회를 개최한다.
- 패들링 카누(paddling canoes)대회(단일 좌석 카약: 최대 길이 5.20 m, 최대 폭 0.51 m) 및 항해 카누에 대한 전세계 범주가 설정되었다. 캐나다 카누의 규격은 미국 카누 협회와 협의가 이루어질 수 있을 때까지 연기되었다.
- 국제 패들링(paddling) 경주는 1,500-10,000 m의 구간에서 펼쳐졌다. 항해 경기는 최소한 10 km의 삼각형 코스에서 진행되었으며 한쪽은 바람을 정면으로 받았다.
- 관광, 숙박 및 지도 보급 등을 포함하여 여행을 촉진한다.

  국제 카누 스포츠 협회(IRK)의 초창기에는 다인승 카약 및 접이식 보트 등 장비의 측면에서

스포츠에 대하여 리더십을 발휘하고 국제 카누 캠핑 투어(canoe camping tour) 등과 같은 활동을 촉진하는 데에 집중했다. 카누 클럽은 날로 번성했으며 사교 활동뿐만 아니라 카누를 위한 만남의 장소가 되었다.

국제 카누 연맹(ICF) 회의와 함께 카누 대회가 발전했다. 1931년, Max Vogt은 스위스 할빌(Lake Hallwyl) 호수에서 카누 슬라롬(slalom)을 창시했다. 1933년 아르 강(Arr River)에서는 최초의 급류 슬라롬 대회가 개최되었다. 최초의 세계 선수권대회는 1949년 제네바에서 개최되었는데 다양한 종목이 발전되고 카누가 개별적인 레가타(regatta)로 경쟁력을 확보하게 되자 ICF 는 회의에서 각 종목을 인정했다. 기술 위원회가 조직되고 규칙이 발표되었다. ICF의 안내 하에 선수권 대회가 공지되었고 카누 스포츠 세계가 발전 가도에 올라섰다. 최초의 평수(flatwater) 선수권 대회가 1938년 스웨덴 군도의 벡스홀름(Vaxholm)에서 개최되었다. 선수들은 대양에서 경쟁했고 근처의 텐트 안에서 숙박했다(**그림 1.5-1.7**).

카누 항해 시합은 19세기 초반 영국의 존 맥그리거(John McGregor)에 의해 시작되었다. ICF 세계 선수권 대회는 1961년에 시작되어 3년마다 개최된다. 장거리 패들링은 긴 역사를 가지고 있으며 이러한 장거리 경주로부터 마라톤 카누와 와일드 워터(wildwater) 카누 종목이 파생되었다. 클래식 와일드 워터(Classic wildwater) 카누 종목에서는 1959년에 첫 번째 세계 선수권 대회가 개최되었다. 카누 마라톤은 1984년 ICF에 의해 공식 종목으로 인정되었으며 이때 마라톤 종목에 대해서도 세계 선수권 대회가 도입되었다. 카누 폴로(canoe polo)는 20세기 중반에 인기를 얻었으며 ICF는 1986년에 카누 폴로 종목에 대한 규칙을 발표했다. 카누 폴로에 대해서는 1994년 첫 번째 세계 선수권 대회가 개최되었다. 드래곤보트(Dragon Boat)는 2004년에 승인되었으며 매년 세계 선수권 대회가 개최되고 있다. ICF는 2006년 프리 스타일을 공식 분야로 인정했으며, 2007년 첫 번째 자유형 카누 세계 선수권 대회가 개최되었다.

그림 1.5 1938년 스웨덴 최초의 ICF 평수(flatwater) 선수권 대회 공지문

해양 경주(ocean racing)는 마라톤의 자연스런 연장이었으며 장거리 서프 스키와 아웃트리거 대회를 관여시킨다. 해양 경주는 ICF가 가장 최근에 인정한 종목이다. 해양 경주가 종목으로 인정됨에 따라 현재 종목 수는 총 10개가 되었다. 1964년 도쿄 회의에서는 스포츠 의학 위원회가 조직되었고 2년 후 도핑(약물 사용)에 대한 통제가 시작되었다. ICF는 스포츠 경기에서 약물 문제의 심각성을 깨닫고 약물의 잠재적 문제를 인식한 두 번째 국제 연맹이었다. 그 후, ICF는 스포츠에서 도핑에 대하여 무관용 정책을 견지했으며 대회 전에 의무적으로 참가해야 하는 교육 프로그램을 실행하고 있다.

ICF는 전세계적으로 카누 스포츠의 도입을 위해 개발 프로그램에 자금이 조달되던 1990년 이전까지는 완만한 성장세를 보였다. 최초 회의는 4개국 연맹으로 구성되었다. 1974년 ICF 창립 50주년 당시에도 31개국 연맹 만이 회의에 참석했다. 그러나 지난 30년 동안 성장은 빠르게 이루어졌으며 현재 5개 대륙에서 167개국 연맹이 ICF 회원 자격을 보유하고 있다.

올림픽 정식 종목으로 채택된 카누
Canoeing as an Olympic sport

IRK가 설립된 해에, 파리에서 열린 제8회 파리 올림픽에서는 카약 및 카누 시범 경주가 있었다.

국제 올림픽위원회(IOC) 조직위원회는 캐나다 올림픽위원회와 접촉했다.. 이에, 캐나다 올림픽위원회는 6개 종목 대회에 참여할 선수를 캐나다 카누 협회 및 워싱턴 카누 클럽에서 선발하여 보냈다. 카누와 카약 모두에서 1인, 2인 및 4인 경주는 1924년 7월 13일과 15일에 올림픽 로잉 레가타(Olympic Rowing regatta)에 통합되었다. 이러한 통합으로 카누가 올림픽 정식 종목으로 채택될 것이라는 기대를 불러 일으켰지만, 그러한 채택은 이루어지지 않았다.

1928년과 1932년 올림픽 정식 종목 채택을 위해 IOC에 제출된 신청이 거부되었는데, 이는 국가 연맹의 수가 적었기 때문이었다. 한편, 독일 카누 연맹의 회장인 Max Eckert 박사가 1932년에 개최된 비엔나 회의에서 IRK 의장으로 선출되었다. 이 회의에서는 1936년 베를린 올림픽에 카누가 정식 종목으로 채택되는 것을 목표로 수립된 전략에 모든 노력이 집중되었다. 카누를 국제 무대에 소개하기 위해, 1933년 프라하에서 최초의 유럽 선수권 대회를 개최한다는 결정이 이루어졌다. 여기에는 9개국이 참가했다. 카약 싱글(kayak single), 폴딩 싱글(folding single), 폴딩 페어(folding pairs), 캐나다 카누 싱글(single) 및 페어(pairs) 종목에서는 남성 10,000 m 및

그림 1.6 근처의 레가타(regatta) 현장

1,000 m 경주가 개최되었다. 여성의 경우, 600 m가 넘는 카약 싱글(kayak single) 경주가 개최되었다. 카누 스포츠에서 성 평등을 달성하는 것은 길고 힘든 싸움일 것이다. 베를린 올림픽 정식 종목 채택을 위해, IRK에 소속된 모든 국가 연맹들은 각국 올림픽위원회를 통해 카누 채택 신청서를 IOC에 제출하도록 권장되었다. 그러나 1933년, IOC는 다시 신청을 기각하였고 국제 조정 연맹(FISA)의 회장은 그러한 결정에 한몫 했다. 많은 조정 연맹들의 의견을 반영하여, 국제 조정 연맹(FISA)의 회장은 작은 배들이 새롭게 유입되면 호수와 수로의 자유가 침해될 것이라고 우려했다. 카누가 올림픽 정식 종목으로 채택되는 것을 반대하는 그의 주장은 카누 경주가 너무 생소하고 경기 종목으로 간주될 수 없으며 올림픽이라는 거대한 행사의 일부가 되기에는 아직 준비가 되어 있지 않다는 것이었다. IRK는 그의 주장에 대하여 상반되는 논거로 대응하고 IOC에 호소하기 시작했으며 예상을 깨고 1934년에 개최된 차기 IOC 회의의 의제에는 카누의 올림픽 정식 종목 채택이 포함되었다. 마침내, 1934년 5월 16일 IOP는 "국제 카누 연맹(FIC)"이라는 공식적인 올림픽 명칭으로 제출된 IRK 신청서를 수락하는 데에 동의했다. 1936년 베를린 올림픽에서는 9개 카누 종목에서 경기가 펼쳐졌지만 여성 경주는 없었다(**그림 1.8** 및 **1.9**).

그림 1.7 '레가타' 정박지 근처에 설치된 천막

그림 1.8 1936년 올림픽 대회에서 펼쳐진 경주. 사진은 10,000 m 카약 접이식 보트 더블 경주를 보여준다.

그림 1.9 1936년 올림픽에서 10,000 m 2인승 카누 (C2) 경주 출발 장면

표 1.1 슬라롬 올림픽 프로그램

	1972	…	1996	2000	2004	2008	2012	2016	2020
C1 M	X		X	X	X	X	X	X	X
C2 M	X		X	X	X	X	X	X	
K1 M	X		X	X	X	X	X	X	X
K1 W	X		X	X	X	X	X	X	X
C1 W									X
경주 건수	4		4	4	4	4	4	4	4

1, 1인 / 2, 2인 / C, 카누/ K, 카약/ M, 남성 /W, 여성

표 1.2 단거리 올림픽 프로그램

	1936	1948	1952	1946	1960	1964	1968	1972	1976	1980	1984	1988	1992	1996	2000	2004	2008	2012	2016	2020
단거리 올림픽 프로그램: 남성																				
K1 200m																		X	X	X
K2 200m																		X	X	
K1 500m									X	X	X	X	X	X	X	X	X			
K2 500m									X	X	X	X	X	X	X	X	X			
K1 1000m	X	X	X	X	X	X	X	X	X	X	X	X	X	X	X	X	X	X	X	X
K2 1000m	X	X	X	X	X	X	X	X	X	X	X	X	X	X	X	X	X	X	X	X
K1 10000m	X	X	X	X																
K1 4×500m 릴레이					X															
K4 1000m						X	X	X	X	X	X	X	X	X	X	X	X	X	X	
K4 500m																				X
K1 folding 10000m	X																			
K2 folding 10000m	X																			
C1 200m																		X	X	
C1 500m									X	X	X	X	X	X	X	X	X			
C2 500m										X	X	X	X	X	X	X	X			
C1 1000m	X	X	X	X	X	X	X	X	X	X	X	X	X	X	X	X	X	X	X	X
C2 1000m	X	X	X	X	X	X	X	X	X	X	X	X	X	X	X	X	X	X	X	X
C1 10000m		X	X	X																
C2 10000m	X	X	X	X																
경주 건수	8	7	7	7	5	5	5	5	9	9	9	9	9	9	9	9	9	8	8	6
단거리 올림픽 프로그램: 여성																				
K1 200m																		X	X	X
K1 500m		X	X	X	X	X	X	X	X	X	X	X	X	X	X	X	X	X	X	X
K2 500m					X	X	X	X	X	X	X	X	X	X	X	X	X	X	X	X
K4 500m											X	X	X	X	X	X	X	X	X	X
C1 200m																				X
C2 500m																				X
경주 건수		1	1	1	2	2	2	2	2	2	3	3	3	3	3	3	3	4	4	6

1924-1925	Franz Reinecke	GER
1925-1928	Paul Wulff	DEN
1928-1932	Franz Reinecke	GER
1932-1945	Max W. Eckert	GER
1946-1949	Jonas Asschier	SWE
1950-1954	Harald Jespersen	DEN
1954-1960	Karel Popel	TCH
1960-1981	Charles de Coquereaumont	FRA
1981-1998	Sergio Orsi	ITA
1998-2008	Ulrich Feldhoff	GER
2008-	Jose Perureno Lopez	ESP

올림픽 폐막 후, 전쟁으로 인해 경기 종목으로서의 카누 스포츠에는 큰 단절이 있었다. 다음 올림픽 대회는 1948년에 개최되었고 여성을 위한 1 인 카약(K1) 500 m 경주가 포함되었다. 1960년에는 2 인 카약(K2) 500 m 경주가 추가되었으며 1984년에는 4 인 카약(K4) 500 m 경주가 미국 로스앤젤레스 올림픽 프로그램에 추가되었다. 올림픽 프로그램은 2012년까지 변경되지 않았다. 그러나 2012년, 남성 4 인 500 m 경주는 모두 폐지되었고 남성 K1, K2 및 1인 카누(C1) 200 m 경주와 여성 K1 200 m 경주로 대체되었다. 이러한 일정은 2016년 리오(Rio) 올림픽에서도 유지되었다. 그러나 2020년 도쿄 올림픽에서는 추가적인 변경이 계획되고 있다. 이는 여성 카누를 포함하여 슬라롬(slalom) 및 단거리 경주(**표 1.1** 및 **1.2**) 모두에서 남성 경주와 여성 경주의 수가 동일해지는 결과를 가져올 것이다. ICF는 운 좋게도 유능한 지도자들이 이끌고 있다(**표 1.3**). 이는 급속한 성장과 다각화 시대에 카누 스포츠를 효과적으로 이끌기 위해 중요한 요소이다. 카누는 전세계에서 가장 빠르게 성장하는 스포츠 중 하나이기 때문에 가이드(안내) 및 관리는 여전히 매우 중요하다.

21 세기에, 카누를 바라보는 시각은 끊임없이 확대되고 있다. 현재의 무궁무진하게 다양한 패들링(paddling)은 각각 고유한 지리적 지역, 물의 유형, 문화와 역사적 관점으로 형성된 풍부한 스토리(이야기)와 장구한 역사를 지니고 있다. 그러나 이러한 모든 유형의 카누를 하나로 통합하는 것은 보트, 패들러(paddler) 및 노(paddle)이라는 단순한 핵심 개념이다. 배를 노로 젓는 단순함, 노를 젓는 동안 해안에서 점차 멀어지는 광경 등에 대한 독특한 느낌과 경이로움은 지속적으로 강화되고 있다.

참고문헌

Canoeing and Olympism. (1985) [Retrospective study, 1924-1985]. In: *Olympic encyclopedia: canoe: supplement to the Olympic Review*. Olympic Rev, 1985 Nov-Dec (Suppl.):1-56.

International Canoe Federation. www.canoeicf.com

Vesper, H.E. (1984). *Canoeing: 50 years of the International Canoe Federation*. Florence: International Canoe Federation.

제2장

생체역학 및 장비(단거리 경주 및 슬라럼): 과학적으로 확인된 정보에 대한 검토

카누 단거리 경주

장비 Equipment

단거리 경주를 위한 선수의 장비 선택은 경주 거리를 가능한 빠르게 완주하는 목표에 의해 결정된다. 보트 선택의 측면에서, 이러한 장비는 항력(drag)을 최소화하면서 선수가 빠르고 강력하고 효과적으로 노를 저을 수 있도록 충분히 안정적인 플랫폼을 제공하는 장비이다. 노(paddle)는 선수의 노 젓는 스타일(패들링스타일)뿐만 아니라 선수의 개인적인 인체 계측적 및 근육적 특성에 적합한 크기(길이 및 블레이드 면적) 및 형태이어야 한다. 물론, 선택된 장비는 국제 카누 연맹(ICF)의 경주 규칙(http://www.canoeicf.com/icf/AboutICF/Rules- and-Statutes.html 참조)을 준수해야 한다.

장비 및 시간 기록의 역사적 변화 Historical changes in equipment and performance times

장비의 개발과 진화가 항상 과학 발전에 의해 촉진되는 것은 아니다. 대부분의 개발은 소규모의 헌신적인 혁신가 그룹의 직감과 시행 착오를 통해 이루어지며 과학은 디자인을 후향적으로 입증할 뿐이다. 장비의 발전은 대부분 유리 섬유 및 탄소 섬유 등 향상된 제조 기술과 재료의 발전에 따라 가능해졌다. 결과적으로, 선수가 사용할 수 있는 장비의 선택이라는 측면에서 지난 수 년간 변화가 있었다(**표 2.1**). 일반적으로 장비의 발전에 따라 경주 시간이 단축되고 있지만, 장비와 경주 시간 간의 관계가 항상 명확한 것은 아니다(**그림 2.4-2.6**의 과거 경주 기록 차트 참조).

보트 Boats

최근 몇 년 동안 가장 큰 변화는 1998년 말쯤에 있었다. 즉, 보트 제조업체 플라스텍스(Plastex)는 폭(width)이 가장 좁은 부분에서 갑판을 상승시켜 규칙을 최대한으로 이용했다. 이러한 설계 변경으로 보트의 최소 폭 규칙을 준수하는 동시에 흘수선(waterline) 폭을 효과적으로 더 좁게할 수 있었다. 2000년 11월, ICF는 규칙에서 최소 폭 규칙을 철폐했는데, 이는 "뾰족한 형태의 갑판(peaked decks)"이 사라지는 결과를 가져왔을 뿐만 아니라 보트가 외형적으로 전통적인 모습을 되찾게 되었음을 의미한다. 이에 따라, 체구가 더 작은 선수들은 횡단면이 더 작은 보트를 사용할 수 있었기 때문에 경쟁에서 유리했다.

표 2.1 카누 단거리 경주용 장비의 주요 변천사(그림 2.1–2.3)

1936: 파리	리지드 보트(rigid boat: 단단한 선체 팽창 보트) 1,000 m 경주
1948: 런던	보트는 체적이 매우 크다. 이 보트는 1950년대 후반까지 사용되었다.
1952: 헬싱키	C1 빔은 0.75 m로 감소되었다. V 형 선체 도입.
1956: 멜버른	오목형(Melbourne Concave) 데크 라인이 K1에 등장하여 패들이 중앙선에 더 가까워졌다.
1960: 로마	사각 모서리형 날은 비대칭 형태의 날로 교체되기 시작했다. 스트루어(Struer)는 "파이터(Fighter)" K1을 선보였다. K1은 수중에서 현대식 보트와 비슷한 형태를 보였다.
1964: 도쿄	C2 길이는 6.5 m로, 폭은 0.75 m로 변경되었다. 오목 형태 규칙이 도입되지 않았기 때문에 결과적으로 다이아몬드 모양의 카약이 발전했다. 보트 디자인은 2000년까지 상당히 안정적이었다.
1968: 멕시코	시티 최초로 특정 목적으로 제작된 레가타 경주 코스가 사용되었다..
1972: 뮌헨	유리 섬유 보트가 등장하기 시작했다. 스트루어(Struer)는 1969년 델타형 랜서(Lancer)를 선보였다.
1980: 모스크바	보트 표면 제어가 도입되었다
1984: 로스 앤젤레스	섬유 유리 패들이 카약을 위한 주요 재료로 사용되기 시작했다.
1988: 서울	NZ 스피드 포드(pod) 사용이 시도되었지만 허용되지 않았다. "반 두센 이글(Van Dusen Eagle)"보트가 도입되었다. 날개형 패들은 대부분의 최상급 패들러에 의해 사용되었다.
1996: 애틀란타	목재 보트로 카약 경주에서 우승한 마지막 대회. K1 1,000 m (Holmann), K1 500 m (Rossi). 블레이드를 중앙선에 가깝게 이동시킬 수 있는 도려낸 형태(scooped-out)의 앞 간판 구조 등, 복합 재료 제조로 인체 공학적 형상이 더 많이 사용될 수 있었다.
2000: 시드니	최소 너비 규칙을 우회할 수 있는 상승형 갑판이 있는 시드니 보트. 탄소 섬유 기반의 복합 보트가 널리 사용되었다. C1 델타는 새로운 디자인으로 대체되었다.
2004: 아테네	최소 폭 규칙은 2000년 후반에 폐지되어 더욱 전통적인 갑판 형태를 재도입 할 수 있었다.
2015:	Nelo는 역방향 형태의 선수(bow) 디자인인 Cinco를 출시했는데, 이는 2000년 이후 가장 혁신적인 디자인 변경이었다. C1 체중 제한은 16 kg에서 14 kg으로 감소했다.

그림 2.1 Gert Fredriksson (6번)은 영국 Henley에서 개최된 1948년 올림픽 대회의 남성 1,000 m 경주에서 놀라운 힘으로 역주하여 우승했다. *출처: ICF 제공*

그림 2.2 1976년 몬트리올 올림픽 K1 500에서 Vasile Diba가 금메달을 거머쥔 것에 기뻐하고 있다. Vasile Diba는 랜서 유형의 보트(델타 형태)에서 나무 패들로 노를 저었다. *출처: ICF 제공*

그림 2.3 Fischer, Mucke, Wagner, Schuck (독일 대표팀)은 2000년 시드니 올림픽 WK4 500 m 경주에서 금메달을 획득했다. 보트의 선미쪽으로 올려진 갑판 (raised-deck)으로 당시의 최소 폭 요구사항을 충족시켰다는 사실은 주목할 만하다.
출처: ICF 제공

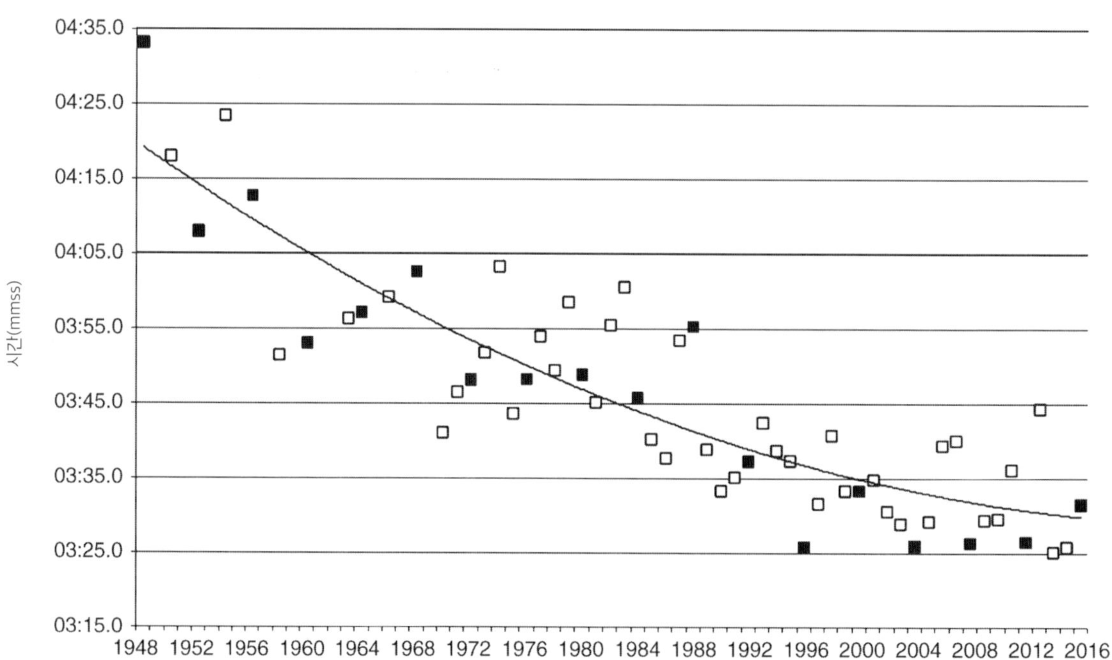

그림 2.4 올림픽(칠해진 마커) 및 세계 선수권 대회(칠해지지 않은 마커)에서 남성 K1 1,000 m 경주 우승 기록. 1948년, 템스강 유역의 물줄기를 거슬러 경주가 진행되었다. 1968년 멕시코 시티 올림픽에서는 높은 해발 고도의 영향으로 보트 속도가 상대적으로 느려졌다.

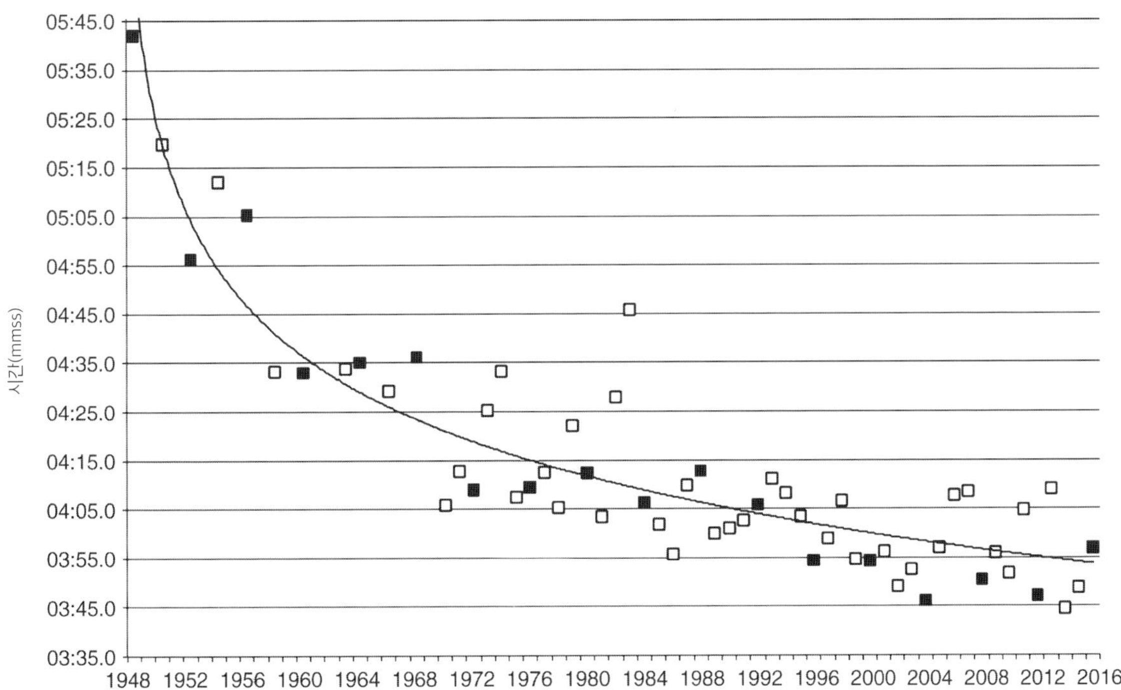

그림 2.5 올림픽(칠해진 마커) 및 세계 선수권 대회(칠해지지 않은 마커)에서 남성 C1 1,000 m 경주 우승 기록. 1948년, 템스강 유역의 물줄기를 거슬러 경주가 진행되었다. 1968년 멕시코 시티 올림픽에서는 높은 해발 고도의 영향으로 보트 속도가 상대적으로 느려졌다.

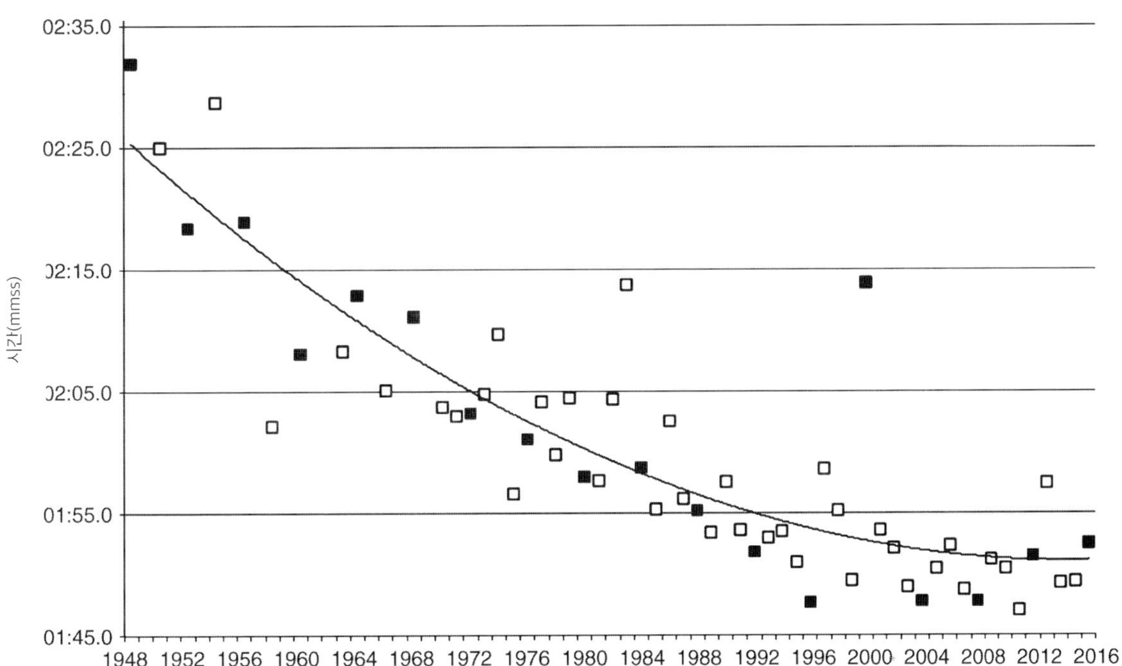

그림 2.6 1948 - 2015년 올림픽(칠해진 마커) 및 세계 선수권 대회(칠해지지 않은 마커)에서 여성 K1 500 m 경주 우승 시간 기록. 시드니 올림픽에서 이 경주는 강한 맞바람이 부는 가운데 진행되었는데, 이는 우승 기록에 큰 영향을 미쳤다.

그림 2.7 리오 올림픽의 남성 200 m 카약에서 사용된 "역방향 선수(bow)"를 특징으로 하는 Nelo Cinco. 출처: Balint Vekassy, © ICF

결과적으로 선체 측면의 높이가 감소하여 특히 카누 측면으로 바람이 불 때 발생되는 조정 문제가 상당히 완화되었으며 경주 종료 후에 보트를 트레일러를 적재하는 사람들의 스트레스가 감소되었다. **그림 2.4-2.6**은 유효 최소 빔이 (대략 1999년 이후부터) 감소 되었기 때문에, 성능 시간이 각 범주에서 상당히 안정적으로 유지됨을 보여준다.

이후, 선체 설계의 변경은 미묘하게 이루어졌는데 설계자는 로커(rocker)의 변화, 프리즘 체적 분포 및 단면 형상을 실험하여 보트 움직임을 가능한 크게 줄임으로써 패들러의 효율성을 최대화하려 했다. 최근 수년간 CFD (computational flow dynamics) 모델링 및 제조 기술을 사용할 수 있게 됨에 따라 항력(drag)을 상당히 감소시킬 수 있는 것이 가능하지만 그러한 기회는 일반적으로 규칙 변경에 따라 현재의 설계에서 크게 벗어나는 것이 가능할 때까지는 제한적인 것으로 간주된다. 넬로(Nelo)가 최근 개발했고 2015년에 도입된 Cinco는 "역전형 선수(inverted bow)"(**그림 2.7**)를 적용한 것인데, 그 목적은 선수(bow)의 물결이 카약의 측면에서 높이 상승하여 조파 항력(wave drag)과 피칭(pitching)을 감소시키기 위한 것이다. 본질적으로 조파 항력(wave drag)이 감소되는 반면에 표피 면적(whetted area) 증가로 인한 마찰 저

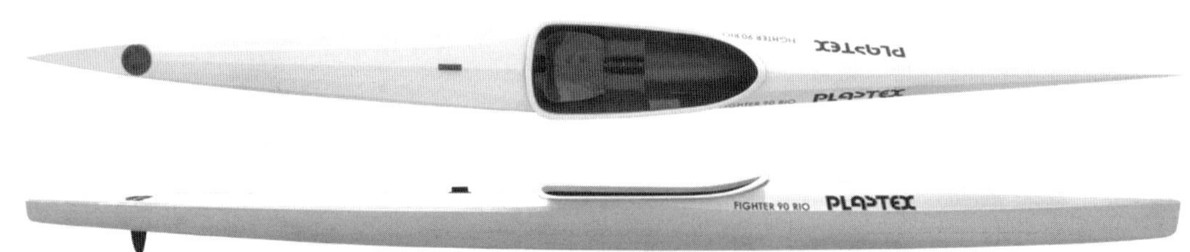

그림 2.8 현대의 경주 카약 싱글 (K1). *출처: ICF 제공*

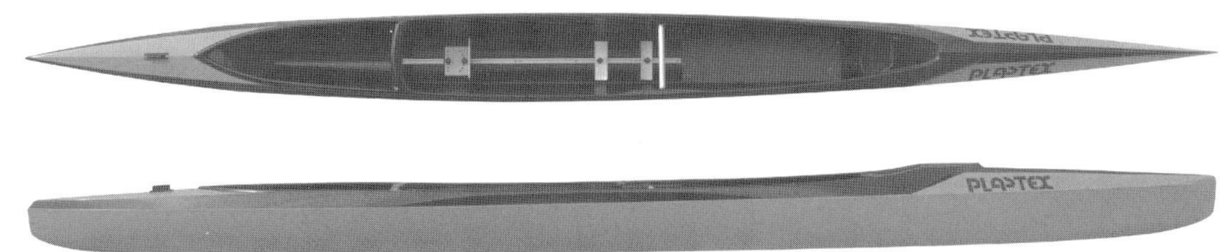

그림 2.9 현대의 경주 카누 싱글 (C1). *출처: ICF 제공*

항이 증가하므로, 이러한 설계가 성능을 개선하는지의 여부는 아직 확신할 수 없다.

조건이 완벽하지 않으면 많은 장점들도 사라질 수 있다. 200 m 경주가 올림픽 프로그램에 추가되고 이 부문에서 최초의 경쟁이 2012년에 이루어짐에 따라, 다양한 보트 제조업체들의 설계가 미묘하게 변경되었다. 그러나 보트의 길이에 대한 무게 중심 위치에 의해 결정되는 보트 트림(trim)이 개별 선수와 보트 속도에 대하여 정확한지를 확인하는 것이 더욱 강조되고 있다. 200 m 경주에서 관찰되는 보트 속도 증가는 선미 부분이 아래쪽으로 상당히 빨려 들어가게 하므로 보트가 정상적인 프로필을 유지할 때에 비해 항력이 더 크게 증가함을 시사한다(**그림 2.8 및 2.9**).

패들(paddles)

20세기 초에 첫 번째 정식 대회가 개최된 이후, 패들 디자인의 작은 변화로 보트 성능에 상당한 영향을 미칠 가능성은 없었다. 패들은 본질적으로 평평하고 목재로 만들어졌지만 중량과 형태가 단계적으로 조금씩 줄어들며 성능이 개선되고 있다. 섬유 유리 패들이 소개 되었지만, 초기 건축 방법과 재료의 사용에 따른 이득이 종종 명확하지 않은 것과 마찬가지로 새로운 자재로 제작된 패들의 장점은 확실하지 않았다. 1986년, 스웨덴에서 "날개(wing)"패들이 생산되었는데 이는 추진 효율을 개선한 최초의 주요한 발전이었다. 패들링(paddling) 기술의 변화를 요구하는 이러한 새로운 패들은 곧 좋은 반응을 얻었으며 1988년 서울 올림픽에서 대부분의 선수들에 의해 사용되었다. 현재 사용되고 있는 경주용 패들은 원래의 디자인에서 파생된 것이다. 패들은 더욱 발전하여 오늘날에는 탄소 섬유로만 제작되며 크기와 형태가 매우 다양하다. 경주 시간을 고려할 때(**그림 2.4-2.6**), 날개 패들(wing paddle) 도입의 직접적인 결과로서 가능할 수 있는 시간 기록 향상은 분명하지 않다. 이는 패들 디자인 측면에서 비슷한 발전이 없었던 동일 기간 동안 canoe class에서 시간 기록이 감소한 것과 비교하면 더욱 그렇다. 편평한 비대칭 패들을 날개형 패들과 비교하는 연구는 거의 없었지만, 그나마 실행되었던 연구에서는 패들의 추진 효율이 개선된 것으로 나타났다. Jackson 등(1992)은 많은 테스트를 통해 패들의 추진 효율이 표준적인 "편평한" 블레이드에서는 75 % 수준이었던 반면에 날개형 블레이드에서는 89 %에 달하는 것으로 계산했다.

다양한 스타일의 기술, 개인적인 힘과 체구적 측면의 차이와 함께 패들 추진의 복잡성을 고려하면, 패들에서 최적의 이득을 얻는 것은 쉽지 않다. 지난 수년 동안, 캐나디안 카누 패들에는 상대적으로 변화가 없었다. 사용되는 패들은 상대적으로 "편평"하고 나무 대신에 탄소로 만들어졌지만, 지금도 일부 상위급 선수들은 나무 블레이드가 있는 패들을 사용한다.

캐나디안 카누 블레이드는 일반적으로 스푼(spoon)

이 거의 없는 직사각형이지만, 최근에는 많은 상위급 선수들이 스트로크 또는 "캐치"의 시작을 로드(load)한다고 보고되는 더욱 넓고 더욱 정사각형 형태로된 모델을 선호하기 시작했다.

생체 역학 Biomechanics

개인이 채택하는 패들링(padding) 스타일은 사용되는 장비에 따른 모든 제약조건뿐만 아니라 해당 종목에 필요한 기술(예: 1인 카누 [C1] 단거리 1,000 m), 체구, 힘의 특성, 유연성 및 안정성 측면에서 개인의 특성에 따라 결정된다. 특정 종목에 대하여 일반화된 기술은 근본적인 생체 역학에 의해 좌우되지만 가능한 효과적인 방향으로 발전되어왔다. 따라서 스타일, 기술 및 생체 역학이 밀접하게 관련되어 있음을 알 수 있으며 경기를 좌우하는 생체 역학을 이해함으로써 특정 기술 및 개별 스타일에 대한 근거를 이해할 수 있다. 패들의 최적화는 코칭(coaching) 관점에서 시작될 수 있다. 특정적인 움직임을 뒷받침하는 기계적 원리가 잘 이해되지 않고 때로는 무시되는 경우가 많으며 그러한 상황에서 직접적인 개입이 이루어진다. 결과적으로, 코치들은 보트 속도에 거의 영향을 미치지 않는 스트로크(stroke)의 중요하지 않은 부분에 많은 주의를 기울이는 경우가 많다. 핵심적인 기계적 요인에 대한 이해가 증진된다면, 코치와 선수는 시간과 에너지를 더욱 효과적으로 사용할 수 있을 것이다. 그렇지만 코치나 과학자 및 의학 종사자가 이용할 수 있는 카누 또는 카약 특정적인 기계 정보는 거의 없으므로 코치와 선수가 자신이 보유하고 있는 기술의 어떠한 측면을 변경할 것인지에 대하여 우선 순위를 설정하거나 명확하게 파악하는 것이 어렵다는 것은 놀랍지 않다. 이 절의 목적은 선수, 코치 및 전문직 종사자가 활동의 영역인 환경의 기본사항을 이해하는 데 유용하도록 카누 및 카약을 뒷받침하는 주요 생체 역학적 요인을 설명하는 것이다.

유체 역학 Fluid mechanics

물과 공기는 움직임에 대하여 저항력을 갖는다. 단거리 카누 경기의 경우, 저항은 대부분의 경우 카누의 진행 방향과 반대 방향으로 작용한다. 단거리 카누 경기에서 항력을 결정하는 요소는 Jackson (1995)에 의해 확인되었으며 **그림 2.10**에 제시되어 있다. 이러한 요소 중 일부는 '흘수선 길이' 등과 같이 상대적으로 고정적이지만 일부는 변경 될 수 있다. 예를 들어, 패들러(노 젓는 선수)는 체중 감량을 통해 선체의 체적 변위를 감소시켜 마찰 항력과 선체 항력을 줄일 수 있다.

결과적으로, 다른 모든 입력이 동일하게 유지된다면 카누의 이동 속도는 더 향상될 것이다. 마찬가지로, C1 클래스에서 최소 질량이 16 kg에서 14 kg으로 감소하면 경주 시간이 단축될 수 있다. 수온(물의 밀도에 영향을 끼침), 공기 온도(공기의 밀도에 영향을 끼침), 풍속 및 풍향 등과 같은 환경 조건의 변화는 모두 레가타(보트 경기)에서 발생되는 경주 시간 차이의 대부분을 설명한다. 세계 신기록은 일반적으로 항력이 낮은 환경 조건에서 달성된다. 분명히, 보트가 더 빠른 속도로 이동함에 따라 모든 종류의 항력(마찰, 파력 및 공기 역학)은 증가 할 것이다.

표 2.2는 보트 속도와 탑승자 질량에 대한 일반적인 입력이 주어진 상태에서 남녀 카약 클래스에서 작용하는 항력의 주요 구성요소에 대한 일부 값을 보여준다. 이는 표준화된 방정식과 특정 클래스 차원 및 입력을 적용한 Jackson (1995)에 의해 계산되었다. 이러한 항력은 모델링 절차를 기반으로 하지만, 결과를 보면 클래스 간의 차이뿐만 아니라 속도 및 탑승자 체질량의 차이로 인하여 발생할 수 있는 항력의 차이를 이해할 수 있다. 최근 Gomes 등(2015)은 카약을 물을 가로질러 견인하면서

200, 500 및 1,000 m 경주장에서 패들러 3인의 체중(65, 75, 85 kg)을 통해 3개 사이즈의 카약에 작용하는 전체 항력을 측정했다. 그 결과, 3개 사이즈의 카약과 패들러 질량에 대한 항력에는 "작지만 중요한 차이"가 있는 것으로 나타났는데, 이는 패들러 질량과 보트 속도에 따라 적절한 크기의 카약을 선택하는 데 있어서 영향을 미친다.

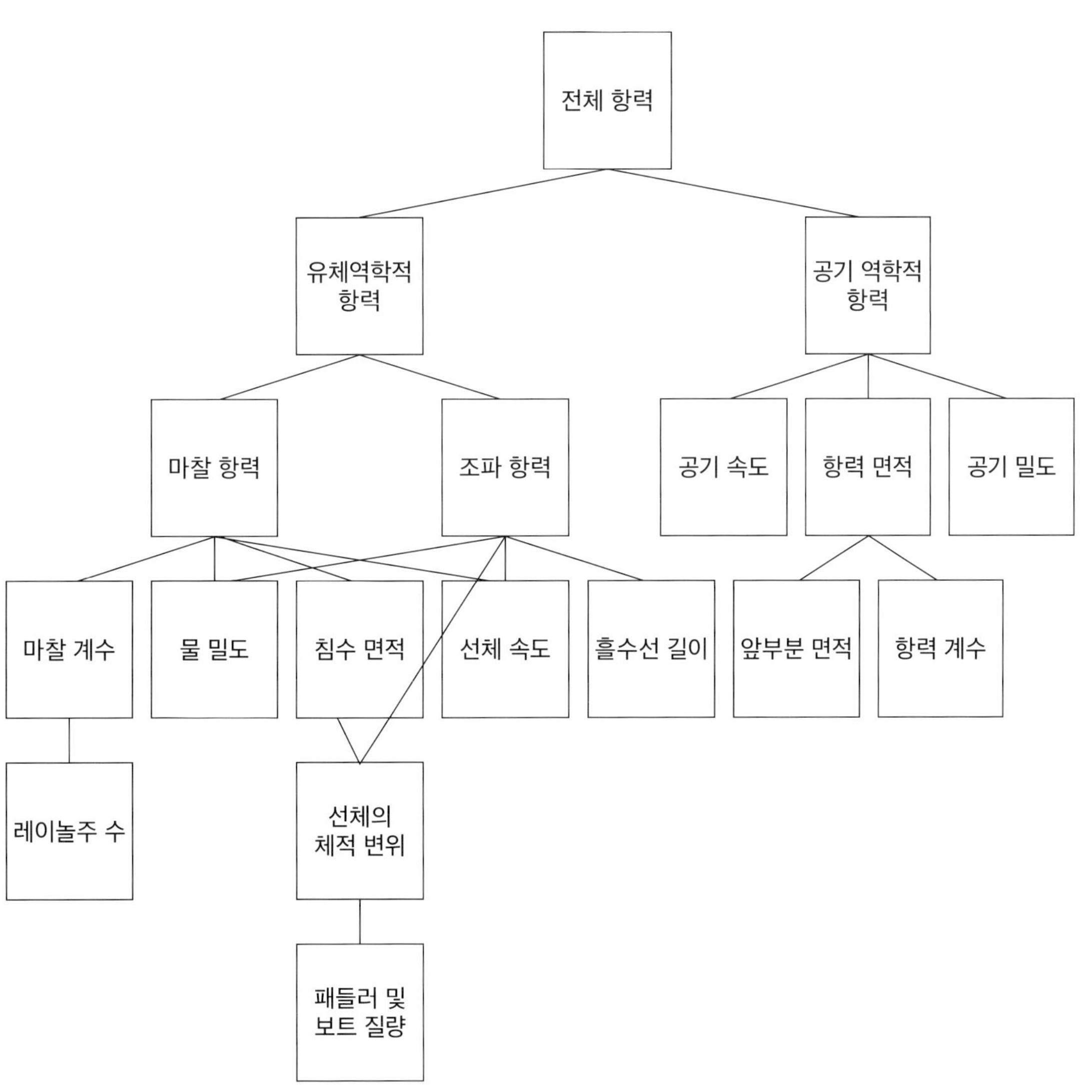

그림 2.10 전체 항력을 결정하는 요인. *출처: Jackson (1995)에서 그대로 사용. Taylor & Francis의 승인 하에 복제됨.*

표 2.2 남성 및 여성 카약에서 항력 구성요소(N) 값 및 전체 항력에 대한 항력 구성요소의 상대적 기여도(%)

남성						
	K1		K2		K4	
탑승자 질량(kg)	81		162		324	
보트 질량(kg)	12		18		30	
평균 속도 ($m \cdot s^{-1}$)	4.83		5.41		5.49	
Drag	**(N)**	**(%)**	**(N)**	**(%)**	**(N)**	**(%)**
마찰 항력	57.9	72	107.7	71	187.2	82
조파 항력	17.1	21	33.0	22	28.1	12
공기 항력	5.6	7	410.5	7	14.5	6
전체 항력	**80.6**		**151.2**		**229.8**	
여성						
	K1		K2		K4	
탑승자 질량(kg)	65		130		260	
보트 질량(kg)	12		18		30	
평균 속도($m \cdot s^{-1}$)	4.24		4.81		5.08	
항력	**(N)**	**(%)**	**(N)**	**(%)**	**(N)**	**(%)**
마찰 항력	41.4	73	78.5	73	146.7	83
조파 항력	10.9	19	20.9	19	17.2	10
공기 항력	4.3	8	8.3	8	12.4	7
전체 항력	**56.5**		**107.7**		**176.3**	

직접 측정된 값은 일반적으로 Jackson이 제시한 값과 일치한다. **표 2.2**는 모든 클래스에서 마찰 항력, 조파 항력(wave drag), 공기 항력(air drag)의 순서로 전체 항력에 기여 함을 보여준다. 실제적으로, 마찰 계수의 변화로 인한 마찰 항력의 현저한 감소는 보트 설계의 상당한 변화를 통해서만 가능하다. 제조사가 이미 실시한 설계 및 개발의 제약 조건을 고려 할 때, 마찰 항력의 현저한 감소는 초보 패들러가 더 안정적인 보트에서 덜 안정적인 보트로 이동하는 시나리오가 아니라면 불가능할 수 있다. 체중 감소는 마찰 항력과 조파 항력(wave drag) 모두에 영향을 미칠 것이다. Jackson (1995)은 체질량이 3 % 감소하면 보트 속도가 0.8 %증가 할 것이라고 언급한다. 그러나 이를 중재로서 달성하려는 노력은 '파워 생성' 및 '일반적인 건강'에 잠재적으로 부정적인 영향을 미칠 수 있으므로 매우 조심스럽게 고려되어야 한다. 항속도(constant velocity)에 도달하는 시점은 총 항력이 스트로크 중에

생성된 추진력과 동일할 때이다. 이 시점에서 추진력이 증가 할 때만 보트 속도가 증가하며 속도 증가에 따라 항력이 증가하면 보트 속도는 증가하지 않는다. 대회에서 경쟁하는 패들러(paddler)의 목표는 선택한 경주 거리에 대하여 평균 속도를 높이는 것이다. 패들러가 사용할 수 있는 옵션은 생리 능력을 증가시켜 '에너지 소비' 및 '낼 수 있는 힘'을 증가시키거나 항력을 감소시키거나 패들링 효율을 개선하는 것이다(이 장에서 추가적으로 다룰 내용임). 여기에서 볼 수 있는 것처럼, 항력은 주로 보트의 형태 및 보트와 선수의 질량에 의해 결정된다. 이러한 항력은 수동 항력이라고 불리는데, 이는 보트가 편향 없이 하나의 고정된 방향으로 이동하기 때문이다. 그러나 피칭(pitching), 요잉(yawing) 및 롤링(rolling)의 결과로 패들링 중에 발생하는 추가적인 능동 항력 구성요소도 있다. 경주 속도에서 얼마나 많은 능동 항력이 발생하는지는 명확하지 않지만, Pendergast 등(2005)은 3.0 m•s-1(상대적으로 느린 속도)에서 카약을 타고 노 젓는 동안 능동 항력 구성요소를 측정했으며 능동 항력이 전체 항력의 14 %를 차지하는 것을 발견했다. 경주 속도에서 보트 움직임 증가를 고려하면, 능동 항력 구성요소가 훨씬 더 커질 가능성이 있다.

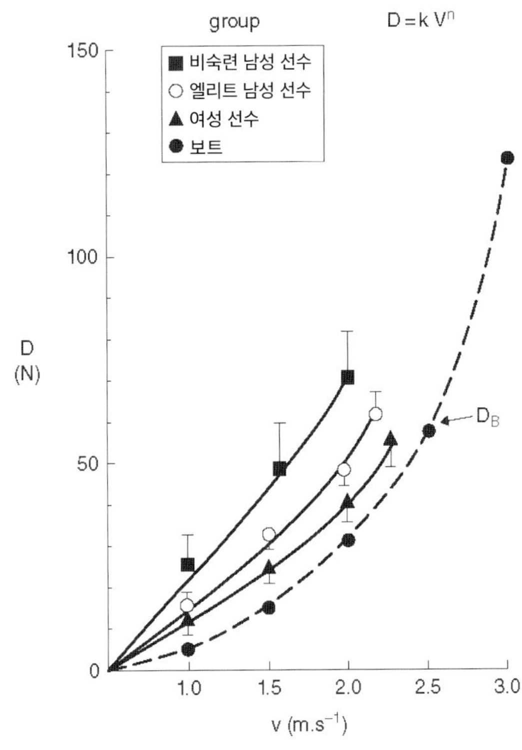

그림 2.11 항력(D)은 카약 속도(v)의 함수로 좌표에 표시된다. 점선으로 표시된 곡선은 노를 젓지 않는 카약 선수가 타고 있는 보트의 항력을 나타낸다(DB). 실선은 각 그룹에 대해 패들링 시에 작용하는 항력을 나타낸다. 다른 그룹에 대한 DB와 D의 차이는 능동 항력이다.
출처: Pendergast 등(1989).
Springer의 승인 하에 복제됨

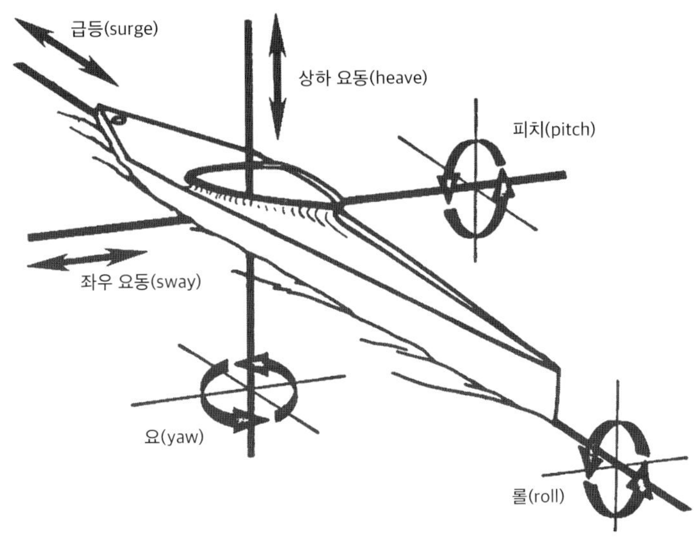

그림 2.12
보트의 움직임.
이러한 움직임은 카누에 대해서도 동일하다.
출처: Toro (1986).

항력을 비교했으며 각 그룹에 의해 생성된 전체 항력과 실제적으로 노를 젓지 않는 상태에서 카약이 동일 속도로 이동할 때 생성된 전체 항력을 비교했다(**그림 2.11**).

기술 수준이 더 낮은 그룹은 숙련된 패들러로 구성된 다른 두 그룹에 비해 능동 항력을 더 많이 생성했다. 여성 그룹은 남성에 비해 체질량이 평균적으로 13 kg 적기 때문에 남성 그룹에 비해 항력을 더 작게 생성했다. 이러한 결과를 뒷받침하기 위해, Pendergast 등(2005)은 초보 단거리 카약 선수들을 4년 동안 추적했는데 이 선수들이 $3.0\ m \cdot s^{-1}$에서 패들링 하는 동안에 능동 항력이 18-50 % 감소한 것을 발견했다. 패들링하는 동안에 보트의 방향성(orientation)을 더욱 효과적으로 제어하면 분명히 전체 항력이 감소하고 특정 입력에 대해 속도가 증가할 것이다.

전진(급등[surge])뿐만 아니라, 패들링의 효과는 보트가 요(yaw), 피치(pitch), 롤(roll), 상하 동요(heave)를 일으키는 원인이 된다(**그림 2.12**). 이러한 결과적인 보트의 움직임은 보트에 대한 스트로크 시에 체질량 중심 이동으로 인하여 생성될 뿐만 아니라 패들 스트로크 시에 패들에 의해 물에 생성되는 측력, 수직력 및 수평력으로 인해서도 생성된다. 이러한 각 방향의 패들 힘은 스트로크 시에 보트에 대하여 그 크기와 위치가 상당히 쉽게 바뀔 수 있으며 보트의 움직임에 상이한 영향을 미친다(**표 2.3**). 이러한 움직임의 결과로서 마찰 항력과 조파 항력(wave drag) 구성요소가 증가하는데, 그러한 증가의 규모(정도)는 동일 수준의 다양한 선수들 간에 상당히 가변적 일 수 있다.

추진 메커니즘
Mechanisms of propulsion

패들링 시에 추진력은 카약에서 발생되는 항력 (날개형 블레이드식 패들 사용)뿐만 아니라 항력(편평한 블레이드 사용)과 양력의 생성으로 인하여 발생된다. **그림 2.13**은 블레이드 움직임의 상대적 차이를 보여주는데, 평날(편평한 카약 블레이드와 카누 블레이드에 적용 가능)은 보트에 가깝게 종방향으로 움직이고 날개식 블레이드는 보트에 대해서 뒤로 움직일 뿐만 아니라 측면으로도 움직인다.

표 2.3 보트의 움직임 및 움직임의 원인

피칭 [Pitching]	피칭은 스트로크 동안 전방 및 후방 신체 움직임과 특히 패의 끝에서 패들에 의해 가해지는 힘의 방향에 의해 발생한다. 피치의 증가는 항력에 큰 영향을 미친다.
롤링 [Rolling]	질량 중심이 지지대 바닥(즉, 패들이 물 속에 있는 동안 좌석과 패들)에 대하여 횡방향으로 움직여서 발생한다
요잉 [Yawing]	'요잉'은 패들 힘이 중심에서 벗어나 가해질 때 발생한다. '요잉'은 카약에서 날(블레이드)이 보트에서 멀어 질수록 증가할 수 있다. 카누에서는 날이 보트에 가깝게 유지 될 때 '요잉'이 최소로 유지된다.
상하 요동 [Heaving]	스트로크 동안 질량 중심의 수직 운동에 의해 발생한다. 카누에서는 한 스트로크에서 다음 스트로크로 전환하는 동안 더욱 중요한다.
좌우 요동 [Sway]	패들링 동안(노를 젓는 동안)에 보트가 횡방향으로 움직인다. K4에서 가장 흔히 발생한다.
급등 [Surge]	급등은 패들 힘의 직접적인 결과로서의 요구되는 운동이며, 패들링 중에 몸의 전방향 및 후방향 운동에 의해 변경 될 수 있다.

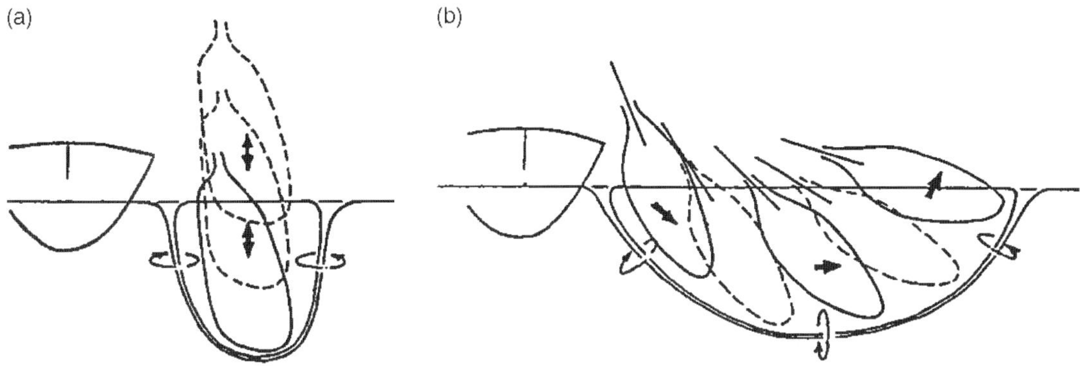

그림 2.13 정면에서 볼 때, "편평"한 패들(a) 및 "날개형" 패들(b)의 경로. 측방향 움직임의 차이가 분명하게 나타난다. *출처: Jackson (1995). Taylor & Francis의 승인 하에 복제됨*

블레이드가 물 속으로 들어가고 힘이 가해지면 블레이드의 표면적에 대하여 일정한 질량의 물이 뒤쪽으로 가속화된다. 결과적인 항력은 손과 팔, 몸통을 통해서 뿐만 아니라 좌석과 발 받침을 매개로 선체와 연결된 부분을 통해 보트를 앞으로 추진시킨다. 이 추진력으로 보트가 앞으로 이동하는 동안, 결과적으로 블레이드 슬립(blade slip)이 발생하고 항력이 생성됨에 따라 물 속에서 블레이드가 뒤로 이동한다 (**그림 2.14**). 생성된 항력은 주로 블레이드 면적과 블레이드 속도에 의해 결정되며 아래의 방정식에 의해 설명된다.

$$F_d = pAv^2C_d$$

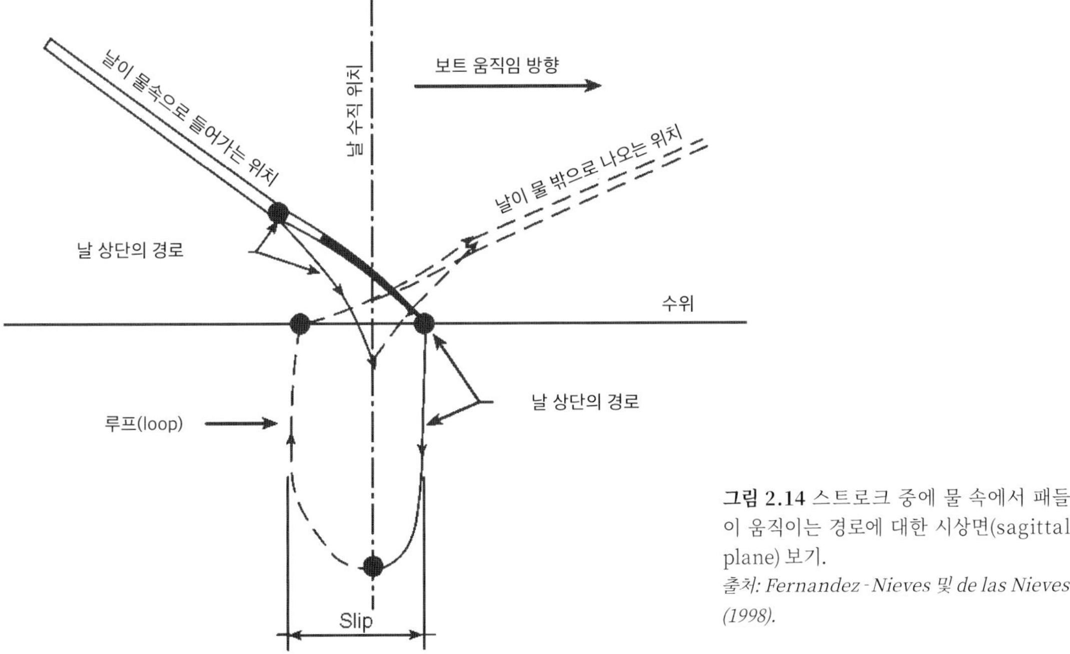

그림 2.14 스트로크 중에 물 속에서 패들이 움직이는 경로에 대한 시상면(sagittal plane) 보기.
출처: Fernandez-Nieves 및 de las Nieves (1998).

여기서, "F_d"는 항력, "ρ"는 유체 밀도, "A"는 블레이드의 투영 면적, "v"는 블레이드와 물 사이의 상대 속도, "C_d"는 블레이드 형태에 의해 결정되는 항력 계수이다. 물에 대하여 블레이드의 움직임이 빠르고 블레이드의 크기가 클수록 추진력이 증가한다. 또한, 실제적으로 평날 패들의 다양한 형태 변화는 힘 생성에 자체에 거의 영향을 미치지 않지만 전달되는 힘은 블레이드의 형태에 의해 완화될 수 있을 뿐만 아니라 주로 수온에 의해 결정되는 물의 점성에 의해서도 완화될 수 있다.

다른 모든 것이 동일하게 유지된다면, 힘은 따뜻한 물에 비해 찬물에서 더 클 것이다. 항력 생성에 따른 불가피한 결과 중 하나는 에너지가 속도의 형태로 물 속에 가해지기 때문에 패들링 효율에 부정적인 영향이 끼쳐진다는 것이다.

날개형 블레이드는 그 형태로 인하여 측면 이동을 발생시키므로 결과적으로 양력이 생성되며 동일한 추진력에 대해 블레이드 슬립(blade slip)은 적게 발생한다. Jackson 등(1992)은 블레이드 사이에서 발생된 양력 및 항력의 차이를 측정했는데, 그는 편평한 블레이드의 효율이 75 %였던 것에 비해 날개형 블레이드의 효율은 89 %에 달한다고 판단했다. 개인들 간의 차이와 블레이드 슬립의 측면에서뿐만 아니라 심지어 동일한 선수의 좌측 패들링 측면과 우측 패들링 측면에서도 큰 차이가 발견 될 수 있다.

그림 2.15는 날개형 패들을 사용하는 2명의 엘리트 카약 선수들에서 관찰된 횡 방향 이동과 블레이드 슬립 간의 차이를 보여준다. 이러한 예에서, 카약 선수 A (실선)는 물에 대하여 블레이드의 최초 전진 이동을 실시한 후에 측면 이동을 실시한다. 중요하게도, 전체 블레이드 슬립은 카약 선수 B (파선)의 경우에 비해 덜한데 이는 측면 이동이 적고 블레이드 슬립이 더 크다는 것을 보여준다.

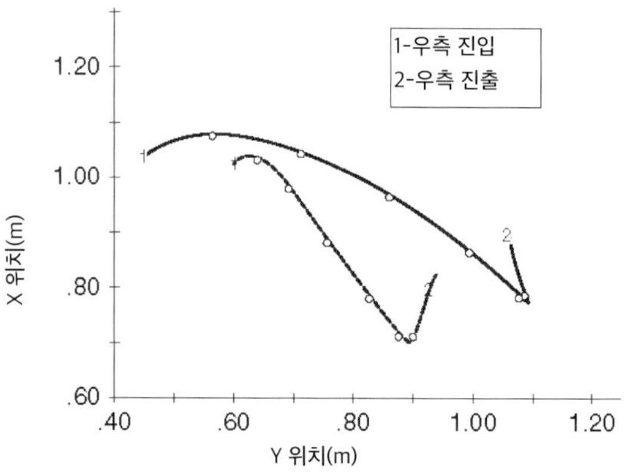

그림 2.15 2명의 엘리트 카약 선수의 스트로크 "당김 단계"에서 우측 날(블레이드) 끝부분의 평면도. 카약의 우측은 차트의 좌측에 해당한다. *출처: Kendal 및 Sanders (1992).*

블레이드 슬립이 클수록, 블레이드가 물속에서 미끄러지지 않을 때 보트가 해당 스트로크에서 이동할 거리가 더 크게 감소한다. 그러므로 효율적인 패들러는 각 스트로크에서 더 멀리 이동하기 위해 슬립을 가능한 최소화 할 것이다.

경주에서 선수가 쏟는 노력의 강도, 대회 및 올림픽에서 메달을 획득한 선수들 사이에서 블레이드 슬립을 측정한 최근 연구 연구에서 블레이드 슬립은 스트로크 당 1 cm에서 최대 33 cm 의 범위에 있었다.

이는 또한 스트로크에서 변화하는 것으로 나타났는데, 슬립은 당기기 단계의 시작과 끝에서 발생하지만, 물에 대한 패들의 전진 이동(네거티브 슬립)은 블레이드가 더욱 수직 방향에 있을 때 당기기 단계 도중에 발생한다. 블레이드 슬립과 기록 간의 관계는 생각만큼 명확하지 않은데, 상위급 선수들 중에서 상당히 많은 블레이드 슬립이 나타나는 경우가 많다.

이를 더욱 복잡하게 하는 요인은 선수가 측면 블레이드 이동량을 줄이거나 블레이드의 방향을 변경함으로써 추진력을 형성하는 표면적을 감소시켜 블레이드에 대한 부하를 스스로 조절할 수 있다는 것이다. 이러한 변화는 블레이드 슬립의 정도에 영향을 미칠 것이며 피로가 발생하고 힘을 생성할 수 있는 근육의 능력이 변화함에 따라 속도를 최적화하기 위해 경주 중에 지속적으로 변할 수 있다(**그림 2.16**). 물에 대하여 스트로크를 통한 패들의 방향은 패들에 의해 생성된 힘의 결과적인 수직 및 수평 구성요소로 인하여 중요한 요소가 된다.

그림 2.17에서 볼 수 있는 것처럼, 힘(F_H)의 수평 구성요소는 카약을 전진 이동 시키는 추진력인 반면에 수직 구성요소(F_V)는 카약의 선수(bow)를 캐치(catch)에서 들어 올리고 카약의 선미를 exit 단계에서 아래로 당기는 힘일 것이다. 이러한 수직 구성요소 및 결과적인 보트 이동(피칭)은 물에 대한 선체 형태를 변경시킴으로써 추가적인 항력을 발생시키므로 형상 항력과 전체 항력이 증가한다. 단거리 카누 및 카누 슬라롬(slalom) 경주에서 사용되는 것과 같은 편평한 블레이드의 경우, 블레이드의 형태로 인해 양력이 생성되지 않으므로 항력만으로 추진력이 생성된다. 이러한 분야에서 패들은 보트 측면에 가깝게 유지되며 블레이드 크기를 신중하게 선택하고 스트로

그림 2.16 런던 올림픽 200 m 결승전에서 경주하는 올림픽 챔피언 Ed McKeever. 당김 단계가 진행되는 동안 패들의 측방향 운동을 명확하게 볼 수 있다.
출처: Balint Vekassy, © ICF.

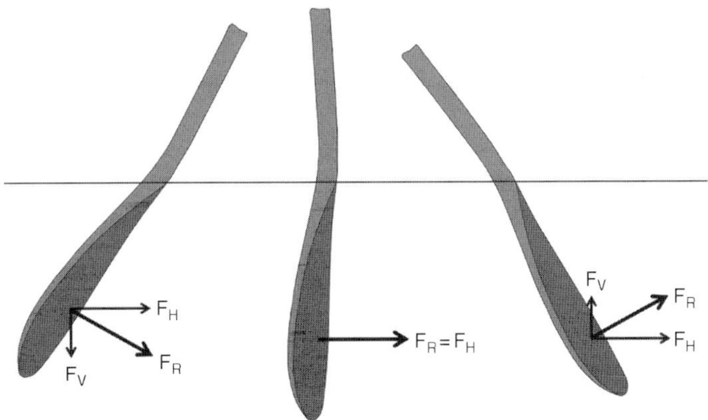

그림 2.17
생성된 힘의 구성요소인 합력(F_R), 수평력(F_H) 및 수직력(F_V)을 나타낸다.
날이 수직 일 때, 수평력은 합력과 동일하다.

크 속도를 최적화함으로써 슬립을 최소화한다. 그러나 날개형 블레이드가 있는 패들을 사용하는 경우와 비교할 때 블레이드 슬립은 일반적인 비교 환경에서 더 크다.

추진 효율
Propelling efficiency

패들링에서의 추진 효율(e_p)은 생산된 총 동력 출력(P_o)에 대하여 항력(P_d) 극복에 필요한 힘의 비율로 정의될 수 있으며 다음 방정식으로 설명 가능하다.

$$e_p = P_d / P_o$$

여기에서, 총 동력 출력은 당시 존재하는 항력을 극복하기 위해 필요한 힘과 물에 운동 에너지 변화를 발생시킬 때 낭비된 힘의 합이다. 손실된 운동 에너지(K_E)는 다음 식에 의해 뉴턴의 제2법칙에 의해 결정된다.

$$KE = \frac{1}{2}mv^2$$

여기에서, 속도(v)는 스트로크에 의해 저항 받는 물의 질량(m)에 대하여 주어진 속도이다. 물의 질량이 크고 주어진 속도가 높을수록 손실되는 운동 에너지는 증가한다. 추진 효율을 높이기 위한 또 다른 방법은 보트의 항력을 극복하는 데 필요한 힘을 줄이는 것이다. 이는 질량을 줄이거나 보트 움직임, 특히 피치, 요잉(yawing) 및 횡력을 줄임으로써 달성 가능하다. 근육 수축에 의해 생성된 힘이 블레이드의 저항보다 크지만 선체의 저항보다 작으면, 패들이 물을 젓지 못하여 추진력이 감소되고 운동 에너지의 낭비가 증가한다.

그러므로 날개형 블레이드를 옆으로 더 멀리 이동시키고 패들에 동일한 힘을 가하면 동일한 추진력이 생성되고 낭비되는 운동 에너지는 감소하는데 '순 슬립(net slip)'이 줄어들기 때문에 스트로크 당 거리가 증가하여 추진 효율이 개선된다. 결과적으로 패들링은 동일 속도를 유지하게 되지만 에너지 소비는 줄어드는데, 이는 최대 속도를 높이거나 더 오랜 시간 동안 속도를 유지하려 할 때에 영향을 미칠 것이다.

패들링 힘(노 젓는 힘)
Paddling forces

많은 연구에서 다양한 상황에서 다양한 선수들의 패들링에 의해 생성되는 힘에 대하여 보고하고 있지만 일반적으로 제한적인 데이터만이 존재할 뿐이다. 이는 주로 패들링 움직임(paddling movement)을 제한하지 않고는 패들링 환경에서 힘을 측정하는 것이 어렵기 때문이다. Sperlich와 Baker (2002)는 "카약 스포츠에 대한 생체역학 지원의 개요"에서 힘에 관련된 2개 변수에 관련하여 호주의 국가 대표 카약 선수들에 대한 표준 규범을 보고했다. 최대 힘(peak force)은 남성의 경우 375 N 이었던 반면에 여성의 경우 290 N 였다. 충격량(impulse)은 남성과 여성의 경우 각각 109 N·s 및 80 N·s 이었다. 최근, Gomes 등(2015b)은 국내 및 국제 대회에서 200 m가 넘는 거리에 대하여 분당 60-124(경주 속도) 스트로크로 패들링하는 남녀 카약 선수들의 노 젓는 힘(패들링 힘)을 보고했다. 그들은 남성과 여성의 200 m 경주 속도에서 분당 60 스트로크로 이동하는 경우 최대 힘(peak force)이 225 N 및 126 N 에서부터 274 N 및 153 N 에 이르는 범위에 걸쳐 있다고 보고했다. 이와 같이 보고된 힘은 100 % 미만의 추진 효율인 경우 패들링 중에 생성된다고 보고된 항력 수준에 잘 부합한다.

그림 2.18은 패들링 중에 좌우 스트로크에서 발생하는 '보트의 움직임'뿐만 아니라 패들의 힘을 보여준다. 이 데이터는 높은 수준으로 유지되는 큰 힘, 보트 가속 및 감속의 명확한 단계, 힘과 가속의 대략적인 비대칭성을 입증하며 '상급 패들러'들로부터 획득된 상당히 안정적인 데이터이다.

패들링 힘은 수직 및 수평 구성요소로 구분된다. 패들은 비교적 스트로크 초기에 수직 위치에 도달하는데, 이는 비정상적이지는 않지만 수직력 구성요소의 규모에 큰 영향을 미친다는 점에 유의해야 한다.

좌측과 우측의 스트로크 사이에는 비대칭성이 다소 있다는 사실에 주목해야 한다. 도달된 최대 가속도는 좌측 스트로크에서 더 크지만 최대 힘은 우측 스트로크에서 더 크다. 사실, A와 C 사이에서 좌측 스트로크의 수평 충격은 40.6 N·s인 반면에 우측 스트로크의 수평 충격은 37.2 N·s이다. 블레이드 슬립은 이 시간 동안 두 스트로크 모두 무시할 수 있을 만큼 적다. 그러므로 좌측 스트로크에서 가속 충격이 더 크고 속도가 더 빠른 이유는 주로 추진 충격(propulsive impulse)이 더 크기 때문이다. 좌측 스트로크는 우측에 비해 속도의 순 증가가 있고 이 경우 좌측 스트로크는 시작 시에 비해 종료 시에 속도가 더 빠르다는 것에 유의해야 한다. 우측 스트로크에서서는 이와는 반대 현상이 발생하므로 스트로크는 시작 시에 비해 종료될 때 속도가 더 느리다.

그림 2.18에서 볼 수 있는 또 다른 특징은 패들 블레이드(paddle blade)가 전체 당기기 시간(pull time)의 약 1/3 후에 수직이 되며 스트로크 시간의 대부분에서 패들은 수직력 증가를 유도하여 보트의 피치(pitch)를 발생시키는 방향을 지향한다. 패들 방향이 수직력 및 수평력에 미치는 영향은 **그림 2.19** 에 제시되어 있는데, 이는 동일 데이터에 기초하여 판단된 것이다. 이 차트는 패들 방향, 생성된 힘, 생성된 수직력의 크기 간의 관계를 더욱 명확하게 보여준다(**그림 2.20**).

A	물과 처음 접촉하는 지점	패들은 일반적으로 물에 대해 40-50° 각도에 있다. 힘 생산(생성)의 급증은 보트 속도의 빠른 급격한 가속으로 이어져야 한다. 패들의 각도로 인하여 수평력은 합력을 밀접하게 추적하며 보트 선수를 들어 올리는(피치, pitch) 작은 수직력이 존재한다.
B	패들은 물과 직각을 이룬다.	이 위치에서 모든 생성된 힘은 수평으로 작용하며 매우 효과적이다. 이 지점을 지나면 모든 힘이 계속 증가한다. 일반적으로 가속도는 감소하지만 속도는 계속 증가한다.
C	최대 속도가 발생하는 지점	가속 단계가 끝나고 보트 감속이 시작되는 지점. 이 지점 이전에 최대 힘이 정상적으로 발생했지만, 힘은 여전히 크다. 그렇나 항상 그런 것은 아니다. 수직력은 높고 증가하고 있으며, 날(블레이드)이 보트를 아래쪽으로 당기므로 보트 피칭이 발생하는 또 다른 기간이 있다. 이러한 다음 기간에는 패들 힘이 크지만 음(-)의 가속도가 가장 크다는 점에 유의해야 한다. 감속율은 수직력이 약화됨에 따라 감소한다.
D	패들이 물밖으로 나오고 공중 단계에서 한 스트로크에서 다음 스트로크로 전환하고 있다.	여기서부터 음(-)의 가속도의 변화는 체질량의 움직임에 기인하며 선체 프로필에서는 다음 스트로크를 준비하는 데 필요한 움직임에 의해 초래된다. 속도는 다음 스트로크 시작 직전에 최소로 감소한다

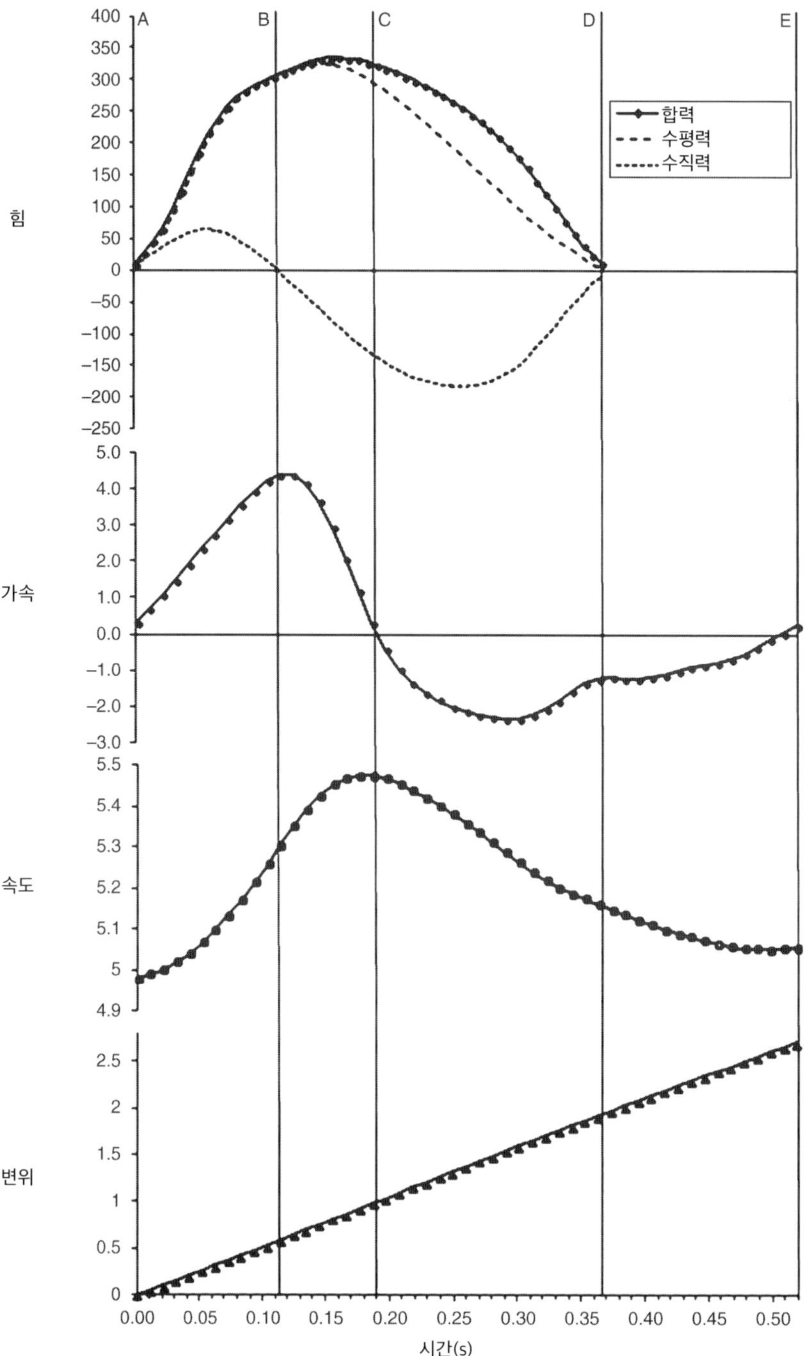

그림 2.18 500 m 경주에서, 국제 수준 카약 선수가 47회 좌측 스트로크(좌쪽 차트, 26 페이지) 및 우측 스트로크(우측 차트, 27 페이지)를 실행할 때 패들의 일반적인 평균 합력, 수평력, 수직력, 보트 가속력, 속도 및 변위 프로필. 표시된 데이터는 스트로크 시작부터 다음(반대편) 스트로크 시작까지의 구간에 해당한다. A, 접촉; B, 패들 수직 상태; C, 최대 카약 속도 지점; D, 릴리스; 접촉. 패들 스트로크에서의 주요 사건에 대한 설명은 **표 2.4**를 참조할 수 있다.

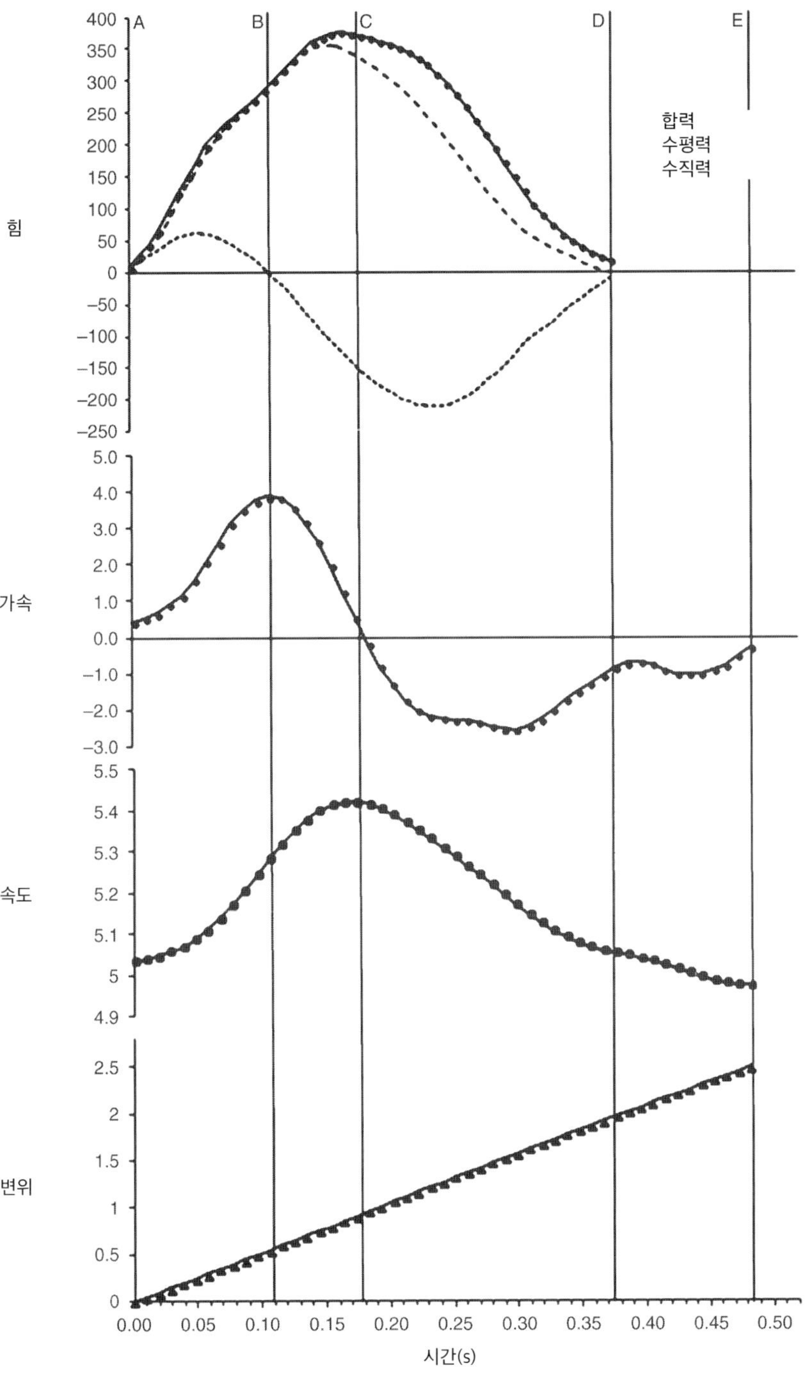

그림 2.18 (계속)

발 디딤대 힘(Foot forces)

카약을 타고 있을 때 '발 디딤대에 가해지는 힘'에 대하여 조사한 몇몇 안 되는 연구에서, 발 받침에 가해지는 힘은 일반적으로 패들에서 발견되는 힘보다 크거나 동일하고 패들 스트로크가 시작되기 직전에 작용하기 시작했다. 패들링(paddling)하는 쪽에 있는 발이 발 디딤대를 밀면 다리가 펴지면서 같은 쪽 골반이 뒤로 이동된다. 동시에 반대쪽 발을 발 스트랩(foot strap) 또는 당김 막대(pull-bar)(사용되는 경우) 방향으로 끌어 당기게 되므로 시트에서 골반이 원활하게 회전할 수 있다. 스트로크 당김 단계에서 발을 밀고 당기는 조화로운 동작은 몸통 회전과 패들 힘이 증가되도록 촉진한다. 완전 장착된 근력 기록기(ergometer)에 대한 Begon 등(2009)의 연구에서, 하체의 미는 동작에 의해 촉진되는 골반 회전이 패들 추진력을 약 6 % 증가시키는 것으로 나타났다. Nilsson과 Rosdahl (2016)의 최근 연구에 따르면 다리의 신전과 굴곡이 제한되면 발 디딤대 힘과 패들 힘이 감소한다. 그들은 다리 움직임이 제한적일 때 최대한의 힘으로 노를 저은 남성 카약 엘리트 선수 5 명에서 패들 힘이 21 % 감소했고 카약 속도가 16 % 느려진 것을 발견했다. 이는 또한 회전식 시트의 사용에 따라 패들 힘 및 운동 범위가 증가했음을 보여준 다른 근력 기록기(ergometer) 기반 연구를 뒷받침한다. 현재까지의 조사가 근력 기록기에 기반하고 있고 연구 결과가 실제 환경에 대해서는 아직 확인되지 않았기 때문에, 회전 의자에 대한 연구를 평가할 때는 주의를 기울여야 한다.

운동 능력 관련 요인 Performance-related factors

스트로크의 명확하게 확인 가능한 요소를 분석하는 것은 상대적으로 간단하기 때문에, 시간 및 단계 분석은 카약 경기 실적 분석을 위해 가장 널리 사용되는 방법이다. 많은 연구자들이 속도와 스트로크의 다양한 단계 간의 관계를 연구했으며 (**그림 2.21**) 이는 McDonnell 등(2013)에 의해 요약되었다. 실제적으로, 스트로크 시간, 스트로크 거리 및 속도 사이의 관계에 대한 모니터링은 널리 사용되는 방법이다. 이에 따라, 훈련과 경주에서 속도 및 스트로크 비율을 측정하기 위해 GPS 장치가 점점 더 많이 사용되고 있다.

그러나 스트로크 시간과 스트로크 거리를 결정하는 하위 요인의 역할은 쉽게 측정 가능하거나 이해 가능하지 않다. 결과적으로, 개인의 경기 운동능력 개선을 위해 변경되어야 하는 스트로크의 측면을 확인하는 것은 단순하지 않다. 이 과정을 원활하게 하기 위해, Wainwright 등(2015)은 카약킹(kayaking) "결정론적" 모델을 개발했다. 결정론적 모델은 스트로크 사이클의 다양한 요소를 파악하기 위해서 사용될 수 있을 뿐만 아니라 이러한 다양한 요소들이 상호 작용하는 방식에 대한 이해를 기반으로 평균 스트로크 속도를 파악하기 위해 사용될 수 있다(**그림 2.22**). 스트로크 거리(물과 공중 단계에서 이동한 거리)는 이를 조사한 연구에서 실적과 명확한 관계가 없는 것으로 나타났다. 특정 패들에 대해서, 일반적인 경향은 카약 속도가 증가함에 따라 스트로크 거리가 감소한다는 것이다. 상급 카약 선수는 특정 속도에 대해 스트로크 거리가 더 경향성이 있으며 속도가 증가함에 따라 스트로크 거리가 더 느리게 감소되는 경향을 보인다. 속도와 스트로크 거리 간의 관계는 간단하지 않은 경우가 많으므로, 속도와 스트로크 거리 간의 관계는 개별적으로 조사되어야 한다. 이는 스트로크 거리가 당김 거리(pull distance) 및 전환 거리(transition distance)에 의해 결정되고 당김 거리(pull distance)가 스트로크 길이(보트에 대한 패들의 변위) 및 블레이드 슬립에 의해 좌우되는 결정론적 모델에서 볼 수 있다. 그러므로, 어떤 하위 요인을 수정해야 하는지를 알지 못하는 상태에서 스트로크 거리를 변경하는 것은 쉽지 않다.

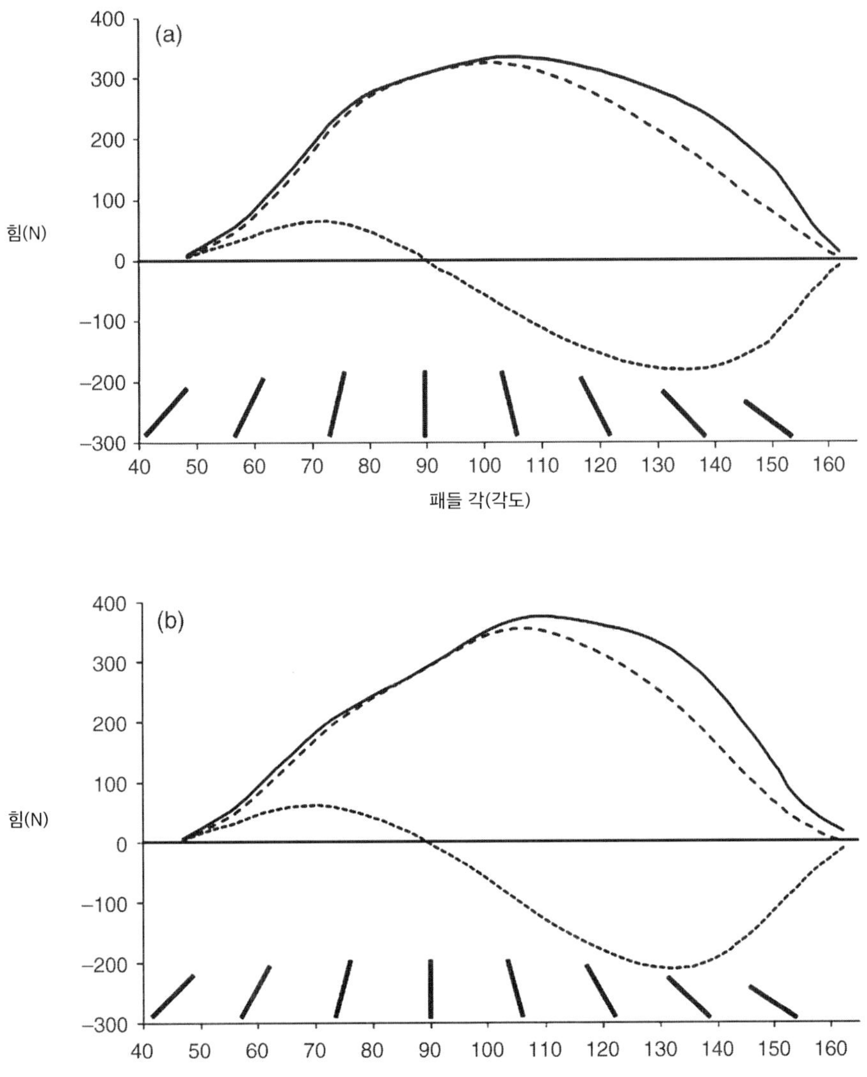

그림 2.19 시상면(sagittal plane) 패들 각에 관련하여 좌측 스트로크(a) 및 우측 스트로크(b) 합력(실선), 수평력(점선) 및 수직력(점선)이 차트에 표시되어 있다.

스트로크 시간(물과 공중 단계의 지속 시간). Stroke time (duration of the water and aerial phases).

스트로크 시간은 일반적으로 스트로크 속도(분당 단일 스트로크 수)로 변환되며 일반적으로 속도와 밀접한 관계가 있다. 스트로크 속도의 증가(즉, 스트로크 시간의 감소)는 일반적으로 속도 증가로 이어지며 스트로크 속도 증가의 효과는 스트로크 거리의 변화에 의해 경감된다. 카약 선수가 속도를 높이기 위해 사용하는 가장 일반적인 전략은 스트로크 속도를 높이는 것이지만, 이는 일반적으로 스트로크 거리를 다소 희생시킴으로써 달성된다. 분당 130-150 스트로크 영역 안에 있는 스트로크 속도는 200 m 경주에서 정기적으로 기록된다.

결정론적 모델을 사용하여 수상(on-water) 데이터에 대한 상세한 분석의 결과로, Wainwright 등(2015)은 속도에 중요한 영향을 미치는 다른 많은 주요 요인을 확인했다.

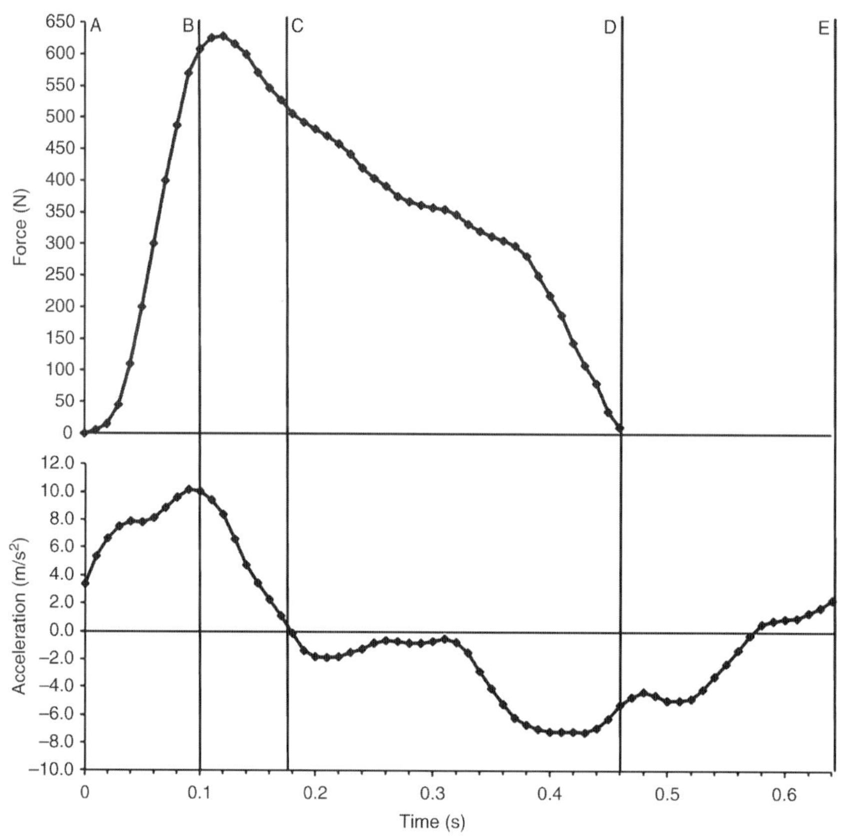

그림 2.20 500 m 경주에서 세계적인 수준의 카누 선수들의 일반적인 평균 패들력 및 보트 가속도 프로파일. 표시된 데이터는 스트로크 시작부터 다음(반대편) 스트로크 시작까지의 구간에 해당한다. A, 접촉; B, 패들 수직 상태; C, 최대 카누 속도 지점; D, 릴리스; 접촉. 주요 사건에 대한 설명은 **표 2.4**를 참조할 수 있다.

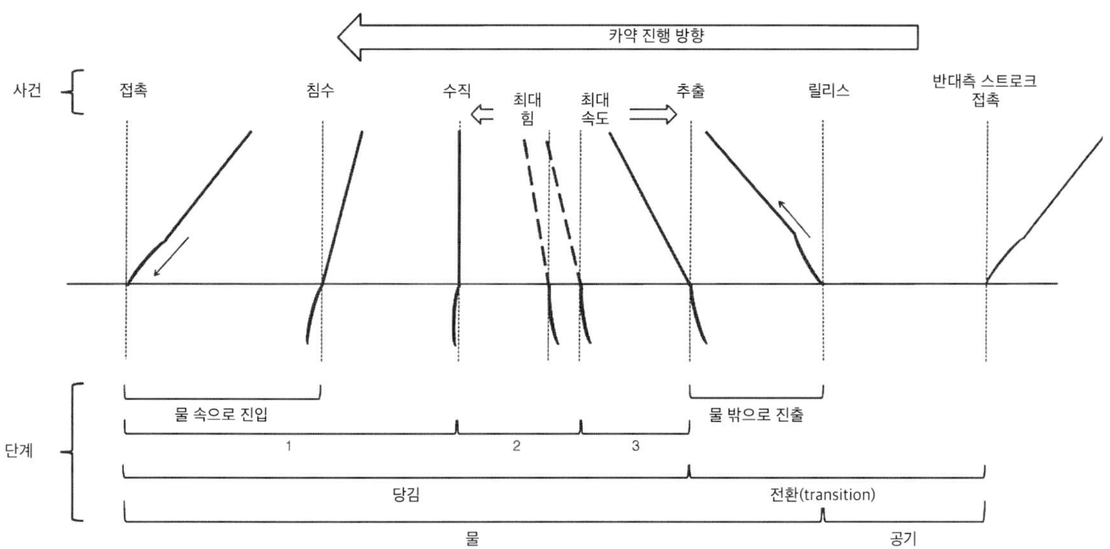

그림 2.21 카약 스트로크의 사건과 단계. 최대 힘과 최대 속도의 정확한 위치는 패들링 스타일 및 패들링 강도에 따라 달라지며 주속 속도와 패들력 프로필(paddle force profile)에 대한 모니터링을 통해서만 평가될 수 있다.

Propulsive (horizontal) impulse.
추진(수평) 임펄스

이것은 당김(pull) 단계의 1 단계 및 2 단계(**그림 2.21**)에서 속도를 증가시키는 핵심 요인이다.

추진(수평) 임펄스는 아래로 향했다가 위를 향하는 수직력 보다는 수평으로 작용하는 큰 힘의 발생에 따라 생성된다(**그림 2.17** 및 **2.18** 참조). 추진 임펄스는 보트를 가속시키고 속도를 증가시키는 데 중요한 역할을 한다. 일반적으로 실행되는 신체 훈련의 대부분은 더욱 강력하고 지속 가능한 임펄스를 생성할 수 있는 능력을 강화하는 것을 목표로 한다. 그러나 추진 임펄스의 증가는 종종 스트로크의 당김 단계에서 속도를 증가시키는 데 약간 영향을 미친다는 사실이 상급 카약 선수들에서 확인되었다. 결정론적 모델에서 볼 수 있듯이, 추진력은 블레이드 슬립에 의해 조절 될 수 있다. 추진 임펄스가 발생하는 동안 블레이드가 물 속에서 멀리 뒤로 이동하면 예컨대 블레이드 슬립이 거의 없거나 전혀 없는 경우에 비해 속도가 조금 증가한다. 노를 젓는 선수는 큰 추진 임펄스를 발생시킬 수 있는 능력의 강화를 목표해야 하지만, 발생된 추진 임펄스의 효과성에 영향을 미치는 기술 측면에도 동일하게 주의를 기울여야 한다(즉, 블레이드 슬립 최소화).

Paddle angle (sagittal plane/side view).
패들 각(시상면/측면도).

패들의 방향은 패들의 힘과 충격의 효과에 중요한 역할을 한다. 스트로크의 초기 부분(**그림 2.17**)에서, 적용되는 힘의 대부분은 수평력이며 일부분은 수직력의 생성으로 이어진다. 그러나 일단 패들이 수직 위치를 지나면(이는 대부분의 선수들의 경우 스트로크에서 상대적으로 조기에 발생함), 수직력이 빠르게 증가하기 시작한다. 수평력은 여전히 강하게 유지하지만, 수직력 증가에 따른 효

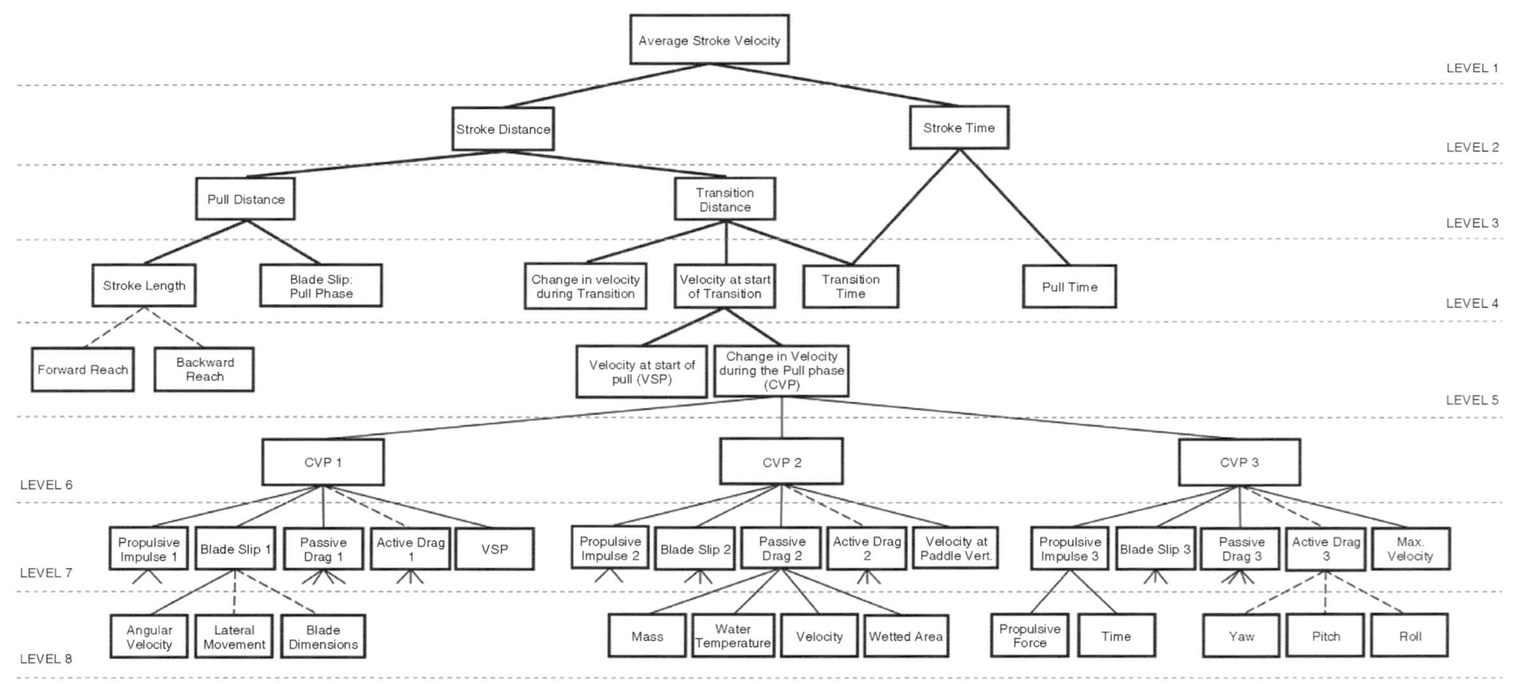

그림 2.22 Wainwright 등(2015)의 카약 결정론적 모델. 결정론적 모델은 모델의 어떠한 수준에 있는 요인이 바로 아래 수준의 요인에 의해 결정되는 기계적 모델이다. 이러한 관계를 조사함으로써, 모델 내에서 어떠한 상호작용을 통해 요인이 변경되는지를 파악하고 스트로크 내 속도에 대한 누적 효과를 이해할 수 있다

과는 보트의 피칭(pitching) 운동을 생성하는 것인데 이는 보트의 속도를 느리게 하는 작용을 한다.

수직력이 보트의 가속도와 속도에 미치는 영향은 **그림 2.18**에 제시되어 있다. 여기에서, 보트는 대략적으로 당김(pull) 단계의 절반 부분에서부터 감속하기 시작한다. 이는 매우 일반적인 일련의 사건이며 수직 위치에 있기 전에 패들이 힘을 더욱 오랫동안 생성할수록 생성된 힘은 더욱 효과적이다. 결과적인 힘에 대하여 생성된 수직력 및 수평력의 크기는 당김(pull) 단계 동안 패들 각을 변경함으로써 조절 가능하다.

블레이드(패들 날) 슬립
Blade slip.

당김 거리와 추진 임펄스의 효과는 블레이드 슬립에 의해 조절되는데, 가능하고 적절한 경우 최소화되어야 한다. 블레이드 슬립은 당김(pull) 단계의 시작(단계 1)과 끝(단계 3)에서 발견된 것과 같이 패들이 더 작고 각도가 더 클 때 발생할 가능성이 더 크다. 패들이 측면으로 이동함에 따라(양력이 증가한 결과로) 물 속에서 앞으로 움직이는 음(-)의 블레이드 슬립은 블레이드가 더욱 수직적인 방향에 있는 당김(pull) 단계의 중반부(단계 2)에 발생하는 것으로 나타난다. 2단계에서 최대가 되는 큰 측면 블레이드 움직임은 이 단계 동안에 블레이드의 전방 변위에 관련되어 있다.

전환(transition) 도중의 속도 변화.
Change in velocity during the transition.

결정론적 모델에 대한 검토는 '전환 거리'가 '이 단계의 지속 시간', '단계 시작 시점에서의 속도' 및 '단계 도중의 변화'에 의해 결정된다는 것을 보여준다. 처음 2개 요인은 상대적으로 분명하고 스트로크의 다른 측면에 의해 통제되는 반면에 속도 변화는 패들 안에서 가변적인 것으로 나타났으며 전환 거리에 강한 영향을 줄 수 있다.

카약 운동의 어떤 측면이 속도와 거리의 급격하거나 완만한 감소를 초래하는지를 파악하기 위한 정식적인 연구는 거의 수행되지 않았지만, 항력의 변화를 발생시키는 보트 움직임이 주요 원인이라는 것은 분명하다. 당김(pull) 단계에서 발생되었을 가능성이 있는 보트 움직임을 전환 도중에 최소 수준으로 유지함으로써, 전환 도중에 발생된 이동 거리를 최적화 해야 한다.

스트로크 길이.
Stroke length.

블레이드가 물 속으로 들어가는 위치와 블레이드가 물 밖으로 나가는 지점에 대한 위치가 스트로크 길이를 결정한다. 이는 패들링 중에 선수가 비교적 쉽게 통제할 수 있는 것이다. 스트로크 길이의 변화는 블레이드 슬립과 함께 당김 거리를 결정한다. 블레이드 슬립이 일정하게 유지되는 한, 스트로크 길이가 길수록 당김 단계에서 보트는 더 멀리 이동한다. 그러나 스트로크가 끝날 때까지 힘을 발생시키는 부정적인 영향으로 인하여 패들을 더 뒤쪽으로 젓기 보다는 앞쪽으로 젓도록 주의를 기울여야 한다. 이는 **그림 2.18**과 같이 수직력 증가로 이어질 수 있지만, 심각한 부정적 영향을 초래할 정도로 수직력이 증가할 가능성은 상대적으로 작다.

좌석 높이, 패들 길이 및 몸통 회전에 주의를 기울여야 하는데, 이러한 요소들은 모두 블레이드가 물 속으로 들어가는 진입 지점(접촉)의 위치에 영향을 미칠 수 있기 때문이다.

카약 및 카누를 타고 직선으로 이동할 때(이 예에서는 슬라롬), 세 가지의 근본적인 현상이 발생되는데 탑승자는 이러한 현상을 최적화하기 위해 노력해야 한다.

1. 패들이 물속에 있는 동안(즉, 큰 당김 거리) 보트가 최

대한 멀리 이동하게 한다.

2. 당김 단계가 끝날 때 속도가 가능한 가장 높도록(즉, 당김 중에 속도가 크게 변화하도록). 당김 단계 동안 보트의 속도를 증가시킨다.
3. 전환(transition) 단계에서 속도의 감소를 최소화 한다(즉, 전환 중에 속도 변화를 최소화 한다).

패들러(paddler)는 이를 실제적으로 인식하지 않고 달성하지만, 대부분의 경우 이러한 현상은 최적화되지 않다. 이는(결정론적 모델의 경우와 마찬가지로) '관련된 요인의 수'와 '그러한 요인들 간 상호 작용'의 복잡성을 고려하면 놀라운 일이 아니다. 패들러(paddler)는 과업의 목표에 따라 각 단계에 할당되는 시간을 조절할 수 있도록 각 단계의 시간을 변경한다. 예를 들어, 전환 시간을 줄여 과도한 감속을 방지하면서 스트로크 길이를 증가시킬 수 있는 시간이 상대적으로 더 많다면 스트로크의 초기 단계에서 더 큰 추진 임펄스가 생성되고 당김 단계에서 속도 증가가 가능할 것이다. 보트의 속도에 영향을 주는 일련의 복잡한 현상이 발생하는데 이러한 복잡성으로 인하여 작은 기술 개입의 영향을 감지하는 것이 항상 쉽지는 않을 것이다.

장비 설정
Equipment setup

개인의 신체적 특성에 기초한 최적의 장비 설정에 대하여 알려진 지식은 제한적이다. 팔다리 길이와 카약 선수의 신장이 패들 길이의 선택에 중요한 역할을 한다는 일반적인 인식을 재확인하는 몇몇 연구가 실행되었다. 그러나 장비 최적화 시에 관련된 주요 요인들 및 그러한 요인들 간의 상호 관계는 아직 완전하게 파악되지 않고 있다. 시드니 올림픽(Ong 등, 2005)에서 경쟁한 많은 선수들(여성 11 명 및 남성 31 명)들에서 어느 정도 일반적인 규칙이 입증되었다. 주요 측정값의 평균값은 **표 2.5**에 제시되어 있다. 총 패들 길이에 대한 그립 폭(PGW) 비율(%)은 남성과 여성 선수에서 평균적으로 33.0 %와 31.5 %로 나타났다. 또한, 이 연구에서는 발 디딤대(foot bar)와 시트(좌석) 간의 거리(FBD)와 PGW (집게 손가락 사이의 거리)가 신장(身長)에 관련이 있는 것으로 나타났다. 연구자는 연구 결과에 기초하여 다음과 같은 설정을 제안했다.

FBD (cm) = 15.975 +(0.603 x 높이)

PGW (cm) = 3.557 + (0.376 x 높이)

표 2.5 장비 측정치에 대한 평균값

	남성	여성
선수의 신장(키)	184.5	168.6
좌석 높이 (바닥에서부터 좌석의 최저 지점까지)	20.8	20.5
발 디딤대 거리(좌석의 최저 지점에서 '발 디딤대' 중간까지의 수평 거리)	94.9	87.2
패들 길이(블레이드 팁[끝부분] 사이의 수평 거리)	220.2	215.3
패들 그립 폭(패들을 정상적으로 들고 있을 때 집게 손가락들 사이의 거리))	72.8	67.9

출처: Ong 등 (2005).

이렇게 제안한 공식을 적용 할 때는 주의해야 하는데, 이는 본 연구의 저자들은 이러한 공식을 패들러에 적용했을 때 항상 운동 능력(경기 실적) 향상으로 이어지지 않은 것을 발견했기 때문이다.

각 패들러에 대해 최적의 PGW 및 발판 설정을 판단하기 위해 측정이 필요하지만 실제적으로 측정되지 않은 추가적인 요인이 있을 수 있다. 그러나 방정식은 개별적인 조정의 토대가 되는 시작점 일 수 있다.

카누 슬라롬(CANOE SLALOM)

장비

카누 슬라롬(**표 2.6** 참조)에서 장비 변경은 종종 규칙 변경 및 코스 변경에 의해 결정되었다.

코스 길이는 1960년대에서는 약 265초에 상응했지만 1970년대와 1980년대에 205초로 변경되었다. 2015년까지 남성 카약 클래스의 경주 시간은 종종 90초 이하로 단축되었다. 기문 패널티는 1979년 20초에서 10초로 단축되었고 1981년에는 5초로 단축되었으며 1997년에는 2초로 단축되었다. 주요 대회에서 자연적인 강이 경주 코스로 사용되다가 이후에는 인공 코스 사용이 증가했는데, 자연의 강을 코스로서 마지막으로 활용한 주요한 카누 슬라

표 2.6 카누 슬라롬 장비 개발의 주요 변천사

1949	제 1회 세계 선수권 대회가 제네바에서 개최되었다. 접이식 보트가 선택되었다. .
1950년대	패들링 헬멧으로 자전거 스타일의 헬멧이 사용되었다. 초기 부력 보조 장치는 자동차 타이어 내부 튜브를 사용하여 제작되었다.
1960년대	유리 섬유 보트가 경쟁에서 C2 클래스부터 사용되기 시작했다. 접이식 보트가 단계적으로 사라졌다. 가죽 자전거 스타일 보다는 체코슬로바키아의 “Wilde” 유리 섬유 헬멧이 주로 사용되었다.. Harishok가 최초의 공기 충진 스포츠용 부력 보조 장치를 개발했으며, 이 보조 장치는 나중에 ‘독립 셀 폼(closed-cell foam)’을 적용하여 개선되었다.
1970년대	유리 섬유 패들이 도입되기 시작했다. 이 시점까지, 이 패들은 나무였으며 끝부분이 알루미늄으로 되어 있었다. 뮌헨 올림픽에서, 체적이 더 작은 보트가 급류 경주 코스인 아우그스부르크 아이스카날(Augsburg Eiskanal)에서 최초로 사용되었는데, 이는 DDR 팀에서 비롯된디자인 추세이다. 규칙 변경으로 보트의 선수(bow) 및 선미(stern)가 갑판보다 낮아졌다. 이러한 변화는 기문 통과를 위해 사용된 기술에 영향을 미쳤다. 슬라롬 보트의 생산 규모가 확대됨에 따라 고품질 보트에 대한 접근성이 향상되었다. 그 전에, 보트는 공유형 몰드(shared mold)를 사용하여 수제(homemade) 방식으로 제작되었다. 1973년 스위스 세계 선수권 대회에서 미국 팀이 케블라(Kevlar) 보트를 사용했다. 1975년 유고슬라비아 세계 선수권 대회에서 Johnny Evans(미국 대표)는 새로운 "폐쇄형 조정석” C2로 경주했다. 레트만(Lettmann)이 “Perfekt” 카약을 도입했는데, 이는 끝부분이 위험스럽게 좁기 때문에 나중에 금지 될 때까지 디자인 혁명으로 간주되었다(**그림 2.24**). 섬유 유리를 대체하는 견고한 플라스틱 헬멧이 개발되었다. 플라스틱 헬멧이 섬유 유리를 대체하기 시작했다.
1980년대	1980 년대 초반에 크랭크 샤프트 패들(crankshaft paddle)이 도입되었다. 이것은 특히 Richard Foxd에 의해 사용되었다. 슬라롬 또는 강하류 경주를 위한 보트가 전문화되기 시작하면서, 보트 디자인이 세분화되었다. 장대 높이가 수면으로부터 15cm까지 증가했으며 결과적으로 보트 선수(bow)에서 체적과 깊이가 증가했다. 보트의 견고한 구조를 보장하기 위해, 최소 중량 규칙이 도입되었다. 안전을 위해 최소 선수 및 선미 반경(수평 2 cm 및 수직 1 cm) 규칙이 도입되었다. 카약을 위해, 조정 가능한 발 디딤판이 도입되었다.
1990년대	선체의 측면 형상이 둥근 형태에서 수직 형태로 변경되었다. 카약 패들 “깃털” 각도는 손목 편안함을 향상시키기 위해 전통적인 90°에서 감소되었다. 카약 패들은 특히 비대칭이되었고 효과를 높이기 위해 도려낸 형태였다. 탄소-케블라(carbon-Kevlar)와 탄소를 사용하여 제작되는 보트와 패들이 증가했다.
2000년대	보트 길이는 아테네 올림픽 이후 4.0 m에서 3.5 m로 감소했는데 이는 “더 짧고 더 기술적인 코스 디자인”을 지향하는 추세에 따라 중요한 원활한 선회를 가능하게 했다. 폴(장대) 높이가 수면에서부터 20 cm까지 더 증가하여 상류 기문 주변에서 급선회가 가능해졌다.
2010년대	보트 의장품(fittings)은 레이저로 절단된 고밀도 폼(foam) 또는 탄소 성형 공정을 사용하여 점차 개별화되었다. 카약 "선체-핀(hull-fins)"을 도입하고 사용하는 선수들이 증가했다. 보트의 최소 무게는 K1/C1의 경우 9 kg까지 증가했고 C2의 경우 15 kg까지 증가했다.

C1, 싱글 카누; C2, 더블 카누; DDR, 동독; K1, 싱글 카약; K2, 더블 카약; K4, 4인 카약

롬 선수권 대회 경주는 2002년 프랑스 부르그 생 모리스(Bourg St Maurice)의 Isère' 강에서 개최되었다. 기문 페널티 감소 및 더 일관적이고 더 짧은 코스로 인해 더욱 급격하고 더욱 빠른 회전의 중요성은 경주 클래스 전반에 걸쳐 보트 디자인의 핵심 요인이 되었다. 선수의 보트 선택과 시트(좌석)의 상대적 위치는 반복적인 코스에 소요된 짧은 시간을 비교하여 기록의 차이를 파악하는 과정과 함께 여전히 주로 선수로부터의 주관적인 피드백 과정을 통해 결정된다. 대부분의 보트는 주요 카누 슬라롬 제조업체에서 생산된 보트이지만, 최상급 선수들은 종종 보트가 자신의 패들링 스타일에 적합한 형태로 다소 맞춤화될 수 있도록 제조업체와 협력한다(**그림 2.23-2.25**)

그림 2.23 John MacLeod (영국 대표)는 1971년 독일 츠비카우에서 경주했다.
그 시대에 일반적인 것처럼, 장비는 자체적으로 개발 및 제조되었다. 이 경우 카약은 유리 섬유 수지와 탄소 구조를 사용하여 수제 방식으로 제작되었다. 패들은 섬유 유리, 수지 블레이드 및 티타늄 샤프트로 구성된 수제 제품이었다.
출처: John MacLeod 제공

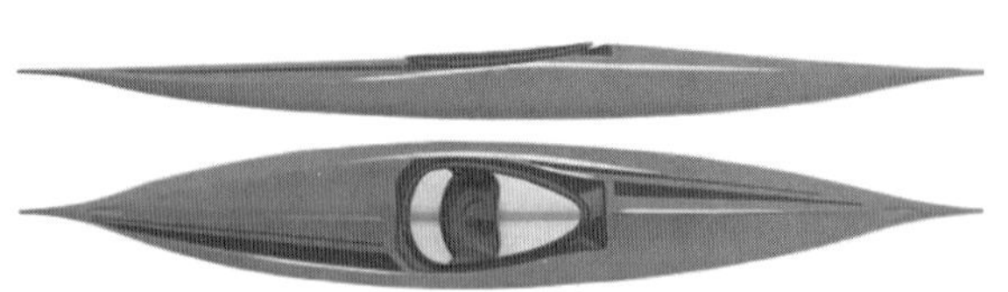

그림 2.24 레트만 (Lettmann) "Perfekt". 1976년 카탈로그. 보트 전체는 유리 섬유 구조되어 있다. 선회가 더 빠르게 이루어지도록, 끝부분이 가늘게 제작되었다. 선수와 선미는 매우 좁은 형태인데, 이 보트의 설계는 나중에 안전상 이유로 금지되었다. *출처: Courtesy of Lettmann GmbH.*

생체 역학 Biomechanics

유체 역학 Fluid mechanics

보트와 물 간의 상호 작용은 카누 슬라롬에서 매우 다르다. 선수는 물이 흐르는 방향과 반대로 노를 저어 특정 기문에 도달하거나 워터 피처(water feature)를 통과하기도 하며 물의 흐름과 방향을 활용하여 코스에서 보트를 추진한다. 그러므로, 항력을 최소화하는 것은 코스의 어떠한 구역에서 매우 중요할 때가 있지만 항력이 그다지 중요하지 않을 때도 있다. 경쟁이 더 치열한 스포츠에서, 선수가 경주에서 승리하려면 보트를 물의 속력보다 빠르게 이동시켜야 하는 경우가 늘어나고 있다. 이러한 상황에서, 보트 디자인 또는 패들러(탑승자)의 체중 감량 또는 장비 무게 감소를 통해 항력을 줄이는 것이 더욱 강조되고 있다. Pendergast 등(1989)(**그림 2.11**)은 카누 슬라롬에서 항력을 감소시키는 수단으로서 패들링 기술의 중요성을 입증했다. 급류에서 노를 저을 때, 선수는 보트의 방향을 바꿈으로써 물 흐름 방향에 관련하여 보트의 형태를 바꿀 수 있다. 이는 주로 보트에 대한 체질량 중심을 이동시켜 달성 가능하다. 보트의 방향을 변경하면 보트의 특성이 크게 변경될 수 있기 때문에 보트의 체적의 내재적인 부력을 활용하여 회전하거나 물에 대한 보트의 밀

그림 2.25 2016년 리우 올림픽에서 Maialen Chourraut (스페인 국가 대표)에게 금메달을 안겨주었던 경주. 체적이 큰 갑판 영역과 체적이 작은 후측 갑판을 확인해야 한다. 헬멧은 경량의 플라스틱 모델이며 스포츠용 소형 부력 보조 장치가 부착되어 있다. 네오프렌 스프레이 덱(spraydeck)은 꼭 맞게 제작되어 보트에 물이 들어 가는 것을 방지한다. 카누뿐만 아니라 패들도 탄소 섬유로 제작되었다. *출처: Balint Vekassy, © ICF.*

착력(grip)을 강화하거나 물에서 나오는 것이 더욱 수월해진다. 기술이 뛰어난 선수는 언제든지 보트의 3차원 형상을 활용하여 급류에서 문제를 신속하게 해결할 수 있을 것이다.

패들력 Paddle forces

급류 카누 슬라롬에서 생성되는 패들력에 관련하여 알려진 정보는 거의 없다. 주로 Juergen Sperlich (예: Sperlich 및 Klauk 1992)에 의해 실행된 일부 연구에서는 4-게이트웨이 시퀀스를 반복하는 카약의 경우 500 N 영역에서 패들력이 최대가 되었다. 급류 패들링에 대하여 저자가 실시한 추가적인 측정에서, 적용된 힘은 그 특성상 매우 가변적이고 간헐적이었으며 힘은 해당 선수, 물의 힘, 기문의 방향, 선택된 기술에 따라 600 N에서 최대치를 보였다. 힘의 예는 **그림 2.26**에 제시되어 있다. 전체 슬라롬 경주에서 패들력의 최대치는 남성 카약 선수의 경우 300-350 N 의 범위에 있었다. 패들력의 최대치는 여성 카약 선수의 경우 250-300 N 범위에 있었던 반면에 남성 카누 선수의 경우 350-400 N 범위에 있었다.

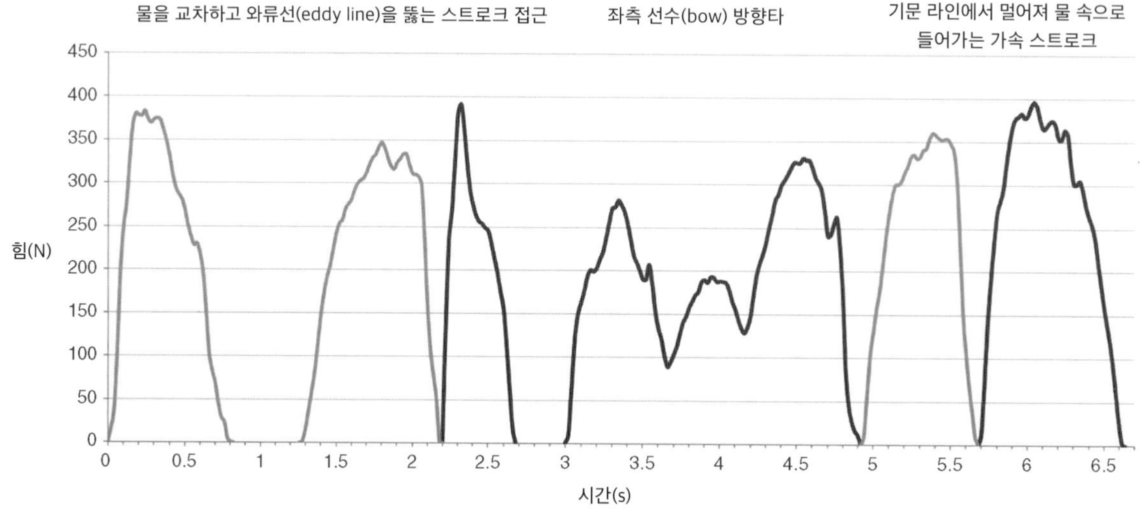

그림 2.26 좌측 상류 기문을 통과하기 위해 생성된 패들 력(검정색 선: 왼손 힘, 회색 선: 오른손 힘). 접근 스트로크는 선수가 접근 속도와 각도를 최종 조정하기 때문에 다양한 힘과 타이밍으로 이루어진다는 것에 유의해야 한다. 기문에서 나간 후, 스트로크는 카약을 가속하기 위해 일반적으로 크고 빠르게 실시된다. 운동 선수가 기문 폴(장대) 주위를 돌 때 카약의 속도와 위치를 유지하기 위해 조정할 때 보트 "선수(bow)-방향타" 스트로크의 지속 시간과 변화를 확인해야 한다.

카누 슬라롬에서 큰 힘을 빠르게 발생시키는 능력은 중요하지만, 그 힘을 효과적으로 사용할 수 있는 능력도 중요하다. 힘은 보트를 앞으로 이동시키기 위해 사용될 뿐만 아니라 선회와 조향을 위해서도 사용된다. 고도로 숙련된 슬라롬 패들러는 코스의 특히 단조로운 부분을 통해 속도를 유지하거나 실수를 바로 잡는 등 물을 효과적으로 사용하고 주요한 때에 힘을 최대로 사용함으로써 최대 힘으로 스트로크를 최소화할 수 있다. 최대 힘을 아껴 쓰고 가능한 경우 저항을 줄임으로써 피로도가 상쇄된다. 전체 코스에 대하여 더 높은 수준의 조정 및 기술을 활용할 수 있다. 급류 코스에서 단 한번의 운행 중에 사용된 스트로크 유형은 매우 다양하지만, 단거리 경주에서 효과적인 패들 스트로크에 대해 설명된 것과 동일한 원칙이 카누 슬라롬에서도 적용된다. 비교적 평평한 모양의 블레이드가 사용되어 양력은 발생하지 않으므로, 욜(yawl) 효과가 최소화 되도록 전진 스트로크를 보트 측면에 가깝게 유지해야 한다. 급류에서 사용되는 많은 주요한 기술의 실례는 "기술 자료실(Technique Library)"에서 찾아볼 수 있다(www.slalomtechnique.co.uk).

경주 전략
Racing strategies

카누 슬라롬 대회에서 코스를 가능한 신속하게 통과하기 위해 사용되는 전술과 전략은 코칭 영역에서 매우 중요하다. 그러한 전술과 전략은 기문 구성이 완료된 후 각 경주가 시작되기 몇 시간 전에 선수와 코치에 의해 결정된다. 최근, Hunter (2009)의 연구는 카약 및 카누 국가대표팀 선수가 상류 기문을 통과하기 위해 선택한 경로가 시간 기록에 어떻게 영향을 미치는지를 조사했다. 이 연구는 기문에서 나가는 동안 소요되는 시간과 내부 폴(pole)까지의 거리 간에는 밀접한 상관 관계가 있음을 보여주었으며 기록 향상을 위해 패들러는 머리와 내부 폴(pole) 사이의 거리를 최소화하는 데 집중해야 한다고 시사했다. 가장 빠른 보트와 가장 느린 보트가 취한 경로를 분석 할 때, 각 범주에서 가장 느린 보트 2척은 기문으로 이어지는 더 가파른 라인을 선택했지만 이 보트 2척의 위치는 가장 빠른 보트의 위치보다 더 넓어졌고 기문 라인에서 더 멀리 지나갔다(**그림 2.27**). 이는 기문 주변에서의 동작뿐만 아니라 기문을 향한 접근이 기록 단축에 중요하다는 것을 의미한다.

장비 설정 Equipment setup

슬라롬 패들러를 위한 장비 및 장비 설정에 대하여 실행된 연구는 거의 없지만, Ong 등(2005)은 올림픽 슬라롬 카약 패들러 남성 12명 및 여성 12명에 대한 일부 장비의 설정을 설명하려 했다. 그들은 달 디딤판(foot bar) 및 시트(좌석) 높이뿐만 아니라 패들 설정을 측정했다(**표 2.7**). 이러한 측정값은 올림픽에 참가한 패들러들에 대한 측정값이지만 전체 스포츠 선수를 대표하는 값은 아닐 수 있

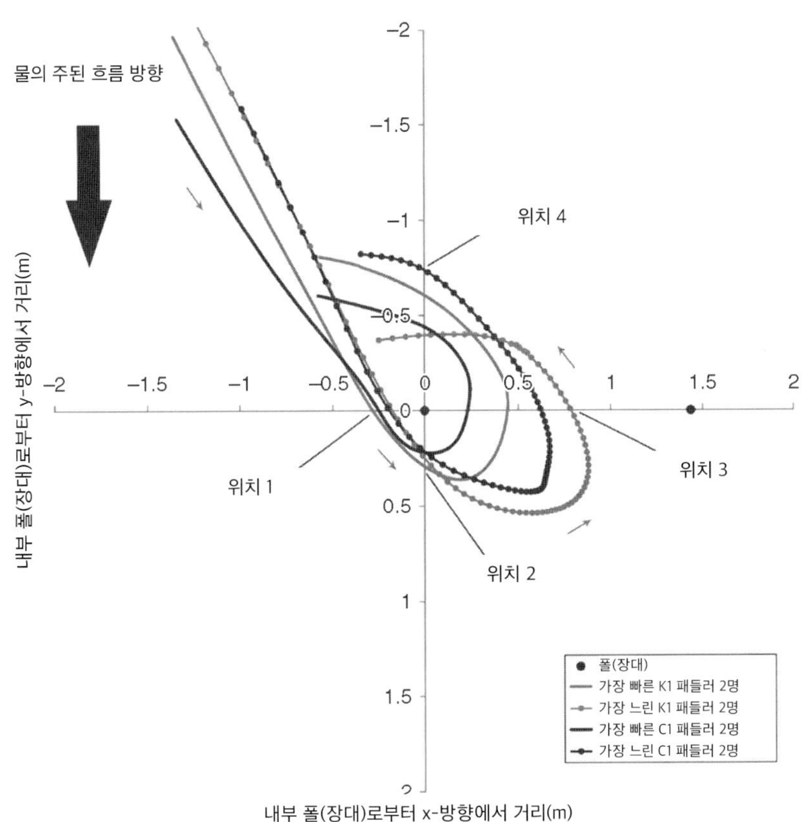

그림 2.27 상류 기문을 통과하면서서 슬라롬 C1s 및 K1s의 보트 궤적. 가장 빠른 C1과 K1은 더 폭 넓은 접근방식을 보이고 내부 폴(장대)에 더 가깝게 유지됨. *출처: Hunter (2009). Taylor & Francis의 승인 하에 복제됨.*

다. 이러한 측정값은 카약 패들러들에 대한 지표를 제시할 수 있지만, C1 또는 더블 카누(C2) 클래스에 대하여 보고된 데이터는 존재하지 않았다. 전체 패들 길이에 대한 비율(%)인 평균 PGW는 남성과 여성에서 각각 34.6 %와 33.2 % 였는데, 이는 길이에 관계없이 패들 설정을 위한 지침으로 사용될 수 있다.

표 2.7 슬라롬 카약 선수에서 장비 측정치에 대한 평균값 **(단위: cm)**

	남성	여성
선수의 신장(키)	177.1	166.7
좌석 높이(바닥에서부터 좌석의 최저 지점까지)	21.7	20.9
발 디딤대 거리(좌석의 최저 지점에서 '발 디딤대' 중간까지의 수평 거리)	88.1	84.7
패들 길이(블레이드 팁[끝부분] 사이의 수평 거리)	203.0	199.5
패들 그립 폭(패들을 정상적으로 들고 있을 때 집게 손가락들 사이의 거리))	70.3	66.3

출처: Ong 등(2006).

참고문헌

Begon, M., Colloud, F., and Lacouture, P. (2009). Measurement of contact forces on a kayak ergometer with a sliding footrest-seat complex. *Sports Engin* 11: 67-73.

Fernandez-Nieves, A. and de las Nieves, F.J. (1998). About the propulsive system of a kayak and of Basiliscus Basiliscus. *Eur J Physics* 19: 425-429.

Gomes, B.B., Conceição, F.A.V., Pendergast, D.R., Sanders, R.H., Vaz, M.A.P., and Vilas-Boas, J.P. (2015a) Is passive drag dependent on the interaction of kayak design and paddler weight in flat-water kayaking? *Sports Biomech*, 14, 394-403. doi: https://doi.org/10.1080/14763141.20 15.1090475

Gomes, B.B., Ramos, N.V. Conceição, F.A.V., Sanders, R.H., Vaz, M.A.P., and Vilas-Boas, J.P. (2015b) Paddling force profiles at different stroke rates in elite sprint kayaking. *J Appl Biomech*, 31, 258-263. doi: https://doi.org/10. 1123/jab.2014-0114

Hunter, A. (2009) Canoe slalom boat trajectory while negotiating an upstream gate. *Sports Biomech*, 8(2), 105-113. doi: https://doi.org/10.1080/147631409029 34837

Jackson, P.S. (1995). Performance prediction for Olympic kayaks. *J Sports Sci* 13: 239-245.

Jackson, P.S., Locke, N., and Brown, P. (1992) The hydrodynamics of paddle propulsion. Paper presented at the 11th Australasian Fluid Mechanics conference, Hobart, Australia.

Kendal, S.J. and Sanders, R.H. (1992). The technique of elite flatwater kayak paddlers using the wing paddle. *Intl J Sport Biomech* 8: 233-250.

McDonnell, L.K., Hume, P.A., and Nolte, V. (2013). A deterministic model based on evidence for the associations between kinematic variables and sprint kayak performance. *Sports Biomech* 12 (3): 205-220.

Nilsson, J.E., and Rosdahl, H.G. (2016) Contribution of leg muscle forces to paddle force and kayak speed during maximal effort flat-water paddling. *Intl J Sports Physiol Perform*, 11(1): 22-27. doi: https://doi. org/10. 1123/ijspp.2014-0030

Ong, K.B., Ackland, T.R., Hume, P.A. et al. (2005). Equipment set-up among Olympic sprint and slalom kayak paddlers. *Sports Biomech* 4: 47-58.

Pendergast, D.R., Bushnell, D., Wilson, D.W., and Cerretelli, P. (1989). Energetics of kayaking. *Eur J Appl Physiol* 59: 342-350.

Pendergast, D., Mollendorf, J., Zamparo, P. et al. (2005). The influence of drag on human locomotion in water. *Undersea Hyperbaric Med* 32: 45-57.

Sperlich, J. and Baker, J. (2002). Biomechanical testing in elite canoeing. In: *Scientific proceedings of the 20th International Symposium on Biomechanics in Sports* (ed. J.E. Gianikellis), 44-47. Caceres, Spain: University of Extremadura.

Sperlich, J., and Klauk, J. (1992) Biomechanics of canoe slalom: measuring techniques and diagnostic possibilities. In: Rodano, R., Ferringo, G., and Santambrogio, G.C. (eds.), *Scientific proceedings of the 10th International Symposium of Biomechanics in Sports*, Milan, pp. 82-84.

Toro, A. (1986). *Canoeing: An Olympic sport*. San Francisco, CA: Olympian Graphics.

Wainwright, B.G., Cooke, C.B., and Low, C. (2015) Performance related technique factors in Olympic Sprint kayaking. In: *Scientific proceedings of the 33rd International Conference on Biomechanics in Sports*. Poitiers, France: University of Poitiers.

제3장
카누/카약 선수

기술, 신체적 건강, 심리 및 경주 전략뿐만 아니라 물리적 구조는 경주에서 승리하기 위해 필수적인 요소이다. 패들링은 근력뿐만 아니라 상체 및 몸통의 강한 근조직과 함께 유산소 및 무산소 운동 능력에 대하여 높은 값을 요구한다. 이는 여성이든 남성이든 마찬가지이다. 남성과 여성 선수 간의 많은 기능적 차이는 체구와 신체 조성의 기본적 차이로 인한 것이다. 운동에 대하여 생리적, 생화학적 반응을 조절하는 세포 기전은 남성과 여성에서 동일하지 않으므로, 정량적 반응(quantitative responses)이 조금만 다르더라도 상당한 운동 능력 차이가 발생할 수 있다.

최근 수십년 동안 남성과 여성의 엘리트 카누/카약 패들러에 대한 인체 측정에서 획득된 데이터는 체지방 감소와 상체 및 팔 근육 증가가 기록 향상 및 성공적인 패들링에 연관되어 있음을 보여준다. 그러나 콜레스테롤(CHO), 단백질, 지방 및 복합적인 다량 영양소(macronutrients)의 측면에서 에너지 요구량은 기본적으로 동일하며 체중 1 kg 당 그램(g)으로 표시된다. 그러므로, 코치와 선수 모두가 성별 간 생리적 및 영양적 요구사항의 차이를 이해하는 것이 중요하다. 생리 및 운동 능력 관련 데이터는 여성 '페들러'에 비해 남성 '패들러'로부터 더 많이 보고되고 있다. 그러나 특히 여성의 월경으로 인하여 성별 차이가 존재한다. 여성 선수에 관련된 문제로는 출산뿐만 아니라 임신 중 훈련 등이 있다. 이 장(제3장)의 이 부분에서는 패들에서 여성 선수 특정적인 사안에 집중할 것이다.

신체 조성: 신체 능력 변수 Body composition: a performance variable

신체 조성과 인체 측정은 패들링에서 선수 운동능력에 대하여 중요한 역할을 한다. 일반적으로, 남녀는 신체 조성이 다르며 특히 호르몬 상태가 다르기 때문에 사춘기 이후 남성은 무지방량(fat-free mass)이 더 많은 반면에 여성은 체지방량이 더 많다. 그러나 엘리트 선수의 경우, 이러한 변수는 스포츠 특정적인 생리적 요구에 따라 변할 수 있으므로 여성 선수는 일반 여성의 신체 조성 기준치에 비해 체지방량이 감소하고 무지방량이 증가하여 몸매가 더 날씬하게 된다.

일부 스포츠에서는 스포츠 특정적인 신체 조성 기준치가 설정되어 있다. 그러나 그러한 기준치는 특히 젊은 여성 선수에 대해서는 주의 깊게 해석 및 기술되어야 한다. 기준 모델은 완벽한 스포츠 특정적 신체 조성을 달성하기 위한 목표로 사용되어서는 안 되는데, 그 이유는 지방량 및 무지방량이 스포츠 유형뿐만 아니라 특정 훈련 및 영양 요구에 따라 다르기 때문이다. 연령, 유전적 특성, 인종 및 민족의 차이 등과 같은 다른 요인들 또한 중요하다. 그러나, 날씬하다는 것은 많은 스포츠에서 의심의 여지 없이 장점이 되는데 이는 패들링 스포츠에서도 마찬가지이다. 그러므로 여성 패들러 또한 '출력대 중량비(체중에 대한 힘의 비율)'를 개선하여 능력을 최적화하고자 한다. 신체 조성 측면에서, 세계적인 여성 패들러들은 평균적인 여성들에 비해 신체에 대한 대퇴의 길이 비율이 더 크고 어깨와 가슴 폭이 더 크며 신체에 대한 상체 둘레의 비율 또한 더 크다. 체구가 더 큰 선수는 절대 최대 산소 소비량(VO_2)이 더 클 수 있지만, 패들러의 체질량이 과도하게 크다면 보트를 추진할 때 달성 가능한 '절대 최대 산소 섭취량(VO_2)'에 부정적인 영향이 초래될 수 있다. 체중이 증가하면 보트가 물 속에 더 깊이 가라앉게 되어 보트의 침수 면적, 총 마찰 저항 및 조파 항력(wave drag)이 증가하기 때문에 보트를 앞으로 추진시키기 위해 패들러가 극복해야 하는 저항이 강해진다.

다양한 스포츠에 대하여 제안되는 최적의 체지방량은 일부 교과서에서 찾아 볼 수 있지만 근거에 기반한 것은 없다. 개인들 간의 편차와 체지방량에 대한 평가에 내재하는 오차를 고려하면, 단일 임계 값은 확인 가능하지 않을 것이다. 그럼에도 불구하고, 문헌에 언급된 값은 유용한 지침 역할을 할 수 있다. 패들링 선수는 시즌 내외에 신체 조성을 정기적으로 측정하고 개인적인 변화를 추적하는 동시에 그러한 변화가 건강, 훈련 적응 및 운동 능력에 어떻게 관련되어 있는지를 파악하는 것이 권장된다. IOC 의료위원회는 에너지 및 영양 섭취 최적화 및 체중 감량 또는 신체 조성 변화에 대한 지침이 필요한 패들링 선수를 위해 훌륭한 지침을 개발했다.

에너지 대사 및 측정
Energy metabolism and measurements

패들링은 사건(event)에 관계없이 주로 최대 유산소 파워(힘)를 관여시키는 스포츠이지만 운동능력 향상을 위해서는 무산소 에너지 시스템도 관여된다. 스포츠는 높은 신진 대사율(예: 작동하는 근육의 에너지 요구를 충족시키기 위해 아데노신 3인산(ATP)을 생산할 수 있을 정도의 고용량)을 달성하기 위해 높은 에너지 가용성을 요구한다. 이는 균형 잡힌 에너지 섭취를 유지하면서 시간이 경과함에 따라 에너지 섭취량과 에너지 소비량이 동일 할 때 달성 할 수 있다. 패들링 등 에너지를 많이 요구하는 스포츠에 참여하는 선수는 에너지 비용을 충분한 에너지 섭취량으로 상쇄시켜야 하는 도전 과제가 있다. 뇌의 보상 시스템뿐만 아니라 식욕 조절에 관련된 호르몬은 실제적으로 에너지 비용을 충당하지 못한 상태에서 포만감보다 앞서 작용할 수 있다. 경미한 결핍은 시간이 경과함에 따라 기초 생리 기능, 건강 및 운동능력에 부정적인 영향을 미칠 수 있다.

패들링 선수의 에너지 요구량을 추정하려면 일일 총 에너지소비량(TEE)과 안정시대사율(RMR)을 파악해야 한다. TEE는 가장 가변적인 요소이며 RMR은 가장 큰 요소이다. RMR은 신체의 모든 기관의 총 대사 활동에 따라 다르다. 그러나 미국스포츠의학회(ACSM)에서 권장하는 현재 표준 방정식은 현재까지도 선수 인구 집단 내에서 검증되지 않았다.

그러므로, TEE뿐 아니라 RMR에 대한 예측은 신중하게 이루어져야 한다. 연구에 의하면, 예상되는 운동 방정식은 여성 선수의 RMR을 과대 평가한다. 그러므로, 엘리트 선수에게 제공되는 조언은 항상 개별 선수에 대한 관찰에 기초해야 한다.

신체 조성, 탄수화물 섭취 및 급속한 체중 감소
Body composition, carbohydrate intake, and rapid weight loss

최근 수십년 동안 CHO 섭취량을 줄임으로써 체중을 줄이는 방법이 널리 사용되고 있다. 그러므로, 선수들은 CHO 섭취량 감소를 통해 신속하게 체중을 줄이려는 유혹을 받을 수 있다. 모든 급격한 체중 감소는 체지방뿐만 아니라 무지방량(골격근 포함)의 손실이 항상 수반된다는 사실이 강조되어야 한다. 체중 감소가 장기간에 걸쳐 자주 반복된다면, 이는 RMR, 신체 조성에 부정적인 영향을 미치며 궁극적으로 건강과 운동능력에도 부정적인 영향을 초래할 것이다.

스포츠 영양학에서 CHO를 중시한다는 사실은 CHO가 전세계적으로 증가하고 있는 비만이라는 유행병의 주요 원인으로 간주된다는 사실과 대조적이다. 글리코겐 저장량이 최대 용량에 달하면 결국 잉여 당분이 지방으로 전환되고 저장된다는 것은 이미 충분히 입증되었다.

CHO의 과대 섭취는 과소 소비만큼 나쁘다. CHO의 주요 근원은 일반적인 식품이지만 고되게 훈련하거나 경쟁하는 동안에는 바(bar, 막대기 모양의 식품), 젤, 말린 과일, 주스 및 스포츠 음료가 CHO 보충을 위한 좋은 영양소라는 점을 강조해야 한다.

상대적 에너지 부족 Relative energy deficiency

일부 여성 선수는 최적의 신체 조성을 달성하기 쉽다고 생각하지만 많은 선수들은 에너지와 영양 요구의 균형을 맞추는 데 혼란을 겪을 수 있다. 최적의 신체 조성이라는 목표를 수립하고 실제적으로 높은 훈련 강도를 견디고 회복 및 운동능력의 최적화를 위해 노력하는 과정에서 균형을 유지하는 것은 어렵다. 특히, 신체 조성 목표를 달성하기 위해 노력하는 젊은 여성 선수들은 에너지 결핍을 경험할 수 있다. 최근, IOC의 전문가 그룹은 '여성 운동선수 3징후(female athlete triad)'로 명명되었던 문제보다 더 광범위하고 복잡한 문제에 주의를 환기시켰다. 이 전문가 그룹은 더 광범위하고 포괄적인 용어를 도입했다.

스포츠 선수의 상대적 에너지 결핍(RED-S).

RED-S의 원인은 LEA(저 에너지 가용성)라는 상황인데, 이는 운동 및 스포츠 활동의 비용을 고려할 때 개인의 '식이 에너지 섭취량(dietary energy intake)'이 건강, 기능 및 일상 생활에 필요한 에너지 사용을 뒷받침하기에 부족한 경우이다. RED-S는 상대적인 에너지 결핍에 의한 생리적 기능 장애를 의미하며 대사율, 생리 기능, 뼈 건강, 면역, 단백질 합성 및 심혈관 건강 장애를 포함하지만 이에 국한되지는 않다. 선수, 코치 및 의료진은 장기간 RED-S로 고통 받는 선수들에서는 영양 결핍(빈혈 포함)이나 만성 피로가 발생하거나 감염 및 질병 위험이 증가할 수 있음을 알고 있어야 한다. 생리적 및 의학적 합병증이 여러 장기 시스템에서 발생될 수 있다. 심리적 스트레스와 우울증은 또한 LEA 및 섭식 장애(eating disorders)를 초래할 수 있다.

호르몬인 에스트로겐은 여성 생식 기관의 주요 조절 인자이며 젊은 여성의 뼈 성장 및 성숙과 성인 여성의 골전환(bone turnover)등 다른 장기 시스템의 조절자로서 관여한다. LEA는 갑상선 호르몬 조절의 변화뿐만 아니라 에스트로겐 결핍 상태의 시상하부-뇌하수체-난소축(hypothalamic- pituitary-ovarian axis) 의 억제를 유도 할 수 있다. 무월경(amenorrhea)증이 있는 경우, 특히 노를 젓는 운동과 같은 무체중부하(non-weight-bearing) 스포츠 에서 뼈 질량과 골격 건강에 대하여 정(+)의 운동 유발 반응이 나타나면 위험 할 수 있다. 에스트로겐 결핍은 RMR과 자발적인 신체 활동을 감소시킴으로써 에너지 균형을 변경시킬 수 있다. 종합하면, 에스트로겐 결핍은 시간이 경과함에 따라 건강에 유해할 수 있으며 궁극적으로는 운동능력에 해로운 영향을 미칠 수 있다.

칼슘과 비타민 D
Calcium and vitamin D

칼슘은 많은 생리적 과정에서 중요한 역할을 하는 이온이다. 경조직에 힘을 부여하는 뼈에서 칼슘의 90 % 이상이 발견된다. 세포외 수준은 엄격하게 조절되며, 뼈 조직은 칼슘 저장소 역할을 한다. 혈청에서 칼슘을 일정한 수준으로 유지하는 동시에 뼈의 강도와 다른 과정을 유지하기에 충분한 양으로 칼슘을 제공하는 것은 쉽지 않다. 칼슘 항상성의 감소는 골 흡수(bone resorption)를 활성화하여 요로 칼슘 배설이 감소되고 칼슘의 장 흡수가 증가될 때 발생된다. 여성 선수들에서 칼슘 섭취량에 대하여 알려진 것은 거의 없다. 그러나 체중을 감량하려는 선수에서는 칼슘 섭취량이 적을 수 있다. 국한된 공간에 한정된 데이터는 무월경증이 있는 선수에서는 에스트로겐 결핍으로 인하여 칼슘 균형을 유지하기 위해 칼슘(500 mg/일) 섭취 필요성이 증가한다고 시사한다. 가장 널리 인정되는 칼슘 원은 유제품이다. 다른 칼슘 원은 녹색 채소, 과일, 콩류, 계란 및 고기이다.

비타민 D는 소화관, 뼈 및 신장 세뇨관의 칼슘 교환의 조절자 역할을 하며, 뼈를 강화하는 데 중요한 역할을 할뿐만 아니라 과도한 훈련 중에 발생 가능한 미세 골절 치료를 위해 중요한 역할을 한다. 비타민 D의 또 다른 중요한 기능은 면역계에 관련되어 있다. 겨울철에 발생하는 상부 호흡기 감염의 중증도(severity) 및 빈도는 비타민 D에 관련된 것으로 추정된다. 75 nmol • l-1를 초과하는 농도는 유익한 것으로 나타난다. 비타민 D 결핍에 대한 내용은 선수들에게 설명된다. 비타민 D 결핍은 특히 에스트로겐 결핍이 있는 여성 선수에서 문제가 된다. 결핍의 유병률(prevalence)는 스포츠, 지리적 위치 및 인종에 따라 다르다. 패들러가 충분한 햇빛에 노출되는지의 여부는 알려져 있지 않다. 식이 요법 평가 결과는 많은 국가의 선수들이 권장 식단을 충족시키지 못한다는 것을 보여준다. 위험에 처한 선수 그룹은 낙농 제품 섭취가 적고 섬유질이 많이 함유된 식품을 섭취하여 장의 흡수가 저하된 선수들이다.

여성 '패들러'의 철분 결핍 및 운동능력
Iron and performance in female paddlers

철 결핍증은 진성 빈혈에 관련된 경우(스포츠 빈혈을 비롯하여 다양한 빈혈. 이 절에서 나중에 자세히 논의됨) 피로감과 유산소 내구력 장애 등 여러 가지 증상에 관련될 수 있다. 철분은 에너지 대사와 같은 기본적인 생화학적 활동에 필수적이다. 빈혈과 동반된 철분 결핍은 총 헤모글로빈(Hb) 양 감소로 인하여 적혈구의 산소 운반 능력을 크게 감소시킨다.

철분 결핍은 여성 선수들, 특히 지구력 스포츠에서 흔히 발생된다. 심하거나 빈번한 월경 출혈, 낮은 에너지 섭취, 채식주의 식품 섭취, 위장 출혈, 운동 의존성 일과성 염증 반응(근육 수축 시에 분비되는 사이토카인[cytokine]인 인터루킨-6은 특히 글리코겐이 고갈된 상태에서는 철분 고갈의 위험을 증가시킴), 부상 및 약물 치료(항염증제 등) 등 많은 요소들이 철분 영양 상태에 영향을 줄 수 있다.

소위 "스포츠 빈혈"의 기전은 어떠한 기간 동안 격렬한 신체 활동을 수행한 후에 '운동 후(post-exercise) 혈장 증량'으로 인한 혈장량의 증가에 따른 것이다. 혈장량이 증가하여 적혈구량 보다 상대적으로 많아지면, 적혈구 총량 증가에도 불구하고 헤마토크릿(hematocrit) 및 Hb 농도가 상대적으로 감소 할 것이다(즉, 스포츠 빈혈).

철분 결핍은 항상 의사에 의해 진단되어야 한다. 식이 중재와 함께 철 보충제를 사용하는 것이 좋다. 또한, 고도가 높은 곳에서 훈련 받거나 경쟁하기 전에 철분 저장

(iron store) 상태를 분석하는 것이 바람직한데, 이는 저장된 철분이 고갈되면 적응과 운동능력에 부정적인 영향을 미치고 감염 위험이 증가하기 때문이다. 그러나 철분 보충제는 철분 결핍으로 인한 진성 빈혈이 있는 사람에게는 운동능력 향상에 도움이 될 수 있지만 체내 철분 저장 상태가 정상인 선수(스포츠 빈혈로 인해 Hb 농도가 낮을지라도)에 대해서는 그렇지 않음을 강조해야 한다.

월경 장애 Menstrual dysfunction

사춘기의 시작은 유전적 요인, 영양 및 일반 건강에 영향을 받는다. 특히, 날씬한 신체가 요구되는 스포츠에서 경쟁하는 선수들에서 초경(menarche)의 지연은 유전학 및 LEA에 관련되어 있는 것으로 보고되고 있다.

수십년 동안, 생리불순과 월경 장애는 무월경증을 수반하며 격렬한 훈련에 연관되어 있었다. 그러나 오늘날의 통제 연구는 많은 요인(다낭성난소증후군 등 유전적 요인 포함)들이 월경 상태에 영향을 미칠 수 있음을 증명했다. 또한, 격렬한 훈련 그 자체가 월경 장애를 일으키는 것은 아니다. 일부 선수들에서 생리불순과 월경 장애는 상대적인 에너지 결핍으로 인하여 초래된다. 후자의 요인은 본 장에서 설명된 것처럼 에스트로겐저하증(hypoestrogenism)과 골 강도에 부정적인 영향을 미칠 수 있다. 그러므로, 월경 장애를 예방하기 위해서 여성 선수, 코치 및 의료 요원은 에너지 및 영양 섭취를 최적화하는 방법을 학습해야 하며 영양 및 섭식 행동이 운동능력 및 건강에 어떻게 관련되어 있는지를 파악해야 한다.

월경주기가 운동능력에 미치는 영향 Effect of the menstrual cycle on performance

월경 기능이 신체 기능에 영향을 미친다는 것을 보여주는 확실한 증거는 없다. 소수의 예외를 제외하고(예를 들어, 심각한 월경 불순을 겪는 여성의 경우) 신체 기능은 월경 단계에 의해 변하지 않는다. 아마도, 특정 선수가 다소 효율적일 수 있는 사이클 단계가 있을 수 있지만 그 차이는 매우 작다. 엘리트 선수의 운동능력에 대해서는 이러한 약간의 변화가 더 중요 할 수 있다. 월경으로 인해 선수의 신체적 능력이 약화된 경우, 선수와 코치가 부정적인 결과를 피하기 위해 훈련 일정을 최적화하는 방법에 대해 파악하는 것이 중요하다.

임신한 선수 The pregnant athlete

적당한 강도의 운동은 합병증을 수반하지 않는 임신 중에도 안전하다. 미국 산부인과 학회 및 ACSM은 저위험군 여성은 이미 설정된 운동 처방(하루에 30분 이상)을 계속 실행하거나 새로운 운동 프로그램을 시작할 수 있다고 언급한다. 또한, 연구에서는 임신 중에 규칙적으로 운동하는 것은 여러 측면에서 산모와 아기 모두에게 이득이 되는 것으로 나타났다. 또한, 더 격렬한 운동이라도 임신 전에 잘 훈련된 여성에게는 안전한 것으로 간주된다. 그러나 많은 여성 선수 및 의사는 임신 중 산모의 정기적인 운동이 유산, 조산, 태아 성장 저하 또는 근골격 손상을 유발할 수 있는 가능성에 대하여 우려한다. 정상적인 임신의 경우, 이러한 우려는 입증되지 않았다.

많은 논란을 자아내는 문제는 임신 중 집중적인 훈련이다. 경쟁적인 여성 선수는 임신 중에 더 격렬한 훈련 일정을 유지하는 경향이 있을 뿐만 아니라 산후에는 고강도의 훈련을 더욱 빨리 재개하는 경향이 있다. 임신한 경쟁 선수의 우려는 (i) 경쟁 능력에 대한 임신의 영향과 (ii) 임신과 태아에 대한 영향이라는 두 가지 일반적인 범주로 구분된다. 이러한 선수에 대해서는 밀착적인 산부인과적 관리가 요구될 수 있다. 일부 엘리트 선수들은 올림픽이나 세계 선수권 대회 등의 경기들이 개최되는 기간 사이에서 출산을 계획한다. 이러한 엘리트 선수들은 임신 기간을 통틀어 높은 수준의 운동능력을 유지하고자 한다. 대부분의 연구에서 임신한 상태에서의 운동 또는 출산 후의 운동이 기초 태아 심박수(FHR)를 조금 또는 약간 증가시키는 것으로 나타났다. 태아 심박수(FHR) 감소 및 서맥은 흔하지 않다. 훈련 강도를 모니터링 하는 가장 일반적이고 간단한 방법은 운동 중 산모 심박수(MHR)를 기록하는 것이다. 임신 중 목표 MHR 영역 및 운동 지침이 출판되었지만, 이러한 지침은 오직 임산부의 적절한 운동을 위해 개발된 것이다. 임신 여성의 운동 중 자궁 혈류량 증가라는 중요한 문제를 조사한 연구는 드물다.

최근 노르웨이에서 실행된 연구는 격렬한 러닝 머신 운동의 효과를 조사했다. 태아의 건강과 자궁 태반 혈류는 두 번째 임신 중반기(제2석달)에 러닝 머신에서 격렬하게 달리는 동안 테스트되었다. 지구력 훈련을 받은 엘리트 선수들은 임신 23-29 주에 1회 테스트되었다. 테스트 결과는 워밍업 후에 평균 자궁 동맥 혈류량이 60-80 %까지 감소했고 운동 중에는 최초 값의 40-75 % 수준에서 유지되었음을 보여주었다. 여성이 최대 MHR의 90 % 미만으로 운동한 경우, FHR은 정상 범위(110-160 bpm) 이내였다. FHR은 운동을 중단 한 후 빠르게 정상화되었다. 따라서, 강도 높은 지구력 훈련을 받은 선수에 대한 이 연구는 임신한 엘리트 선수가 최대 MHR의 90 % 이상의 강도에서의 운동한다면 태아의 건강에 해가 될 수 있다는 결론을 내렸다. 이 연구는 임신 중 집중적인 훈련에 따른 장기적인 결과를 평가하기 위한 것이 아니었다. 경쟁적 스포츠 분야에서 지구력을 유지하는 여성 선수의 평균 연령이 증가하는 가운데 가정과 자녀를 돌보는 동시에 선수 커리어를 지속하려는 여성 선수들이 증가하고 있으므로, 임신 중에 지구력 훈련을 받은 선수에 대한 더 많은 연구가 실행되어야 한다. 이러한 연구의 한계는 표본 크기가 작다는 것이다. 지구력이 요구되는 올림픽 경기의 선수들 중에서도 임신한 선수들만 포함 되었기 때문에, 연구에서 자격을 갖춘 여성의 수는 제한적이었다. 그러므로 연구 결과를 신체적으로 덜 적합하지만 정기적으로 훈련 받을 수 있는 다른 여성 그룹에 대하여 일반화 할 수 있는지는 단언할 수 없다.

산후 Postpartum

임신에 따른 많은 생리학적 및 형태학적 변화가 산후 4-6 주간 지속된다. 따라서 임신 기간에 실시했던 운동은 신체적 및 의학적으로 안전해지면 서서히 재개 될 수 있다. 이는 개인마다 다를 수 있으며 일부 여성들은 출산 후 몇 일 이내에 운동을 재개 할 수 있다. 의학적 합병증이 없는 경우 운동을 빠르게 재개하면 부작용이 발생한다는 연구 결과는 없다. 지구력 훈련을 받은 엘리트 선수들의 실제적인 경험에 비추어, 산후 기간 동안 훈련 재개와 모유 수유를 동시에 실행하는 선수들은 적절한 회복을 위한 시간 및 과정(특히, 충분한 수면과 에너지 및 체액 보충 등)을 준비하도록 권장된다.

남성 패들러 The male paddler

단거리 카누와 카약 경주는 1936년 이래로 올림픽에 포함되었으며, 처음에는 10,000 m 경주가 있었지만 1960년 이후 남성은 500 m와 1,000 m 이상의 코스에서 경주하고 여성은 500 m 이상의 코스에서 경주한다. 슬라롬(slalom)은 1972년 올림픽에서 도입된 후 1996년부터 정규 종목이 되었다. 엘리트 슬라롬과 단거리 경쟁자들의 신체적 및 인체계측학적 특성은 매우 다양하다. 1936년 올림픽에서 경쟁한 선수들의 사진과 현재 선수들의 사진을 비교하면 선수들의 체구와 근육 크기의 차이를 알 수 있다. 그러나 세계 수준의 패들러들에서는 최적의 체구 및 비례 특성이 발견되지 않는다. 이러한 사실은 카누 스포츠의 성공으로 이어지는 많은 요인들 간의 종합적인 상호 작용을 강조하는 데 도움이 된다. 2012년 런던 올림픽에서 남성 싱글 카누, 남성 싱글 카약 및 더블 카약, 여자 싱글 카약에 대하여 200 m 경주가 추가되었다. 이는 고운동능력(high-performance) 스포츠에서 사용된 에너지 시스템을 더욱 분리 시켰다: 1,000 m, 500 m 및 200 m에 경주에 대한 유산소 능력의 기여도는 각각 82 %, 62 % 및 37 %로 추정되었다. 무산소 능력으로만 200 m 경주에서의 운동능력을 예측할 수 있으며 스포츠는 크게 변화했다.

전통적으로 선수들은 500 m와 1,000 m 코스에서 경쟁하지만 200 m 코스가 도입에 따라 40초 미만의 기록 달성을 위해 전문적인 훈련이 시작되었다. 이러한 선수들은 짧지만 집중적인 훈련을 받는데, 저항 운동은 준비 과정에서 더 큰 역할을 한다. Van Someren은 선체 마찰 항력이 1 % 증가하면 보트 속도가 0.27 % 감소된다고 보고했다. 그러나 1 %의 출력 증가는 보트 속도를 0.33 % 증가시킬 것이다. 따라서, 선수들은 운동능력 향상을 위해 신체적 능력 및 절대적인 생리적 능력을 강화할 수 있다. 이 거리에서 경쟁하는 선수들의 인체계측학적 및 생리학적 특성에 대한 데이터는 거의 없지만, 세계적인 선수들은 가슴 둘레, 상완 둘레, 팔뚝 둘레, 양측 상과골절 상박골 폭(bi-epicondylar humeral breadth) 및 중등대(mesomorphy)가 더 크다고 보고된다. 이러한 차이가 훈련의 결과인지 아니면 자연선택(natural selection)에 의한 것인지는 알려져 있지 않다.

500 m 및 1,000 m 경주에서 경쟁하는 세계적인 단거리 카누 선수 및 카약 선수의 인체측정학적 특징을 설명한 문헌이 있다. 500 m 및 1,000 m 경주에서 세계적 수준의 경쟁자와 국가 수준의 경쟁자 간에는 신장, 체질량, 앉은 키, 상지(upper-extremity) 및 팔뚝 둘레에 상당한 차이가 있다. 메달을 획득한 선수들은 메달을 획득하지 못한 동료와 비교하여 신장과 몸무게가 약간 더 큰 경향이 있었다. 한편, 여러 올림픽 간의 비교 데이터는 올림픽에서 경쟁에 필요한 훈련의 특정성(specificity)으로 인하여 체질량이 증가한 사실을 보여주었다. 남성 패들러와 여성 패들러에 대한 비례 프로파일(proportionality profiles)은 비슷하다(**그림 3.1**).

남성 패들러와 여성 패들러 모두 어깨와 가슴의 평균 폭과 상체의 평균 둘레가 더 크고 피하 지방 두께가 더 얇고 체구에 비해 대퇴 길이의 평균이 더 길며 남성 패들러에서는 엉덩이가 더 좁은 것은 분명한 사실이다. 슬라롬 패들에 대한 평가 데이터는 놀랄 만큼 적다.

최근의 연구는 남성 카누 및 카약 패들러에서 ACTN3XX 유전자형에 관련된 인자들이 1,000 m 경주에서 경쟁 우위가 될 수 있지만 200 m에서는 그렇지 않을 수 있다고 시사했다. 경쟁 스포츠인 카누 분야에서 유전체학의 문이 열렸다.

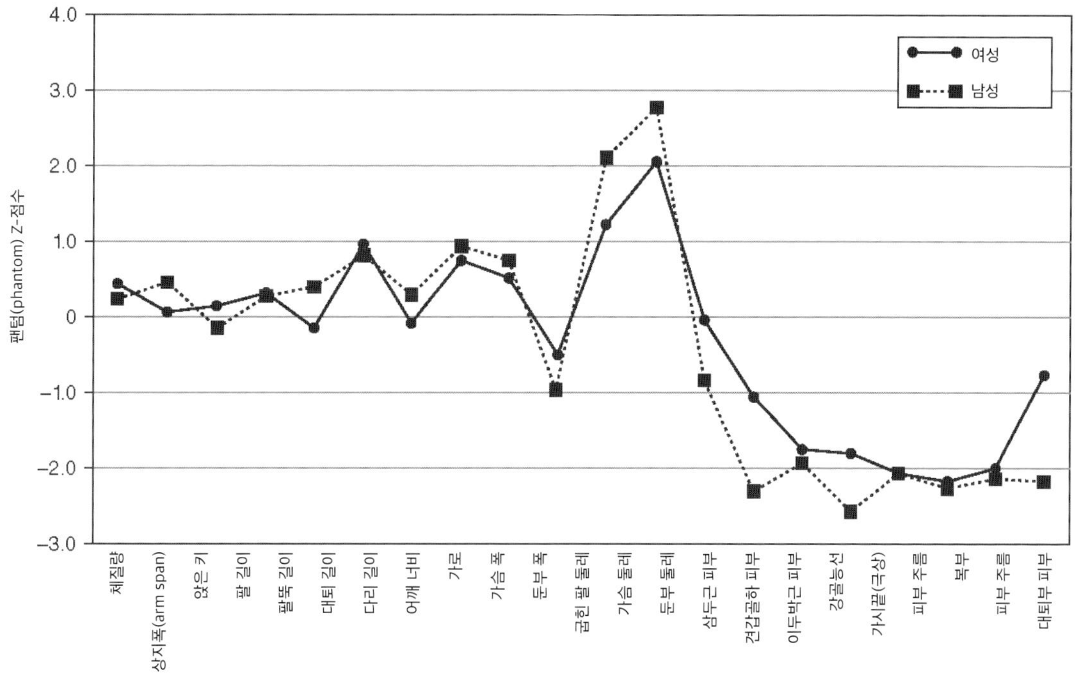

그림 3.1 남녀 올림픽 단거리 패들러의 신체비교. *출처: 애클랜드 외 (2003). with permission of Elsevier.*

참고문헌

Ackland, T.R., Ong, K.B., Kerr, D.A., and Ridge, B. (2003). Morphological characteristics of Olympic sprint canoe and kayak paddlers. *J Sci Med Sport 6*: 285-294.

Bishop, D. (2000). Physiological predictors of flat-water kayak performance in women. *Eur J Appl Physiol 82*: 91-97.

Michael, J.S., Rooney, K.B., and Smith, R. (2008). The metabolic demands of kayaking: a review. *J Sports Sci Med 7*: 1-7.

Mountjoy, M., Sundgot-Borgen, J., Burke, L. et al. (2014). The IOC consensus statement: beyond the female athlete triad—relative energy deficiency in sport (RED-S). *Br J Sports Med 48*: 491-497.

Sundgot-Borgen, J. and Garthe, I. (2011). Elite athletes in aesthetic and Olympic weight-class sports and the challenge of body weight and body compositions. *J Sports Sci 29* (Suppl 1): S101-S114.

Sundgot-Borgen, J., Meyer, N.L., Loham, T.G. et al. (2013). How to minimize the health risks to athletes who compete in weight-sensitive sports review and position statement on behalf of the Ad Hoc Research Working Group on Body Composition, Health and Performance, under the auspices of the IOC Medical Commission. *Br J Sports Med 47* (16): 1012-1022.

van Someren, K.A. and Howatson, G. (2013). Prediction of flatware kayaking performance. *Int J Sports Physiol Perform 3*: 207-218.

제4장
카누의 생리학

서론

생리학 분야의 발전에 따라, 선수의 운동 수행 능력에 관련하여 분자 수준에서부터 통합적인 전신 반응에 이르는 다양한 생리학적 구성요소를 연구하기 위한 새로운 접근법이 등장했다. 지난 10년간 엘리트 선수들의 카누 운동 능력에 관련하여 생리학에 대한 지식이 점차 증가하면서 '운동 수행 능력' 및 '훈련에 대한 생리학적 반응'에 대한 새로운 연구 방법들이 다양한 스포츠 분야에 적용되고 있다. 또한, 생리학(신경 생리학, 신진 대사) 분야 내의 지식을 비롯하여 다른 분야(예: 생체 역학, 영양, 생화학)의 지식이 점차 통합됨에 따라 운동 수행 능력 요인에 대한 지식이 폭 넓게 확대되어 카누 선수들을 위한 훈련 접근법에 적용 될 수 있을 것이다. 이 리뷰(review)의 목적은 카누에 대한 이전의 포괄적인 리뷰에 기초하여 상세하게 검토하고 향후 스포츠 생리학에 관한 연구의 방향을 설정하기 위한 토대를 제공하는 것이다.

세계 최고 기록(시간 기록) World best performance times

다양한 거리의 경주에서 우승한 선수의 세계 기록은 **표 4.1**에 요약되어 있는데, 이는 카누 단거리 경주 분야의 생리적 및 에너지 요구를 이해하기 위한 일반적인 기초가 된다. 경주 기록은 국제 카누 연맹(ICF)에서 발간한 표에서 발췌한 것이다. 여기에는 1975년부터 2013년까지 개최된 ICF 대회의 결승전에서 달성된 세계 최고의 공인 경주 기록이 포함되어 있다. 공식 ICF 대회에는 올림픽 게임을 비롯하여 세계 선수권, 유럽 선수권, 월드컵, 대륙 선수권 대회 및 기타 카누 단거리 경주 등이 있다. 분명히, 최단 거리와 최장 거리 간의 경주 기록은 약 30초-20분의 차이가 날 정도로 격차가 크다. 이는 의심의 여지 없이 생리적 및 훈련적 측면의 결과를 수반한다. 흥미롭게도, 남성과 여성의 시간차는 카약 대회의 경우 싱글 카약, 더블 카약 또는 4인 카약(각각 K1, K2 또는 K4)을 통틀어 각 거리마다 일관되게 나타난다(11-15 %). 또한, 요약본은 세계 최고 기록이 모든 종목(K1, K2, 또는 K4)를 포함한 남성 카누 선수와 여성 카약 선수 간에 매우 유사한다는 사실을 보여준다. **그림 4.1**은 1992년부터 2013년까지 우승자의 최고 기록을 보여준다. 주목할 만하게도, 대부분의 최고 기록은 연구가 수행되었던 지난 10년(즉, 2003-2013년)동안 달성되었다.

다양한 거리의 경주에 대한 생체에너지(bioenergetics)의 기여 Bioenergetic contributions to different racing distances

피크 패들링 운동능력은 우수한 운동 능력 효율을 통해 보완되는 최대의 신진 대사력(유산소 및 무산소)에 의해 좌우된다. 엘리트 카누 선수는 유산소(산화적 인산화) 능력과 무산소(포스파겐 및 당분해) 능력이 매우 높은데 이 두 시스템 모두는 일(힘×시간) 수요가 있는 연속체에서 모든 카누 대회에 통합적으로 관여한다. 따라서, 각 에너지 시스템의 상대적인 기여도는 경주 거리에 따라 달라지는데, 단거리는 무산소 파워에 더 의존하며 경주의 거리와 지속 시간이 증가함에 따라 유산소 파워에 대한 의존도가 높아진다(**그림 4.2**). 200 m-10,000 m 사이에 있는 경주 거리 범위는 단거리 경주 선수의 대사 프로파일이 장거리 경주의 경쟁자에 비해 상당히 다르다는 것을 시사한다. 남성과 여성의 단거리 경주 세계 기록이 200 m의 경우 약 30초, 500 m의 경우 약 1분 35초, 1,000 m의 경우 약 3분 5초-4분(**표 4.1**, "세계 최고 기록")의 범위에 있다는 사실에서 알 수 있는 것처럼, 단거리 경주에서 카누 선수는 폭발적인 힘을 발생시켜야 한다. 반면, 10,000 m 장거리 경주는 지속 시간이 45분에 달하며 강한 유산소 능력을 요구한다. 100 m 및 200 m 대회의 경우, 카누를 최고까지 가속시키기 위해서는 큰 힘을 낼 수 있는 고도로 발달된 근육 질량이 요구되는데 처음 몇초 동안 에너지는 체내에 저장된 아데노신 3인산(ATP) 및 크레아틴 인산(PCr) 분해와 당분해를 통해서 제공된다. 6초간 지속되는 단거리 경주에서 약 50 %의 에너지가 당분 대사 작용에 의해 제공된다. 팔은 다리에 비해 지방산 대사에 훨씬 더 많이 의존하는데 이러한 현상은 특히 카누에서 두드러진다. 카누 선수는 10초 이상 1100 W를 초과하는 최대 파워 출력에 도달 할 수 있으며 1분의 '타임 트라이얼(time trial: 일정한 거리를 개별적으로 달려 걸린 시간으로 승부를 겨루는 방법)'에서 360-400 W의 파워 출력을 유지할 수 있다. 체내에 많이 저장된 크레아틴 인산염(creatine-phosphate)은 단거리 경주에 중요하며 30초 이내에 빠르게 소진될 수 있다. **그림 4.2**에서 볼 수 있는 것처럼, 에너지 시스템의 기여는 시간과 ATP 요구량의 함수이다. 운동 시작 시, 체내에 저장된 고에너지 인산염이 먼저 소비된 후에 당분해 및 산화 대사 경로가 시작된다. 근육의 최대 당분해 속도는 약 10초 이내에 도달하지만 더 짧아 질 수 있다(6초 이내). 100 m 카누 경주에서, 최대 혈중 젖산 농도는 경주 후에 측정된 20 mM을 초과할 수 있다. 경주가 끝날 즈음에 파워 질주하면(최종 단거리 경주), 무산소 대사에 중요한 기여가 있을 것이다. 다른 패들링 거리에 대한 유산소 기여도는 실험실 시뮬레이션 및 물 위에서의 산소 섭취량을 측정하여 파악되며 무산소 구성요소는 누적된 산소 결핍량(AOD)을 적용하여 산정된다. 카약에 관련하여 실행된 몇 안 되는 연구에서 획득된 데이터가 **표 4.2**에 나와있다. 200 m 거리 경주의 경우, 현재 데이터는 유산소 및 무산소 기여도가 각각 40 % 및 60 % 임을 보여준다. 실제 무산소 기여도는 약간 더 높을 수 있는데 이는 체내에 저장된 산소(미오글로빈 등)는 AOD 방법으로 계산될 수 없기 때문이다. 1,000 m 거리에 대한 유산소 기여도는 500 m 거리에 대한 유산소 기여도의 80-86 및 60-69 % 범위에 있다. 남성과 여성 간의 비교를 위해 사용할 수 있는 데이터는 충분하지 않다. 그러나 추정된 유산소 에너지 기여는 유사한 것으로 간주된다.

표 4.1 2013년까지의 기간에 대하여, ICF 세계 최정상 카누 단거리 선수 목록에 포함된 선수들의 세계 기록

	카약 - 남성						
	200 m		500 m		1,000 m		5,000 m
	시간(초)	시간(초)	시간(분-초)	시간(초)	시간(분-초)	시간(초)	
K1	33.980	33.98	1.356 30	95.63	3.224 85	202.49	18.000 40
K2	31.182	31.18	1.268 73	86.87	3.070 95	186.87	
K3	29.023	29.02	1.196 50	79.65	2.477 34	167.74	
	카약- 여성						
	200 m		500 m		1,000 m		5,000 m
	시간(초)	시간(초)	시간(분-초)	시간(초)	시간(분-초))	시간(초)	
K1	38.970	38.97	1.470 66	107.07	3.524 61	232.46	20.101 00
K2	35.878	35.88	1.370 71	97.07	3.317 41	211.74	
K3	33.778	33.78	1.307 19	90.72	3.132 96	193.30	
	카약 선수와 남성 카약 선수 간의 시간 차이(초)						
	200 m	500 m	1,000 m				
K1	5.0	11.4	30.0				
K2	4.7	10.2	24.9				
K3	4.8	11.1	25.6				
	카누- 남성						
	200 m		500 m		1,000 m		5,000 m
	시간(초)	시간(초)	시간(분-초)	시간(초)	시간(분-초)	시간(초)	
C1	38.383	38.380	1.456 14	105.61	3.462 01	226.2	20.273 50
C2	35.760	35.800	1.380 20	98.02	3.285 31	208.53	
C3	32.753	32.750	1.299 56	89.96	3.144 59	194.46	
	시간 차이: 여성 카약 선수 vs. 남성 카약 선수(초)						
	200 m	500 m	1,000 m				
K1	-0.6	-1.5	-6.3				
K2	-0.1	-0.9	-3.2				
K3	-1.0	-0.8	-1.2				
	카누- 여성						
	200 m	500 m					
C1	47.542	-					
C2	-	1.559 76					

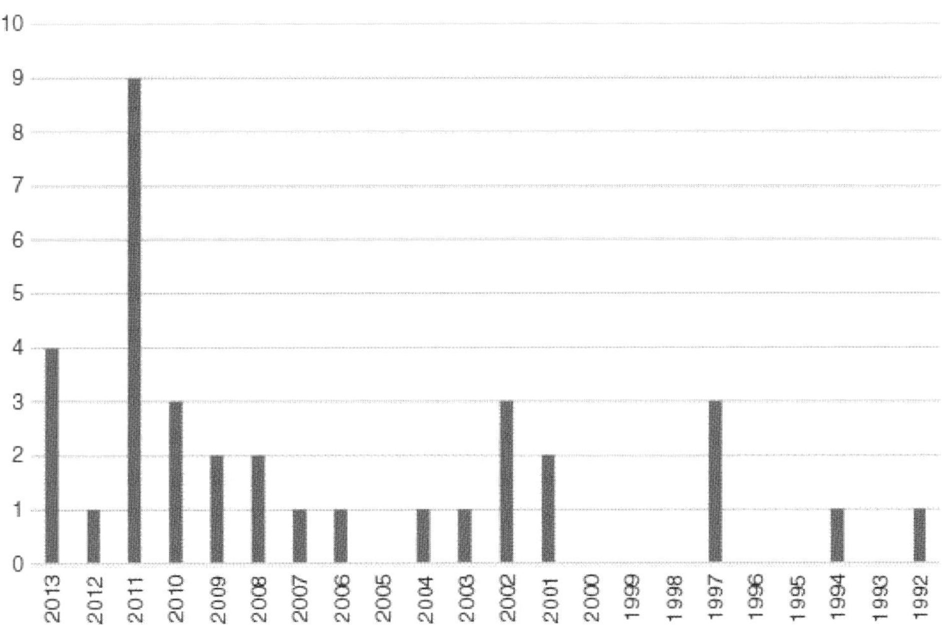

그림 4.1 ICF 대회(올림픽, 세계 선수권 대회, 유럽 선수권 대회, 월드컵, 컨티넨탈 선수권 대회 및 기타 카누 단거리 대회)에서 1992년부터 2013년까지 우승한 선수들의 최고 건수.
대부분의 최고 기록은 연구 기간과 겹쳤던 지난 10 년 동안 달성되었다.

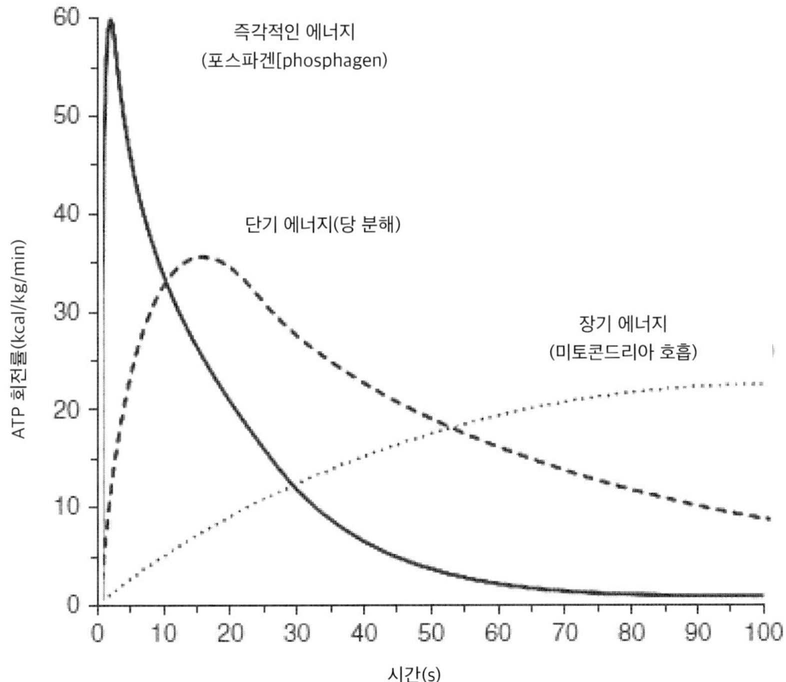

그림 4.2 운동 중 총에너지 출력에 대한 골격근 에너지 시스템의 기여도.
각 에너지 시스템의 상대적 기여는 경주 거리에 따라 차이가 있는데, 단거리 경주는 무산소 능력에 더 많이 의존하는 반면에 경주의 거리와 지속 시간이 길어질수록 유산소 능력에 대한 의존도가 높아진다.

카약 및 카누 선수의 최대 유산소 파워 Maximal aerobic power of kayakers and canoeists

최대 유산소 파워는 최대 산소 섭취량(VO_{2max})과 동의어이다. 최대 유산소 파워는 큰 근육 그룹을 사용하여 철저하게 운동하는 동안 개인이 사용할 수 있는 최대 산소량이다. 높은 VO_2 최대치는 엘리트 패들러에게 필수적으로 요구된다. VO_2가 최초로 측정되었던 1960년대 이래로 경쟁력 있는 패들러들은 최대 산소 섭취량(VO_{2max})이 높은 수준에 있는 것으로 알려져 있다. 국내 수준의 남성 엘리트 카약 선수들에서는 에르고미터(ergometer)로 측정된 최대 산소 섭취량(VO_{2max})이 약 70 ml•kg^{-1}•min^{-1} 에 달한다(**표 4.1** 참조). 물 위에서 측정된 최대 산소 섭취량(VO_{2max})(카약 또는 카누)의 기록은 제한적이지만, 많은 연구에서 59-69 ml•kg^{-1}•min^{-1} 범위에 있는 것으로 보고되었다. 반면, 여성의 최대 산소 섭취량(VO_{2max})는 그보다 낮은 53-59 ml•kg^{-1}•min^{-1} 범위에 있는 것으로 보고되었다. 대부분의 연구가 카약 선수와 카누 선수가 혼합된 그룹(즉, 동질적인 그룹이 아니며 전문적인 경주 거리에 대하여 특정적이지 않음)에 대하여 수행 되었기 때문에 다양한 경주 거리에서 최고 운동능력을 달성하기 위해 요구되는 정확한 최대 산소 섭취량(VO_{2max}) 수준을 더욱 조심스럽게 조사해야 한다. 또한, 엘리트 여성 및 남성 카누 선수들의 신체적 특성에 대한 보충 자료가 요구된다. 1960년에서 2015년 사이에 보고된 대부분의 최대 산소 섭취량(VO_{2max})은 **표 4.3** 및 **표 4.4**에 열거되어 있다. 이것은 러닝 머신 달리기, 에르고미터 사이클링, 카약 또는 카약 에르고미터 운동이 실행되는 동안 측정된 남성 및 여성 카약/카누 선수의 최대 산소 섭취량(VO_{2max})에 관련하여 입수 가능한 데이터의 개요를 독자가 쉽게 파악할 수 있도록 제시된 것이다. 표는 독자가 결과에 대한 평가를 고려할 때 가장 중요한 방법론적 측면과 역사적 추이를 모두 포함하도록 구성되었다.

최대 유산소 파워에 대한 방법론적 측면 Methodological aspects of maximal aerobic power

단일 실험 동안 최대 산소 섭취량(VO_{2max}) 달성을 정의하기 위해 일반적으로 사용되는 주된 기준은 운동 강도의 증가(즉, VO_2에 변동이 없거나 최고점에 도달함)에도 불구하고 산소 섭취가 더 이상 증가하지 않는 시점이다. 흔히 사용되는 보완적인 기준은 '호흡 교환 비(respiratory exchange ratio)'가 1.1-1.15를 초과하고 운동 종료 5분 후에 측정된 혈중 젖산 농도가 8-9 mmol•l^{-1} 이상인 시점이다. 그러나 이러한 기준은 전신 운동 조건을 위해 개발되었으므로 최소한 두 사지의 근육이 운동에 관여했다는 것을 의미한다. 카약 선수의 개별 최대 산소 섭취량(VO_{2max}) 데이터를 평가하거나 다른 실험실들의 데이터를 분석하거나 다른 스포츠의 최대 산소 섭취량(VO_{2max})을 비교할 때 고려해야 할 다른 몇 가지 필수적인 방법론적인 측면이 있다. 예를 들어, VO_2 수준을 파악하기 위해 사용된 장비의 유효성과 신뢰성에 대한 정보를 입수하는 것은 기본적인 요구사항이다. 더글라스 백(Douglas Bag) 방법은 여전히 실험실 및 현장 조건(즉, 올바르게 처리되었다면 표준이라 할 수 있음)에서 가장 타당하고 신뢰할 수 있는 방법으로 간주된다. 다행히도, 더글라스 백(Douglas Bag) 방법은 1960년대 중반에 카약 선수에 대해 실시된 최초의 조사와 1970년대-1980년대의 일부 후속 연구(**표 4.3** 및 **4.4**)에서 사용되었다. 그러나 최근 몇 년 동안 신중한 평가가 필요하다는 납득할 만한 증거가 있음에도 불구하고 많은 연구자들이 자동 대사 시스템을 사용하고 있다. 따라서, 비교 가능한 데이터를 획득하려면 연구자들은 측정 시스템이 더글라스 백(Douglas

Bag) 방법에 어느 정도 적합한지를 입증해야 할 뿐만 아니라 자동화된 시스템을 사용하여 엘리트 카약 선수에 대하여 측정을 실시할 때는 그 시스템의 고정밀도(즉, 변동계수[CV]가 2 % 미만)를 입증해야 한다. 또한, 운동 및 근육 동원(muscle recruitment)의 유형을 고려하는 것이 중요한데, 그 이유는 .다양한 크기의 근육 그룹을 사용할 때 최대 산소 섭취량(VO_{2max})을 제한하는 메커니즘이 다르기 때문이다. 카약 선수의 최대 산소 섭취량(VO_{2max})은 러닝 머신 달리기, 에르고미터 사이클링, 암 크랭킹(arm cranking), 카약 에르고미터 운동 및 카약 중에 측정된 값으로 보고되었다. 그러나 문헌에서 제시된 대부분의 데이터는 카약 에르고메트리 운동 중에 수집되었는데, 이는 수용 가능한 특이성과 타당성을 수반하기 때문일 수 있다. 또 다른 고려 사항은 경주 스포츠 시즌 또는 오프 시즌(off-season) 중에 측정이 실행되었는지의 여부이다. 카약 선수의 최대 유산소 파워가 체질량(VO_2 ml·kg^{-1}·min^{-1})과 비교하여 절대 항(VO_2 l·min^{-1})으로 표현된다면, 선수의 운동능력이 더 좋게 나타나는 경향이 있다. 그러한 경향에 대한 이론적 근거는 신체 질량이 카약에 의해 뒷받침되는 반면에 그러한 방식으로 뒷받침 되지 못한 여분의 체중(kg)으로 인하여 저항이 약간 높아진다는 것이다. 이러한 제안은 카약의 규격(dimension)에 관한 규칙이 더욱 엄격해졌을 때 이루어졌으며 현재 카약 선수의 체형에 맞춰 카약을 개조하는 것을 불허했다. 결과적으로, 카약 선수의 유산소 파워를 절대적 또는 상대적으로 표현하고 경주 거리 간의 잠재적 차이를 파악하는 것이 가장 적합한지의 여부를 더욱 자세히 조사 할 필요가 있다.

유산소 능력의 결정요인 Determinants of aerobic capacity

유산소 능력은 운동 중 지속될 수 있는 가장 높은 VO_2 비율로 정의 될 수 있다. 따라서, 유산소 에너지 생산은 절대 최대 산소 섭취량(VO_{2max}) 및 경주 동안에 지속될 수 있는 VO_{2max}의 비율에 의존한다. 엘리트 카누 선수의 VO_{2max}(60-70 ml·min^{-1}·kg^{-1})은 일반적으로 엘리트 스키 선수, 사이클 선수 및 육상 선수(최대 ~ 90 ml·min^{-1}·kg^{-1})의 VO_{2max}에 비해 더 낮은데, 이는 카누 선수가 몸통에 고도로 발달된 근육 조직을 가지고 있지만 총체질량에 비하여 실제적으로 사용되거나 집중적으로 활성화되는 총 근육 질량이 더 적다는 사실에 관련된 것으로 추정된다. 잘 훈련된 패들러가 '암 크랭킹(arm cranking)' 만을 실시하는 동안 팔+다리(arm + leg) 운동 또는 러닝 머신 운동에 대한 VO_{2max}의 80-85 %를 달성 할 수 있다는 사실은 산소 운반 및 이용 시스템이 고도로 발달했음을 보여준다. 최근 몇 년 동안 선수가 더 정교한 훈련 접근법을 적용하고 신체 치수도 더 개선되었다면, 최적의 근육 질량을 파악하기 위한 재검사가 필요하다.(VO_{2max}의 근본적인 생리적 구성요소는 산소를 전달하는 순환 능력과 근육의 산소추출률(oxygen extraction ratio)이다. 전신 운동을 실시하는 훈련된 선수의 경우 방정식에서 결정요인은 O_2 운반이고 그러한 이유로 최대 심박출량과 근육 혈류가 실제적인 결정요인이라는 사실은 잘 알려져 있다. 신체적으로 활동적인 피험자에서 최대 VO_2 값은 전신 운동이 실시되는 동안 보다는 심박출량 값이 더 낮은 시점에서 달성된다. 그럼에도 불구하고, 심장이 수행하는 일은 다리 페달링(pedaling) 보다는 점진적 암-크랭킹(arm-cranking) 운동 중에 거의 탈진된 시점에서 더 증가하는 데, 이는 심장의 펌핑 용량 또는 최대 심박출량이 카누 지구력에 대하여 중요한 결정요인임을 시사한다.

표 4.2 다양한 카누 경주 거리에서 유산소 및 무산소 에너지 기여도

				200 m			500 m			1,000 m		
참조문헌	**방법론 관련 주해**		**참가 선수**	**유산소 (%)**	**무산소 (%)**	**시간 (초)**	**유산소 (%)**	**무산소 (%)**	**시간 (초)**	**유산소 (%)**	**무산소 (%)**	**시간 (초)**
Zouhal 등(2012)	오픈 워터 (개방 수역)	AOD	프랑스 국내 수준의 선수 {n = 남성 7명)	-	-	-	78.3	21.7	108	86.6	13.4	224
Bishop (2000)	에르고미터	AOD	호주 국내 및 전세계 경쟁 선수 (n = 여성 9명)	-	-	-	70.3	29.8	120	-	-	-
Byrnes and Kearny (1997, abstr.) and Kearny and McKenzie (2000)	에르고미터	평균 vo_2	USA 국가대표팀, 1996 {n = 10; 남성 6명, 여성 명)	36.5	63	-	63.5	38	-	84.5	18	-
Byrnes and Kearny (1997, abstr.) and Kearny and McKenzie (2000)	에르고미터	평균 vo_2	USA 국가대표팀, 1996 {n =남성6명)	37.8	-	-	62.8	-	-	82.2	-	-
Byrnes and Kearny (1997, abstr.) and Kearny and McKenzie (2000)	에르고미터	평균 vo_2	USA 국가대표팀, 1996 {n = 여성 4명)	40	-	-	69	-	-	86	-	-
				250 m								
Zamparo 등(1999)	오픈 워터 (개방 수역)		이태리 중상급 선수 {n = 8; 남성 3명, 여성 5명)	40.5	59.4	-	60.4	40.3	-	83.3	16.7	-
Fernandez 등(1995, abstr.)	에르고미터	AOD	전세계 선수권대회 결승전 (/n = 9)	43.5	56.5	56.8	62.9	37.1	124	79.7	20.3	255

표. 4.3 1960년 ~ 2015년 문헌에서 보고된 카약 선수와 카누 선수에 대한 VO_{2max}(최대산소섭취량)

남성					VO_2 max		최고 기록(초)
참조문헌	참가선수	연령 (세)	BM (kg)	방식	(l min-1)	(mix kg-1 xmin-1)	500 m 1,000 m 200 m
Lundgren 등(2015)	Norway 엘리트 카약 선수(n = 남성11 명)	19.6	78.4	트레드밀	5.78±0.56	73.7 ±6.3	
Borges 등(2012)	포루투갈 엘리트 카약 패들러 (n =남성 8 명)	22 ±4.2	77.2 ±6.7	트레드밀?	4.72	61.2±5.5	
Misigoj-Durakovic and Heimer (1992)	크로아티아 (n = 18, 1987년 유니버시아드 대회 출전 후보인 카약 선수 그룹)		75.1 ±6.4	트레드밀	4.6 ±0.57	63 ±7.2	
Tesch (1983)	스웨덴 (n =6; 올림픽 대표팀 소속 선수 5명을 포함하여 국가 대표)	22 ±3	80 ±6	트레드밀	5.36 (range 5.11-5.66)	67	
Thomson and Scrutton (1978)	캐나다 {n = 4, 캐나다 국내 경쟁 선수)	19	75.3 ±6.3	트레드밀	4.6 ±0.5	60.6 ±4.6	
Tesch (1976)	스웨덴 (n = 유럽 및 세계 선수권 대회, 올림픽에서 경쟁한 엘리트 선수 4명, 1952-1972)	25 (22-28)	78 (73-81)	트레드밀	5.4 (range 4.7-6.1)	69.2	
Gollnick 등(1972)	스웨덴 (n = 엘리트 선수 4명, 올림픽 및 세계 선수권 대회 포함)	26 (25-27)	74 (71-79)1	자전거 에르고미터/ 트레드밀	4.2	56.8 (55-58)	
Saltin and Astrand (1967)	스웨덴 (n =4 국가대표팀, 1963-1964)	—	—	팔다리 운동	5.1	70	
Saltin (1967)	스웨덴 (n = 1, 1964년 카약 올림픽 선수권 대회)	23	72	자전거 에르고미터	4.52	62.8	
Zouhal 등(2012)	프랑스 국가대표팀(n = 남성 7명)	21.9 ±1.7	78.5±3.4	수상 카약	5.34	68.8±8	102 ± 1 216±2
Gomes 등(2012)	포루투갈 엘리트 선수(p =남성 6명)	24.2 ±4.8	79.7±8.5	카약 에르고미터	5.36 ±0.58	68.1 ±6.2	
Buglione 등(2011)	이태리 카약 팀 (n = 남성46 명)	17.9 ±2.7	78.2 ±6.1	수상 카약	4.79±0.35	61.4 ±4.4	

표. 4.3 1960년 ~ 2015년 문헌에서 보고된 카약 선수와 카누 선수에 대한 VO_{2max}(최대산소섭취량) (계속)

남성					VO_2 max		최고 기록(초)
참조문헌	참가선수	연령 (세)	BM (kg)	방식	(l min-1)	(mix kg-1 xmin-1)	500 m 1,000 m 200 m
Garcia Pallares 등(2010a)	스페인 엘리트 선수 (n = 10, 올림픽 금메달리스트 2명 포함)	25.6±2.5	85.2 ±4.6	카약 에르고미터	5.80	68.1 ±3.1	
Borges 등(2012)	스페인 엘리트 선수 (n = 14, 올림픽 금메달리스트 2명 포함)	25.2±2.5	84.9	카약 에르고미터	5.84	68.8	
Michael 등(2010)	호주 엘리트 선수 (n = 10: 5 국제 경기 선수5명, 국내 경기 선수 5명)	25±6	84.9±5.8	카약 에르고미터	4.66±0.28	54.9	
Garcia-Pallares 등(2009)	스페인 (n = 11, incl. 올림픽 금메달리스트 2명 포함)	26.2±2.8	86.2 ±5.2	카약 에르고미터	5.87	68.1	
van Someren and Howatson (2008)	영국 선수 (n =18: 국제 경기 선수 8명, 클럽 선수 8명)	25±4	83.2 ±5.2	카약 에르고미터	4.55±0.46	54.7	122.1 ±5.7 262.6 ±36.4 41.6±2.1
Forbes and Chilibeck (2007)	캐나다 선수 (n = 10, 경험이 다양한 지역 클럽에서 모집됨)	19.9±2.3	76.3 ±10.6	카약 에르고미터	3.64 ±0.43	48±4.0	

표 4.4 1960년 ~ 2015년 문헌에서 보고된 카약 선수 및 카누 선수에 대한 VO_{2max}(최대산소섭취량)

					VO_{2max}		최고 기록(초)		
참조문헌	**참가 선수**	**연령 (세)**	**BM (kg)**	**방식**	**(l min-1)**	**(ml x kg-1 x min**	**500 m**	**1,000 m**	**200 m**
남성 선수									
van Someren and Palmer (2003)	U.K.(r? =13, 200 m 국제 경주 경험)	26 ±5	84.5 ±4.9	카약 에르고미터	4.45 ± 0.55	52.6 ± 4.9			39.9 ± 0.8
van Someren and Palmer (2003)	U.K.(n = 13, 200 m 국내 경주 경험)	25 ±6	79.9 ±7.8	카약 에르고미터	4.25 ± 0.35	54.5 ± 5.6			42.6 ± 0.9
van Someren 등 (2000)	U.K.(n =9, 상급 클럽 수준 ~ 국가 대표급)	24 ±4	77.3 ±6.4	카약 에르고미터	4.27 ± 0.58	55.2			
Fry and Morton (1991)	호주 (p = 7, 선택된 국가 대표)	26.1 ± 7.3	81.05 ±10.26	카약 에르고미터	4.78 ± 0.60	59.22 ± 7.1	121.7± 10.0	249.1 ± 19.3	
Fry and Morton (1991)	호주(n =31, 선택되지 않은 국가대표)	25.4 ± 7.4	70.66 ±7.99	카약 에르고미터	3.87 ± 0.75	54.80± 8.4	140.6± 13.1	280.1 ± 27.7	
Tesch (1983)	스웨덴 (n =6 국가대표급, 올림픽 대표 팀 소속 선수 5명 포함)	22 ±3	80 ±6	수상 카약	4.67 (range, 4.48-4.87)	58.4			
Thomson and Scrutton (1978)	캐나다(n =4, 캐나다 국내 대회)	19	75.3± 6.3	카약 에르고미터	3.4 ± 0.6	45.4± 6.6			
Tesch (1976)	스웨덴 [n = 유럽 및 세계 선수권 대회, 올림픽에서 경쟁한 엘리트 선수 4명[1952-1972년])	25 (22-28)	78 (73-81)	수상 카약	4.7 (range 4.6-5.0)	57.7			
Gollnick 등 (1972)	스웨덴 [n =엘리트 선수 4명 - 올림픽 및 세계 선수권 대회에서 경쟁한 선수 포함	26 (25-27)	74 (71-79)	암 크랭킹	4.06	54.9 (51-60)			
Saltin (1967)	스웨덴 [n = 1, 1964년 올림픽 카약 우승)	23	72	수상 카약	4.27	59.3			

		연령				VO_2 max	최고 기록(초)	
참조 문헌	참가 선수	(세)	BM (kg)	방식	(l min-1)	(ml x kg-1 x min-1)	500 m 1,000 m	200 m
여성 선수								
Gomes 등(2012)	포루투갈 엘리트 카약 패들러 (n =여성6명)	24.3±4.5	65.4 ±3.5	카약 에르고미터	3.83 ±0.35	58.5 ±5.59		
Buglione 등(2011)	이태리 카약 팀(p =여성 23 명)	17.8±2.5	66.0 ±6.6	수상 카약	3.46±0.31	52.6±4.3		
Forbes and Chilibeck (2007)	캐나다 (n =5, 경험이 다양한 지역 클럽에서 모집)	18.2 ±2.4	61.6±5.2	카약 에르고미터	2.86 ±0.23	46.6 ±4.0		
Bishop (2000)	호주(n =9, 국내급 ~ 국제급 선수)	23 ±5	70.4 ±6.3	카약 에르고미터	3.00 ±0.30	44.81 ±6.02		
남성 카누 선수								
Buglione 등(2011)	이태리 카약 팀(n =남성5 명)	17.9 ±2.7	76.8±3.5	수상 카누	4.75 ±0.45	61.8 ±4.0		
Misigoj-Durakovic and Heimer (1992)	크로아티아 (n = 11, 1987년 유니버시아드 대회 출전 후보인 카누 선수 그룹)		80.2 ±9.0	트레드밀	4.9±0.58	61.6 ±4.4		

폐환기 Pulmonary ventilation

격한 운동을 실시하는 동안에는 근육의 신진 대사가 상당히 증가하는데, 이때 혼합 정맥 산소량이 감소하고 혼합 정맥혈의 이산화탄소 분압(PCO_2)은 80 mmHg를 초과한다. 이와 같이, 폐포-동맥 가스 교환에 대한 요구가 증가한다. 그러나 강렬한 운동을 할 경우, 심박출량이 높다는 것은 혈액이 이러한 교환을 달성하기 위해 폐 모세혈관에 머무는 시간이 적다는 것을 의미한다. 건강한 폐 시스템은 산소와 이산화탄소 운반을 위한 신체 방어선의 첫 번째이자 마지막 라인으로서 일반적으로 폐환기를 적절하게 증가시켜 이러한 문제를 해결하며 결과적으로 폐포 PO_2와 PCO_2가 잘 조절 될 수 있다. 호흡기 근육(흡기근 및 유산소근)은 운동의 폐환기 요구를 충족시키는 데에도 동일하게 적합하며 기류 발생을 위해 힘 발현을 오랫동안 유지할 수 있다. 카약 및 카누에 대한 폐환기 반응은 달리기, 자전거 타기 및 크로스 컨트리 스키 등 다른 "유산소" 활동에 대한 폐환기 반응과는 적어도 두 가지 측면에서 다를 수 있다.

상지(Upper limb)

상체와 함께 수행된 운동은 하체 운동과 비교하여 뚜렷한 대사 및 심혈관 반응을 유도한다. 예를 들어, 팔 운동을 실시하면 폐환기, 심박 및 산소 흡수에 대한 최대 값이 감소한다. 차이점이 있다면 상지 운동 시에 작용하는 작은 근육 질량에 관련이 있다는 것은 일반적으로 인정되는 사실이다. 특정 수준의 최대 출력 이하에서, 상지 운동은 하체 운동에 비해 폐환기 증가와 연관성이 있다. .

동반(Entrainment)

연수 신경망(medullary neural network)과 감각 반사 메커니즘은 호흡 패턴과 호흡 작동 주기의 정확한 조절을 가능하게 한다. 대부분의 경우, 호흡기 시스템(제어 시스템, 호흡기 근육 및 기도)은 동맥혈 가스가 거의 안정기 수준으로 유지되는 격심한 운동의 요구를 충족시킬 수 있다.

카약 및 카누를 타는 동안, 폐환기(ventilation)가 운동과 연결 또는 동반되어 스트로크(stroke) 속도가 호흡률에 연동될 수 있다. 예를 들어, 스트로크에 대한 호흡 빈도 비율을 1:1로 비자발적으로 선택한 엘리트 카누 선수는 1:2 비율을 선택한 선수에 비해 운동 피크(peak) 시에 산화 헤모글로빈 포화값이 지속적으로 낮게 유지되었다. 선수가 카누를 타고 있는 동안 그러한 동반(entrainment)은 호흡 반응에 대하여 기계적 제한을 초래할 수 있지만 이에 대해서는 더 많은 연구가 요구된다.

순환 The circulation

최대 심박출량 및 팔다리와 몸통으로의 흐르는 혈류 분포는 엘리트 카누 선수에서 측정되지 않았지만 다른 스포츠의 경우와 비교가 가능하다. 사이클리스트, 조정(rower) 선수, 스키 선수의 경우, 35 $l{\cdot}min^{-1}$ 을 초과하는 최대 심박출량이 기록되었으며 열 희석으로 측정된 다리(leg)로의 혈류량은 24-30 $l{\cdot}min^{-1}$ 의 범위에 있었는데 이러한 수치는 심박출량의 최대 85 %에 상응한다. 몸통과 두뇌에 대한 혈류량은 대략 4-5 $l{\cdot}min^{-1}$ 수준이다. 카누 선수의 최대 산소 섭취량(VO_{2max})을 기준으로 할 때, 체구에 따라 심박출량은 25-30 $l{\cdot}min^{-1}$ 의 범위에 있는 것으로 추정된다. 카누에서는 다리가 패들 스트로크(paddle stroke)와 상당히 연동하여 움직이므로 심장으로부터 혈류의 상당 부분이 유입되지만 그 혈류량은 조정(rowing)의 경우에 비해 낮은 수준일 것이다. 그럼에도 불구하고,

카누에서 생리적인 문제는 심장에서 출력된 유한한 혈류가 상체와 다리 사이에서 공유되어야 한다는 것이다. 최대 심박출량이 약 31 l·min^{-1}인 엘리트 크로스컨트리(cross-country) 스키 선수에서, 18 l·min^{-1} 의 혈류는 다리로 유입되고 약 8-9 l·min^{-1}의 혈류는 팔로 유입된다. 카누의 경우와 비교할 때, 에르고미터 상에서 두 팔 크랭킹(cranking)을 실시하는 동안, 다리가 팔 근육과 몸통의 움직임을 안정화시키는 역할을 한다는 사실에도 불구하고 다리로 유입되는 혈류는 심장에서 출력된 혈류의 약 30 %에 달한다(~6-8 l·min^{-1}). 두 팔과 다리가 동시에 역동적으로 연동되면, 각 말단을 관류하는 혈액의 양은 국소 전도도(유량/평균 동맥압)의 조정에 따라 따르며 크로스컨트리 스키 선수 및 신체적으로 활발한 피험자에 대한 침습적 절차에서 나타난 것처럼 운동 양식에 의해 결정된다. 예를 들어, 크로스컨트리 스키 선수가 점증적으로 강도가 증가되는 더블 폴링(Double poling: 두 개의 막대기를 짚어 추진력을 얻는 동작) 운동을 실시하는 동안 팔의 관류량은 대각선 기법(즉, 주요 추진 근육이 다리에 있을 때)이 적용될 때 스키 선수에 비해 더 크다.

카누를 타는 동안 팔에서 높은 관류를 달성하려면, 최대심박출량으로 팔 및 다리 근육을 동시에 최대로 관류 할 수 없을 뿐만 아니라 동맥 혈압 또한 유지할 수 없기 때문에 다리로 가는 혈류가 교감 신경 혈관 수축에 의해 제한되어야 한다. 훈련은 가장 활성화된 근육 그룹에 대한 혈류 분포의 변화를 유도하는데 이러한 현상은 국소 혈관 확장 메커니즘과 교감 신경계 간의 상호 작용에 의해 매개된다. 이에 대한 예로는 스키 훈련 후에 다리의 교감 신경 혈관 수축에 의한 중재를 통해 최대 심박출량의 변화 없이 심박출량이 다리 보다는 팔로 더 많이 재분배됨으로써 팔의 산소 섭취량이 증가하는 현상이 있다. 제1형 섬유의 비율과 단위 질량 당 모세혈관 밀도가 다리(대퇴부 사두근)에 비해 팔(삼각근 및 삼두근)에서 상당히 낮음에도 불구하고, 팔로 유입되는 혈류의 비율이 증가한다. 카누 선수의 특이적인 국소 혈역학적 패턴에 대한 상세한 연구는 향후 연구의 중요하고 기대되는 영역이다. 지구력이 강한 선수의 높은 심박출량은 심실 크기, 심실 기능 및 심실 성능에 따라 1회 박출량(stroke volume)이 크다는 특징이 있다. 지구력이 강한 선수는 1회 박출량(stroke volume)을 증가시키기 위해 Starling 메커니즘을 사용할 수 있는 능력이 매우 우수하다. 이는 주로 확장 말기 심실 용적 이 약 250 ml 에 달할 정도로 크기 때문이다. 확장 말기 심실 용적이 크다는 것은 선천적인 특성이다. 그러나 수 년 지속되는 훈련으로 심실 순응도(compliance)가 더 높아지고 확장기 이완 시간이 매우 짧아 질 수 있기 때문에 심실 크기가 증가할 수 있는데, 이때 승모판 전체에서 좌심방에서 좌심실 정점으로 확장기 흡입이 생성된다. 마찬가지로, 수년간 훈련한 선수에서 볼 수 있듯이 심장 종축이 짧아지면 심장의 최대 펌핑 용량이 최대가 된다는 것이 가장 큰 특징이다. 최상급의 카약 선수들에서 보고된 높은 최대 산소 섭취량(VO_{2max})은 심박출량이 더 크고, 팔 근육의 재관류량이 증가하고 결과적으로 혈류 역학적 조정이 다른 방식으로 이루어짐을 시사한다. 심장 후부하(after-load)(평균 동맥압 증가로 파악됨)는 다리 운동 중에는 적당히 증가하지만 팔 운동 중에는 더 크게 증가한다. 그러나 이러한 현상에는 대가가 있는데 그 이유는 팔 운동 중에 심장 후부하 증가는 심장의 최대 펌핑 용량을 제한할 수 있기 때문이다. 엘리트 카약 선수들에서, 높은 후부하로 정기적으로 훈련하는 것은 심실 크기를 주로 앉아서 생활하는 건강한 남성에서 관찰되는 크기와 비슷하게 유지하면서 심실 질량을 상당히 증가시키는 방식으로 심장을 적응시키기 위한 가장 타당한 메커니즘이다. 카누 선수의 심박출량을 제한하는 요소를 이해하고 훈련 과정에서 심박출량이 어떻게 분배되고 최고 운동능력 달성을 위한 파워 출력이 어떻게 가능한지를 파악하려면 더 많은 연구가 요구된다.

일차 근육 및 섬유의 특징
Primary muscles and fiber characteristics

근전도 검사(EMG) 분석에서, 전방 삼각근은 스트로크를 통틀어 가장 활성화된 근육 그룹이다. 승모근, 삼두근 및 복부 직근은 낮은 수준에서 활성화되어 작용하는 반면에 이두근, 광배근 및 대흉근은 스트로크의 약 20 %에 대해 활성화된다. 하체는 몸통을 안정시키는 데 중심 역할을 하지만 근육 수축 중에는 운동 범위가 제한적이다. 이러한 근육 그룹에는 엉덩이 굴근(장요근), 무릎 신근 및 발목 신근이 포함된다. 근육 강화는 카누에서 필수적이기 때문에, 제II 형 미오신 중쇄 아형(myosin heavy-chain isoform)의 비율이 상대적으로 높다는 것은 ATP의 신속한 가수 분해와 크로스 브리지(cross-bridg) 사이클링 및 높은 ATP 전환율의 신속한 달성이 가능함을 의미하므로 중요한 특성이된다. 카누 선수에서, 섬유 유형은 주로 ATPase 염색법을 사용하여 비복근(腓腹筋), 외측 광근, 삼두박근, 상완이두근 및 광배근의 생검을 통해 파악되었다. 제II형 섬유(FT)의 비율이 상대적으로 높게 나타난 부위는 이두박근(56 % IIa; 14 % IIx fibers), 대퇴근(57 % IIa; 17 % IIx fibers), 광배근(56 % IIa 섬유)으로 확인되었다. 팔 근육 섬유의 단면적은 다리 근육보다 팔 근육의 섬유 면적이 큰 카누 선수에서 증가한다. 제II형 섬유는 일반적으로 제I형 섬유에 비해 더 비대(고정된 패턴은 아님)하다. 제II형/제I형 섬유 비율은 대퇴부에서 1.1로 나타난 것에 반해 이두박근에서 1.4로 나타났는데 이는 팔뚝에서 부하 패턴이 증가했음을 반영한다. 고도의 지구력 훈련을 받은 선수에서 미토콘드리아 체적은 평균적으로 양팔과 다리 근육량의 8-9 %가 범위에 있었는데 이러한 수치는 훈련 받지 않은 사람들의 수치에 비해 2배 이상 높은 것이다. 제I형 섬유는 미토콘드리아 체적이 가장 크기 때문에 유산소 잠재력이 가장 높다는 일반적인 인식에도 불구하고, 최근 연구 결과는 훈련된 IIa 섬유에는 비슷한 체적 밀도의 미토콘드리아가 포함되어 있음을 보여준다. 따라서, IIa 형 섬유의 비율이 높은 카누 선수는 높은 출력을 낼 수 있는 근육이라는 장점과 유산소 경로로 그 힘을 공급할 수 있는 우수한 능력을 보유한다. 미토콘드리아의 산소 소비 용량은 순환에 의해 전달 될 수 있는 최대 산소량을 초과하므로 최대 산소 섭취량(VO_2 VO_{2max})을 제한하지 않는다. 골격근에서 미토콘드리아 체적이 매우 클 때 주된 영향은 특정 운동 부하에서 젖산 형성이 감소한다는 것이다. 특정 에너지 요구는 미토콘드리아 단위당 '총 산화성 인산화' 비율의 감소(즉, 단위 미토콘드리아 당 ATP 생산량 감소)를 요구한다.

수축 활성에 대하여 ATP 생산 요구가 낮은 근육은 아데노신 2인산(ADP), 아데노신 1인산 및 파이(Pi)의 농도가 낮아 글리코겐 분해와 당분해 활성화가 감소되며 결과적으로 젖산 생산량도 감소한다. 단위 미토콘드리아 당 ATP 생산량이 더 낮은 것은 체적 효과(미토콘드리아 수량 증가) 일뿐만 아니라 미토콘드리아가 ADP에 의한 신호 활성화에 덜 민감하다는 사실로 인한 것이다. 고도로 훈련된 운동 선수의 근육 미토콘드리아에 대한 다른 조절적 변화는 유산소 지구력 향상에 기여한다. 미토콘드리아가 지방을 산화 할 수 있는 능력이 강화되는데, 이러한 현상은 미토콘드리아뿐만 아니라 단위 미토콘드리아의 체적이 더 커짐에 따라 발생된 것이다. 이 후자의 효과에 대한 정확한 메커니즘은 알려져 있지 않지만 지속 시간이 긴 경주를 위해 근육 글리코겐(근글리코겐)을 보존하고 혈당을 유지하는 것은 분명한 이득이 된다. 또한, 미토콘드리아 체적 증가는 산소에 대한 미토콘드리아의 높은 친화성에 관련되어 있다. 산소 소비에 대한 영향은 인 미토콘드리아 p50(미토콘드리아 호흡이 절반 최대치[half-maximum]가 되는 산소 분압(pO_2))에 따라 정의된 온전한 미토콘드리아 내에서 측정 될 수 있다. p50이 낮다는 것은 O_2에 대한 친화성이 높다는 것을 나타내는데, 이는 미토콘드리아 PO_2를 감소시키고 확산 구배를 증가시킴으로써 근육 VO_2의 증가에 기여할 수 있다(**그림 4.3**). 이러한 효과는 훈련을 통해 근육 전체에서 약 100-200 ml에 달할 정도로 높은 VO_2에 대한 설명이 될 수 있으며 운동능력의 중요한 차이를 가져온다. 지구력이 강한 엘리트 선수의 경우, 동맥 산소(O_2) 함량의 높은 분율은 85-90 %의 범위에서 추출 가능하거나 일반인에 비해 약 10-20 % 높은 수준으로 추출 가능하다.

이러한 과정은 동정맥 삽입을 통해 측정 할 수 있으며 Fick의 확산 법칙에 따라 표현되는 산소 섭취량(**그림 4.3**)의 구성요소 매개 변수를 반영한다: 최대 산소 섭취량(VO_{2max}) = O_2 확산 용량 (DO_2) × (PO_2 모세관 - PO_2 미토콘드리아); Fick 원리: 최대 산소 섭취량(VO_{2max}) = O_2 운반 × 동정맥 O_2 차이). O_2 확산의 기본 요소는 모세 혈관 밀도, 적혈구의 평균 이동 시간 및 모세 혈관과 미토콘드리아 사이의 PO_2 구배이다. 미토콘드리아의 상대적 활성화에 의해 정의되는 미토콘드리아 PO_2가 낮으면 O_2 구배가 증가한다. 또한, 근육 활동의 강도가 높을수록 미토콘드리아의 활성화와 O_2의 이용률이 증가한다. 최대 운동시, 미토콘드리아 PO_2는 매우 낮으므로(0에 가까움) 근육 전체의 모세 혈관으로부터 큰 압력 구배가 생성된다. O_2 확산의 절대 수준(O_2의 $ml{\cdot}mmHg^{-1}$ 압력)은 대게 모세관 밀도에 의해 정의되는데, 이 모두는 근육 막과의 접촉점을 최대화하고 O_2를 오프로딩(하역)하기 위해 적혈구의 통과를 늦추는 역할을 한다. 따라서, 엘리트 카누 선수는 근육 활동을 유지하기 위해 산소 전달이 극대화 될 수 있도록 상체에 모세 혈관 밀도가 높아야 한다. 지구력이 좋은 운동 선수들에서는 5-6 cap·mm2 의 모세 혈관 밀도가 보고되었는데, 제 I 형 섬유 유형 분포가 팔(~40 %)에 비해 다리(~60 %)에서 높음에도 불구하고 훈련된 팔과 다리에서는 모세 혈관 분포가 일반적으로 유사하다. 이처럼 모세 혈관 분포가 균일 함에도 불구하고, 최대 O_2 추출 비율은 다리에 비해 팔에서 더 낮다. 점진적인 암 크랭킹(arm cranking)이 실시되는 동안, 최대 산소 추출량은 훈련된 패들링 선수에서 70 % 범위에 있었다. 다리 사이클링(leg cycling)에서 훈련된 패들러에 비해 훈련된 패들러의 팔에서 추출률(extraction rate)이 더 낮은데, 그 부분적인 이유는 팔의 단위 질량 당 혈액 유량이 더 많고 적혈구 통과 시간이 감소했기 때문이다. 실제적으로, 크로스컨트리(cross-country) 스키 선수에서 팔의 혈류량

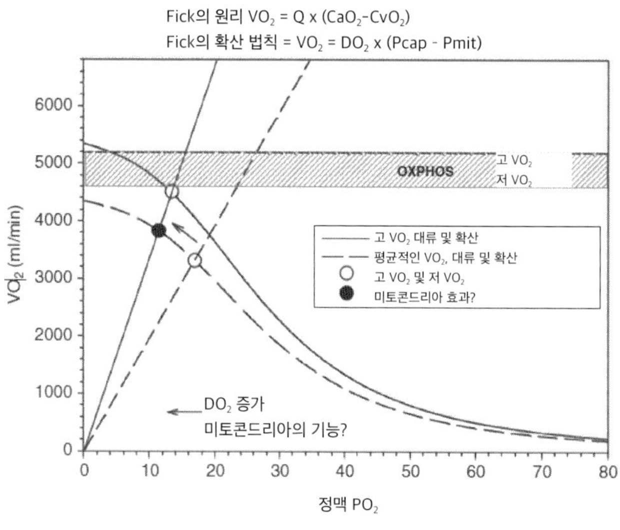

그림 4.3 최대 VO_2의 대류 및 확산 구성요소에 대한 모델 Fick의 확산 법칙($VO_2 = DO_2 \times$ [Pcap - Pmit])과 Fick 원리 ($VO_2 = Q \times [CaO_2 - CvO_2]$)에 의해 표현되는 운동 중에 도달되는 최대 VO_2.
원점에서 시작하여 데이터 점(원)을 통과하는 직선은 Fick의 확산 법칙(대퇴 정맥 PO_2 에 따른 다리 VO_2)을 나타낸다. S자형 곡선은 혈류와 동정맥 O_2 차이(O_2 추출)의 곱으로 정의된 Fick 원리를 보여준다. VO_2-PvO_2의 직선의 S자형 곡선 및 좌측 시프트가 더 크면 혈액 흐름과 확산 능력(diffusion capacity)이 함께 증가하여 VO_2 최대값이 달성되는 것으로 나타난다. 검정색 원은 국소 근육(미토콘드리아, 모세 혈관) 효과로 인하여 특정 혈류에 대한 확산 능력이 이론적으로 증가함을 보여준다. 수평 파선 영역은 다양한 훈련 상태에서 미토콘드리아 O_2 유량 능력의 수치 범위를 나타낸다.
CaO_2 = 동맥 [O2]; cvO_2 = 정맥 [O_2]; DO_2 = O_2 확산 능력; Pcap = 평균 모세관 PO2; Pmito = 미토콘드리아의 시토크롬 c 산화효소(cytochrome c oxidase)에서의 PO_2.
화살표는 미토콘드리아에서 조절 변화로 인하여 DO_2와 VO_2가 이론적으로 증가함을 보여준다.

이 더블 폴링(double-poling) 기법을 적용한 경우에 비해 더 낮거나(추진력이 주로 팔에서 생성됨) 팔의 혈류량이 훨씬 더 많을 때 고전적인 대각선 방법(팔과 다리가 추진력에 기여함)을 적용한 경우 최대 운동 시에 팔에서 O_2 추출 값이 가장 높았다.

젖산 역치 및 임계 파워
Lactate threshold and critical power

엘리트 카누 스포츠의 매우 높은 대사 요구사항은 높은 최대 산소 섭취량, 높은 무산소 능력, 상체의 근력 및 기술적 효율을 요구한다. 1-2분 이상 지속되는 경주에서 중요한 운동능력 결정 요인은 젖산이 점진적으로 증가되기 전에 유지되어야 하는 '최대 VO_2' 및 '최대 VO_2의 높은 분율(fraction)' 또는 '젖산 역치' 이다. 카약 선수들은 최대 산소 섭취량(VO_{2max})의 80-85 % 범위 내에서 무산소 임계값 또는 최대 지속 가능한 젖산 농도가 높은 것으로 알려져 있는데, 이는 카약 선수들에서도 비슷한 양상으로 나타날 것으로 추정된다. 200 m, 500 m 및 1,000 m 거리에서 젖산 역치와 카약 운동능력 간에는 중요한 상관관계가 존재한다. 젖산 역치와 마찬가지로 '임계 파워(critical power)'는 특정 기간 동안 유지 될 수 있는 가장 높은 평균 일률(work rate) 또는 파워 출력(power output)이다. 이것은 수학적으로 파워 출력과 소모 시간 간의 쌍곡선 관계에 대한 '힘-점근선(漸近線: asymptote)'으로 정의된다. 생리학적으로, 임계 파워는 '정상 상태 운동 강도 영역'과 '불안정 상태 운동 강도 영역'의 경계를 나타내므로 젖산 역치와 최대 산소 섭취량(VO_{2max}) 이외에 운동능력에 대한 의미 있는 지표가 된다. 일반적으로 최대 산소 섭취량(VO_{2max})의 속도에서 탈진하는 시간은 최대 산소 섭취량과 반비례 관계가 있다. 카누 경주가 길어질수록 유산소적으로 생성된 ATP에 대한 의존도가 증가하지만 유산소 대사에 의해 지속되는 절대 파워 출력은 당분해 시스템에 비해 현저히 낮다. 카약 선수의 최대 산소 섭취량(VO_{2max}) 속도는 약 6분 동안 유지 될 수 있다. 근육을 위한 파워 출력 요구량은 해당 수준이 초과되면 미토콘드리아 호흡에 의해 완전히 유지될 수 있고 무산소 분해에 의해 보충되는 반면에 일시적으로 에너지를 폭발적으로 사용하는 상황(단거리 경주 등)에서는 체내에 저장된 포스파젠(phosphagen)으로 보충된다. 무산소 시스템의 상대적 관여는 NADH/NAD 비율 또는 ADP/ATP 비율에 의해 간단히 정의되는 세포의 산화 환원 반응 상태에 따라 좌우된다. 당분해 및 미토콘드리아 호흡 모두는 ADP(크로스 브리지[cross-bridge] 사이클링의 부산물)에 의해 활성화되기 때문에, 젖산 형성률은 파워 출력에 의해 정의될 뿐만 아니라 미토콘드리아가 환원 당분해로 생성된 당량(예: NADH)을 산화 할 수 있는 최대율(peak rate)을 초과하는 에너지 요구량의 규모에 의해 정의된다. 운동능력은 유산소 및 무산소 대사 경로에 의해 생성된 총 ATP에 의해 좌우된다. 500 m 및 1,000 m 거리 경주를 비롯한 여타 경주에서, 패들러들은 12-14 mM의 혈중 젖산 농도에 도달한 반면에 카누 단거리 슬라롬 경주에서는 16 mM의 혈중 젖산 농도가 기록되었다. 500-1,000 m 경주와 같은 경주에서 카누 선수에 대한 훈련의 목표는 당분해를 통해 ATP 공급을 보충 할 수 있는 수준 이상으로 가능한 최고의 유산소 능력을 달성하는 것이다. 젖산 축적은 무산소 에너지 기여의 지표이며 젖산 생산과 동일시되는데, 그 이유는 준최대로 수축되는 근육(예: 카누에서 사용되는 다리 근육)과 간, 뇌 및 심장 등 다른 기관에 의해 상당히 많은 양의 젖산이 흡수되어 ATP로 산화되기 때문이다. 젖산은 그 자체로 피로를 일으키지 않지만 근육 피로에 관여된 수소 이온 생성과 무기 인산 축적과 상관관계가 있다.

효율
Efficiency

환경 조건을 제외하고, 총 기계적 효율은 주로 체질량 및 장비 기술에 의해 정의되는 항력과 카누 선수의 기술 수준에 따라 결정된다. 카약에서 기계 작업(mechanical work)에 대한 초기 보고서는 500 m 경주를 모의(시뮬레이션)하여 2분간 실행된 총력적인 운동 중에 보트 추진력에 통합된 스트로크의 비율은 약 90 %에 달한다고 보고했다. 기계 효율은 기계 작업(평균 파워 × 시간)과 총 에너지 소비(생산된 총 열량 + 실행된 작업량) 간의 비율로 정의된다. 일반적으로, 산화성 인산화(oxidative phosphorylation)의 효율은 약 60 %이며 여기(excitation) 수축 커플링은 약 40 %이므로 결과적으로 효율 상한은 약 24 %이다. 카누에서 효율에 관한 데이터는 부족하다. 다른 엘리트 선수(예: 사이클리스트)의 총 기계 효율은 18-24 % 범위에 있다. 무산소 대사의 기여도가 무시할 만큼 작다면, 기계적 효율은 간접 열량 측정을 위한 에르고미터(ergometer)를 사용하여 준최대(submaximal) 운동 중에 정확하게 측정될 수 있다. 고강도 운동시 효율 측정은 무산소 경로의 상당한 기여로 인하여 파악이 기술적으로 쉽지 않다. 이러한 문제는 에너지 소비(총 엔탈피 변화) 측정의 복잡성에 부분적으로 기인하는데, 그 이유는 당분해 및 포스파겐(phosphagen) 기여에 따른 신진 대사 효율이 상이하기 때문이다. 무산소 에너지 경로에 의한 에너지 방출의 단순 추정은 회복 VO_2(산소 부채)와 혈액 젖산 농도를 측정을 통해 이루어졌다.

유산소 및 무산소 에너지 소비의 정확한 측정은 Fick에서 파생된 VO_2, 운동하고 있는 사지 전체에서의 젖산 방출, 젖산, 근육 ATP, PC의 변화에 대한 측정을 위한 근육 생검, 근육 질량에 대한 정확한 측정에 기초한다. 생체 내에서 사용되어야 하는 ATP 가수 분해의 정확한 자유 에너지 값에 대한 완전한 합의는 아직 존재하지 않지만, 에너지 소비는 사용된 몰(mole) ATP 당 열 또는 깁스(Gibbs) 자유 에너지 변화량, 가수 분해된 PCr[35 kJ], 생성된 젖산[65 kJ], 소비된 산소[52 kJ (P/O 비율 2.5)]로 계산된다. 또 다른 어려움은 근력 효율이 근육 수축 속도와 섬유 유형에 따라 다르며, 제 I 형의 섬유가 상당히 더 효율적이라는 것이다. 다른 스포츠에서, 선수는 장기적인 훈련을 통해 개인의 최대 효율에 접근하는 듀티 사이클(동작 주기 시간)이나 리듬을 스스로 선택할 수 있다. 현재까지, 카누에서 단거리 경주에서부터 장거리에 이르는 모든 경주 거리를 통틀어 근육 효율 개선 방안을 비롯하여 훈련을 통해 효율을 달성할 수 있는지의 여부가 연구되어왔다. 개별 운동 선수의 고효율을 위한 리듬의 최적화는 등속성 에르고미터를 사용하여 실험적으로 파악될 수 있는데, 여기에서 듀티 사이클(동작 주기 시간)은 일정하게 유지되는 반면에 저항이 변화하므로 수축 시 모든 근육 길이에서 부하(load)는 해당 길이에서 근육이 낼 수 있는 최대 장력과 동일하다.

향후 연구를 위한 영역
Areas for future research

이 간략한 리뷰(검토)에서는 해당 주제에 대하여 100편 이상의 출판된 논문에서 다루어진 개념을 포함하여 엘리트 카누 선수의 운동능력에 관련된 주요 생리적 시스템과 생체 에너지에 대한 요약에 집중했다. 생리적 요인에 대한 지식이 확대되면서, 카누 선수의 운동능력에 관련된 생리학에 대하여 더 많은 연구가 실행될 필요가 있다. 본 리뷰에서 향후 연구 방향에 대하여 제시한 관점은 카누의 운동능력 특성에 대한 종합적인 이해를 증진하여 카누의 과학적 모니터링 및 카누 훈련 접근법을 안내하는 데 유용할 것이다.

- 카누 경주의 거리를 통틀어 기계적 효율(총 에너지 소비량 당 기계적 작업) 및 수축 효율
- 카누 스트로크 동안 혈류 역학(혈류), 산소(O2) 운반 및 팔과 다리의 활용
- 벤틸레이터의 기계적 구속(ventilator mechanical restraint)에 대한 동반(entrainment)의 효과, 운동능력에 대한 흡기근 훈련의 효과
- 대사 기능에 대한 식이 영양소의 영향(예: 식이 비트(beetroot), β-하이드록시부티레이트의 생체 에너지 효율)
- 훈련에 대한 적응 반응(예: 메타볼로믹스[대사체학], 프로테오믹스[단백질 유전 정보학])에 관련된 분자 바이오마커(생체 표지자)의 확인 및 훈련 량의 최적화
- 생체 리듬, 생체 시계, 훈련, 회복 및 휴식 요법

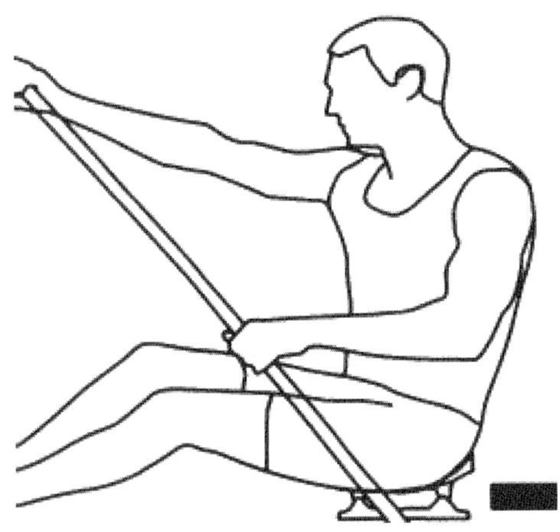

참고문헌

Bishop, D. (2000). Physiological predictors of flat-water kayak performance in women. *Eur J Appl Physiol 82* (1-2): 91-97.

Bonetti, D.L. and Hopkins, W.G. (2010). Variation in performance times of elite flat-water canoeists from race to race. *Int J Sports Physiol Perform* (2): 210-217.

Borges, G.F., Rama, L.M., Pedreiro, S. et al. (2012). Haematological changes in elite kayakers during a training season. *Appl. Physiol Nutrition Metab* 37 (6): 1140-1146.

Buglione, A., Lazzer, S., Colli, R. et al. (2011). Energetics of best performances in elite kayakers and canoeists. *Med Sci Sports Exerc* 43 (5): 877-884.

Byrnes, W.C. and Kearny, J.T. (1997). Aerobic and anaerobic contributions during simulated canoe/kayak events [Abstract]. *Med Sci Sports Exerc* 29: S220.

Clingeleffer, A., Mc Naughton, L., and Davoren, B. (1994). Critical power may be determined from two tests in elite kayakers. *Eur J Appl Physiol Occup Physiol* 68 (1): 36-40.

Fernandez, B., Perez-Landuce, J., Rodriguez, M., and Terrados, N. (1995). Metabolic contribution in Olympic kayaking events [Abstract]. *Med Sci Sports Exerc* 27: S24.

Forbes, S.C. and Chilibeck, P.D. (2007). Comparison of a kayaking ergometer protocol with an arm crank protocol for evaluating peak oxygen consumption. *J Strength Conditioning Res* 21 (4): 1282-1285.

Fry, R.W. and Morton, A.R. (1991). Physiological and kinanthropometric attributes of elite flatwater kayakists. *Med Sci Sports Exerc* 23 (11): 1297-1301.

García-Pallarés, J., García-Fernández, M., Sánchez-Medina, L., and Izquierdo, M. (2010a). Performance changes in world-class kayakers following two different training periodization models. *Eur J Appl Physiol* 110 (1): 99-107.

García-Pallarés, J. and Izquierdo, M. (2011). Strategies to optimize concurrent training of strength and aerobic fitness for rowing and canoeing. *Sports Med* 41 (4):

329-343.

Garcia-Pallares, J., Sanchez-Medina, L., Carrasco, L. et al. (2009). Endurance and neuromuscular changes in world-class level kayakers during a periodized training cycle. *Eur J Appl Physiol* 106 (4): 629-638.

Garcia-Pallares, J., Sanchez-Medina, L., Perez, C.E. et al. (2010b). Physiological effects of tapering and detraining in world-class kayakers. *Med Sci Sports Exerc* 42 (6): 1209-1214.

Gollnick, P.D., Armstrong, R.B., Saubert, C.W. et al. (1972). Enzyme activity and fiber composition in skeletal muscle of untrained and trained men. *J Appl Physiol* 33 (3): 312-319.

Gomes, B.B., Mourao, L., Massart, A. et al. (2012). Gross efficiency and energy expenditure in kayak ergometer exercise. *Intl J Sports Med* 33 (8): 654-660.

Kearny, J.T., and McKenzie, D. (2000) Physiology of canoe sport. In: Garrett, W., and Kirkendall, D.T. (eds.), *Exercise and sport science*. Philadelphia: Lippincott Williams & Wilkins.

Lundgren, K.M., Karlsen, T., Sandbakk, O. et al. (2015). Sport-specific physiological adaptations in highly trained endurance athletes. *Med Sci Sports Exerc* 47 (10): 2150-2157.

McKean, M.R. and Burkett, B.J. (2014). The influence of upper-body strength on flat-water sprint kayak performance in elite athletes. *Int J Sports Physiol Perform* 4: 707-714.

Michael, J.S., Rooney, K.B., and Smith, R. (2008). The metabolic demands of kayaking: a review. *J Sports Sci Med* 7 (1): 1-7.

Michael, J.S., Smith, R., and Rooney, K. (2010). Physiological responses to kayaking with a swivel seat. *Intl J Sports Med* 31 (8): 555-560.

Misigoj-Durakovic, M. and Heimer, S. (1992). Characteristics of the morphological and functional status of kayakers and canoeists. *J Sports Med Phys Fitness* 32 (1): 45-50.

Saltin, B. (1967). *Mexico City olympisk stad ett höjdfysiologiskt experiment*. Stockholm: Framtiden.

Saltin, B. and Astrand, P.O. (1967). Maximal oxygen uptake in athletes. *J Appl Physiol* 23 (3): 353-358.

Shephard, R.J. (1987). Science and medicine of canoeing and kayaking. *Sports Med* 4 (1): 19-33.

Tesch, P.A. (1983). Physiological characteristics of elite kayak paddlers. *Can J Appl Sport Sci* 8 (2): 87-91.

Tesch, P., Piehl, K., Wilson, G., and Karlsson, J. (1976). Physiological investigations of Swedish elite canoe competitors. *Med Sci Sports* 8 (4): 214-218.

Thomson, J.M. and Scrutton, E.W. (1978). Physiological adaptation to long-term upper-body work. *Can J Appl Sport Sci* 3 (2): 103-108.

van Someren, K.A. and Howatson, G. (2008). Prediction of flatwater kayaking performance. *Intl J Sports Physiol Perform* 3 (2): 207-218.

van Someren, K.A. and Palmer, G.S. (2003). Prediction of 200-m sprint kayaking performance. *Can J Appl Physiol* 28 (4): 505-517.

van Someren, K.A., Phillips, G.R., and Palmer, G.S. (2000). Comparison of physiological responses to open water kayaking and kayak ergometry. *Intl J Sports Med* 21 (3): 200-204.

Zamparo, P., Capelli, C., and Guerrini, G. (1999). Energetics of kayaking at submaximal and maximal speeds. *Eur J Appl Physiol Occup Physiol* 80 (6): 542-548.

Zamparo, P., Tomadini, S., Didonè, F. et al. (2006). Bioenergetics of a slalom kayak (k1) competition. *Int J Sports Med* 27 (7): 546-552.

Zouhal, H., Le Douairon Lahaye, S., Ben Abderrahaman, A. et al. (2012). Energy system contribution to Olympic distances in flat water kayaking (500 and 1,000 m) in highly trained subjects. *J Strength Condition Res* 26 (3): 825-831.

제5장

카누 및 카약에 대한 스포츠 심리

서론

올림픽 메달 획득은 선수 경력에서 정점을 이룬다. 그러나 특정 연도와 일자에 수백만 명의 사람들이 앞에서 모든 동작을 정확한 타이밍에 올바르게 실행하는 것은 매우 어려운 일이며 엄청난 도전이다. 압박은 상당하다. 그렇다면 선수와 코치는 실제로 그러한 환경에서 최적의 운동능력 달성을 어떻게 보장할 수 있는가? 그에 대한 답은 매우 복잡한데, 이는 고려하고 효과적으로 관리해야 할 요소가 매우 많다는 이유 외에도 본문에서 언급되는 선수들 자체가 매우 복잡하기 때문이다. 이 장의 목적은 세계 선수권 및 올림픽 게임에서 최적의 성과 달성을 위해 개발되어야 하는 중요한 심리적 기술에 대하여 논의하는 것이다. 그러나 경쟁 스포츠의 맥락을 간단히 살펴본 후에 심리적 요소에 대하여 자세하게 탐구하는 것이 중요하다.

고성과 스포츠의 요소 The elements of high-performance sport

경쟁적 스포츠의 맥락을 고려하는 방법들 중의 하나는 최고 수준의 스포츠에서 성공을 보장하기 위해 모두 고려되어야 하는 중요한 요소들의 숫자이다. 코치와 선수는 이러한 요소들이 밀접하게 결합되어 있음을 이해해야 한다.

고성과 스포츠 세계에서 가장 중요한 요소는 훈련 계획, 기술 훈련, 전략 준비 등으로 구성된 생리적 측면이다. 두 번째로 중요한 요소는 건강 고려사항이라고 할 수 있으며 영양 섭취 상태 및 상해 예방이 포함된다. 카누와 카약의 스포츠에 특정적인 세 번째 요소는 장비, 특히 보트와 패들의 디자인이다.

중요도가 다소 덜하지만 여전히 중요한 요소는 사회 문화, 가족, 학교, 친구 및 파트너 등의 측면을 포함한다. 이 요소는 심리적이다. 생리적 요소는 훈련 단계에서 가장 중요하지만, 경쟁 단계가 시작됨에 따라 심리적 측면이 더욱 중요하다고 주장 할 수 있다. 이는 경쟁이 본질적으로 스트레스가 되기 때문이다. 선수는 스트레스가 많은 환경을 심리적 관점에서 관리하여 최적으로 실행할 수 있는 능력을 개발해야 하기 때문이다. 그러므로 선수는 이러한 모든 중요한 요소를 고려하면서 육체적 및 심리적으로 준비해야 한다(**그림 5.1**).

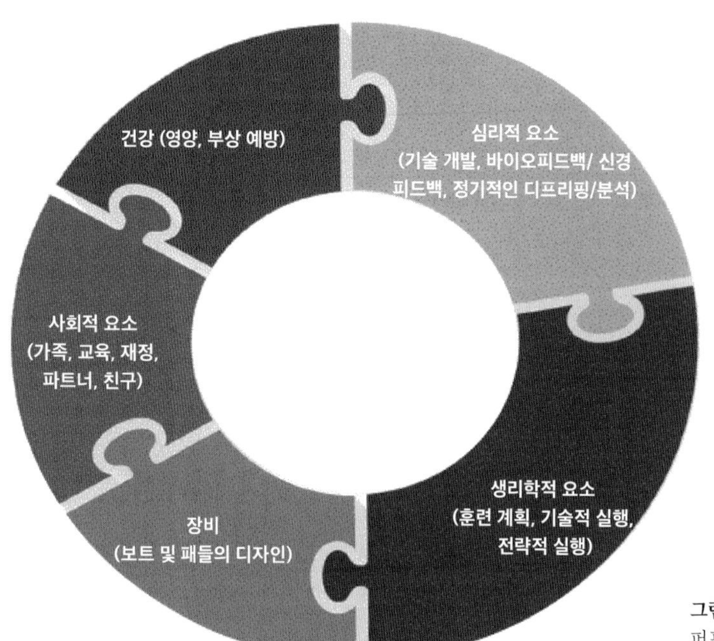

그림 5.1 고성과(high-performance: 하이퍼포먼스) 스포츠의 요소

심리적 회복력 및 스포츠 특정적 심리 기술 Psychological resilience and sport-specific psychological skills

심리적 회복력은 스트레스와 역경에도 불구하고 적극적으로 적응할 수 있는 능력으로 정의 할 수 있는 개념이다. 심리적 회복력은 선수가 고도의 실적을 달성하려는 목표에 수반되는 스트레스에 직면했을 때 인내를 가능하게 하는 강한 자신감과 낙관적 태도를 유지하고 있음을 의미 한다. 물론, 회복력의 개념이 어떠한 특성(개인의 고유한 성격)인지 또는 어떠한 상태(학습된 기술)인지의 여부에 관련하여 연구 문헌에서는 토론이 지속되고 있다. 근본적으로 다른 선수들에 비해 스트레스와 역경에 더 잘 대처할 수 있는 개인적인 선수가 분명히 있지만, 대부분의 선수들은 심리적으로 더욱 강해지고 심리적 회복력을 강화하는 방법을 배울 수 있다는 일반적인 명제를 뒷받침하는 많은 연구가 있으며 선수들은 훈련 특정적인 심리 기술을 통해 그러한 방법을 습득한다.

세계 선수권 대회 및 올림픽 수준에서 스트레스 관리의 중요성에 대한 많은 연구에 의하면, 선수가 성공을 달성하고 운동능력을 일관적으로 유지하기 위해 훈련을 통해 획득해야 하는 특정적인 많은 심리 기술이 있다. 그리고 중요한 것은 훈련이 실시되는 한 해를 통틀어 선수가 매일 육체를 단련시키는 것과 마찬가지로 심리적 기술 또한 매일 훈련되어야 한다는 것이다. 8개의 핵심 심리 기술은 다음과 같은 능력이다: 1) 자아를 깊게 인식할 수 있는 능력, 2) 정확한 타이밍에 정확한 신호(cue)에 집중하고 주목할 수 있는 능력, 3) 각성 수준(arousal level)을 효과적으로 관리할 수 있는 능력, 4) 훈련 및 경쟁의 결과에 대하여 정기적으로 경청하고 분석할 수 있는 능력, 5) 부정적인 집중력 약화 요인을 효과적으로 관리할 수 있는 능력, 6) 장단기 목표를 효과적으로 설정할 수 있는 능력, 7) 상상하고 시각화할 수 있는 능력, 8) 크루 보트(crew boat)에서 효과적인 팀 문화를 구축할 수 있는 능력.

각 기술에 대해서는 이 장에서 자세히 설명될 것이다. 또한, 정신 생리학(psychophysiology)의 개념은 선수가 효과적으로 자기 조절 법을 습득 수 있는 혁신적인 방법으로 소개 될 것이다.

자기 인식 개발: 학습 과정 Developing self-awareness: the learning process

한 존경 받는 스포츠 심리학자는 수 년 전에 스포츠 심리학 분야의 좌우명이 "너 자신을 알라"였다고 말했다. 선수와 코치 모두는 자아를 깊게 인식할 수 있는 능력을 발전시켜야 한다. 즉, 자기 인식 감각을 계발하고 자신에게 정직하다는 것은 경쟁 스포츠에서 중요한 기본 기술이다. 전술적으로, 전략적으로, 그리고 심리적으로 무엇이 좋은지를 파악하고 무엇을 해야 하는지를 파악하는 것은 훈련 세션 동안 이루어지는 정기적인 대화 및 정기적인 분석을 통해서 개발될 뿐만 아니라 훈련 세션과 중요한 경쟁을 마친 후 실시되는 디브리핑(debriefing)을 통해서도 개발된다. 이러한 프로세스는 효과적으로 실행된다면 자기 인식과 자기 책임을 강화하고, 자신감을 불어넣고, 궁극적으로는 일관되게 좋은 성과를 보장할 것이다(**그림 5.2**).

효과적으로 집중할 수 있는 능력의 개발 Developing the ability to focus and concentrate effectively

집중할 수 있는 기술 또는 어디에 집중해야 하고 무엇을 주목해야 하는지를 아는 것은 핵심적인 심리 기술이다. Moran (2004)은 "집중이란 특정 상황에서 가장 중요한 것에 대하여 의도적으로 정신적 노력을 쏟을 수 있는 능력을 의미한다"라고 언급했으며 방향 (내부 또는 외부)과 차원(넓거나 좁음)을 통해 추가적으로 설명되었다. 단거리 카누와 카약의 경우 효과적인 집중은 주로 각 경주에 대한 구체적인 계획을 수립함으로써 이루어지며 방향과 차원 측면에서 볼 때 집중은 내부적이고 좁다. 예를 들어, 단일 카약 (K1) 200 m에서, 계획은 선수가 자신의 보트에서 자신의 라인에 집중하기 위해 고려하는 일련의 기술적 신호로 구성된다. 이러한 경주는 34초 동안 지속되는 짧은 경주이며 신호는 그다지 많지 않다. 예를 들어, K1 200 m 계획은 다음과 같을 수 있다.

- 긴장을 푼다. 손을 높이 들었다가 어깨 높이로 한다. 에너지를 폭발적으로 사용할 준비를 한다. 기문으로 간다. 50 m에서 최고 속도를 낸다.
- 캐치(catch)를 강하게 한다. 각 스트로크는 어깨 높이로 낮게 한다. 앉는다.
- 마지막 50 m - 속도와 리듬을 유지한다. (자신감을 강화하는 몇 가지 생각을 포함시킬 수 있다: "나는 훈련을 잘 받았다", "나는 준비가 되어있다", "나는 나의 라인 안에 있다."

이러한 계획의 주된 목적은 선수가 최선의 경주가 가능하도록 주목하거나 집중해야 할 것을 알고 있는지를 확인하는 것이다. 주목해야 할 몇 가지 구체적인 신호가 있다면 선수는 두려움이나 걱정과 모든 부정적인 가능성에 대하여 생각할 겨를이 거의 없다. 또한, 실행 가능한 계획을 개발하려면 명확한 프로세스가 필요하다.

첫째, 초기 계획을 수립해야 한다.

둘째, 실제 상황에서 계획에 대하여 훈련해야 한다.

셋째, 가능한 최선의 경주 상황에서 계획을 실행해야 한다.

넷째, 발생한 사건을 분석하기 위한 토론(디브리핑)이 필요하다.

다섯째, 코치, 선수, 스포츠 심리학자, 성과 분석가의 피드백에 따라 계획을 수정할 수 있다.

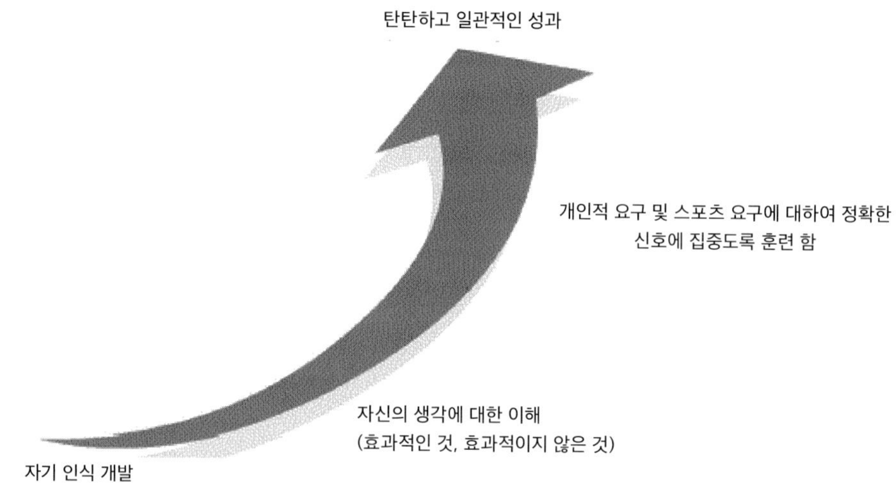

그림 5.2 심리적 기술 개발에서의 학습 과정

중요하게도, 이 과정은 선수가 선수 자신에게 효과가 있는 것과 효과가 없는 것에 대해 정기적으로 숙고하는 환경을 만들게한다. 이는 적절한 양의 신호를 발견하는 것에 관한 것이다. 신호가 과다하면 잠재적으로 압도적이며 지나치게 경계를 유발할 수 있다. 반면, 신호가 너무 적으면 다른 경쟁자들이나 다양한 다른 의견으로 인하여 집중력이 약화될 가능성이 있다.

또한, '집중력'은 특정 기술, 시간/스플릿, 또는 경주의 마지막 50 m/처음 100 m에 대한 연습 등 매주 연습의 명확한 목적이나 목표를 설정하고 일일 목표를 수립함으로써 훈련 세션 내에서 향상시킬 수 있다. 선수가 스포츠에 능숙해지면 훈련 환경에서 기술을 실행하는 데 충분한 주의를 기울일 필요가 없는 경우가 많다. 이는 어떠한 지점까지는 이해될 수 있고 용인 될 수 있다. 의심의 여지없이, 과도하게 생각하지 않는 것이 중요하다. 그러나 선수가 매일 효과적으로 훈련에 집중하고 연습하지 않으면, 선수는 경쟁 중에 너무 무리하는 경우가 많으며 경주 중에 종종 과도하게 많이 생각하게된다. 중요한 것은 섬세한 균형이다. 많은 선수들이 과다하게 분석하고 과다하게 생각한다. 그러므로, 코치와 선수가 신호와 집중력의 적절한 조합을 찾는 것이 필요하며 과다하게 생각하는 것을 자제해야 한다. 광범위한 관점에서 볼 때, 선수는 경쟁 당일에 대한 계획을 수립해야 한다. 예컨대 올림픽 기간 동안, 선수는 올림픽 선수촌(Olympic village)에서 3주 계획을 수립해야 한다.

그러한 경쟁 계획을 통해 선수는 효과적으로 준비하고 수면 및 영양 상태를 관리하고 보트 계량을 프로그램에 포함시키고 건강을 위한 기분 전환을 계획하고(영화, 가족과 함께 보내는 시간), 훈련 및 테이퍼(taper)를 철저하게 계획하고 생리적 및 심리적 회복을 고려할 수 있다.

경주 당일 계획은 다음과 같다.

전날 밤: 의류 짐싸기(경주 셔츠, 선글라스, 패들, 연단 장비)

6:35 알람, 기상, 아침 식사

8:00 코스를 향해 출발

8:30 수상 워밍 업 1

8:50 물 밖에서 워밍업 및 휴식

9:35 수상 워밍 업 2

10:05 경주 결승 A, 레인 X

효과적인 각성 수준 관리: 적절 강도 찾기
Effectively managing arousal levels: finding the right intensity

운동 수행을 위한 세 번째 핵심적인 심리 기술은 각성 관리이다. 정신 생리학적 각성 및 스포츠 수행에 대한 연구는 "각성, 경계, 조심성 및 주의력 등 매우 다양한 용어"가 관여된다는 점이 주목되었다(Bertollo 등, 2012, p. 92). 정신생리학 용어에서, '각성'은 생리 활동의 수준과 행동의 '강도'를 의미한다(Andreassi 2007). 고성과 스포츠에서 중요한 것은 경쟁 스포츠가 본질적으로 스트레스를 발생시킨다는 사실을 받아들이는 것이다. 첫째, 선수는 스트레스에 어떻게 반응할지를 이해해야 하며 어떤 측면이 부정적인지를 파악해야 한다. 둘째, 활성 또는 각성의 수준(경주에 따라, 또는 및 스포츠 관련 요구사항에 따라, 또는 선수가 누구인가에 따라 결정됨)을 파악해야 한다. 예를 들어, 경주가 무엇을 요구하는가의 관점에서, 단일 카누(C1) 또는 K1 200 m에서 경쟁하는 선수는 시작 시에 에너지를 폭발적으로 사용할 준비가 되어 있어야 하고 활성화되어야 한다. 실수는 절대 허용되지 않는다. 이와는 대조적으로, K1 또는 C1/더블 카누 (C2) 1,000 m 경주의 경우, 탑승자 또는 선수는 처음 250 m에 대하여 준비가 되어 있어야 한다. 선수는 경주의 길이 때문에 마음이 좀더 평온해질 있지만 처음 250 m 이후에 종종 시작되는 1,000 m 경주의 고통에 대비해야 한다. 슬라롬 패들러는 기술적인 실수를 전혀 허용하지 않는 '기술적 우수성'을 달성해야 하는 지속적인 요구에 노출된다. 따라서, 목표는 자기를 인식하고 자기 자신에 대하여 파악하고 특정 경주에서 필요한 것을 확인하는 것이다. 과도한 각성은 주의력과 집중력을 약화시켜 근육 긴장, 피로 및 운동 장애의 증가를 통해 신체적인 운동 능력에 영향을 미치고 심리적으로도 영향을 미치기 때문에, 궁극적으로 각성 수준 관리는 최적의 운동능력을 보장하는 데 중요하다. 많은 연구에서는 바이오 피드백, 이완 전략 및 진행성 근육 이완을 포함한 다양한 방법을 통해 선수의 각성 관리를 개선할 수 있음을 입증했다. 바이오 피드백 및 그 이득에 대한 내용은 이 장의 후반부에서 자세하게 논의될 것이다.

디브리핑: 훈련 및 운동능력에 대한 효과적인 분석
Debriefing: effective analysis of training and performance results

훈련이나 운동능력에 대한 디브리핑 또는 분석은 자기 성찰의 과정이며 매리엄-웹스터(Merriam-Webster)사전에서는 "자신의 행동과 신념에 대한 주의 깊은 생각"이라고 정의된다. 다양한 관점에서 철저한 분석을 통한 디브리핑 과정은 선수와 코치 모두가 학습할 수 있는 좋은 기회이다. 이러한 프로세스가 효과적으로 수행된다면 발전과 결과에 대한 객관적인 토론을 위한 환경이 조성될 뿐만 아니라 선수가 "고성과 선수" 및 개인으로서 학습하고 성장하도록 보장한다. 또한, 선수의 책임감이 강화될 수 있으며 더 좋은 성과를 달성할 수 있는 가능성이 크게 개선된다. 각 훈련 기간 또는 경주에 대한 디브리핑은 선수가 자기 인식을 확대하고 운동능력에 대하여 책임감을 강화할 수 있는 기회가된다. 디브리핑 회의가 종료되면, 선수는 자신의 진행 상황, 시즌 운동능력 목표에 관련하여 무엇을 해야 하는지를 확실하게 파악해야 할 뿐만 아니라 후속적인 단계의 훈련 및 경쟁을 위한 실행 단계 또한 명확하게 알고 있어야 한다. 또한, 정기적인 디브리핑 또는 분석 과정은 심리적 회복을 가능하게 한다. 최적이 아닌 운동능력뿐만 아니라 좋은 운동능력을 분석하는 것은 중요하지만, 최적이 아닌 운동능력에 대한 분석은 종종 슬픔, 실망, 분노 및 절망과 같은 강한 감정적인 반응을 초래할 수 있다. 선수가 그러한 부정적인 감정에 갇혀 있지 않도록 선수 자신이 그러한 부정적인 감정에 대하여 이야기하는 것이 중요하다. 효과적인 분석 또는 디브리핑 절차를 통해, 선수는 그러한 부정적인 감정을 표현하고 이미 발생한 일에 대하여 되돌아보고, 실수를 통해 배우고 다음 경쟁을 위한 새로운 계획을 수립 할 수 있다. 마찬가지로, 운동능력 또는 훈련 블록(training block)이 매우 양호한 경우, 어떻게 그리고 왜 그것이 양호했는지에 대하여 논의 하는 것이 중요하다. 따라서, 학습은 바람직한 행동을 재확인 할 수 있게 한다. 정기적인 디브리핑/분석 절차를 수립하는 것은 정식적인 절차와 비정식적인 절차 모두를 관여시킬 수 있다. 첫째, 좀 더 비정식적인 관점에서 볼 때, 디브리핑/분석은 일일 훈련의 현황, 피로 수준, 스포츠 밖의 삶에서 벌어지고 있는 일, 조정이 필요한 사안 등에 관련하여 코치와 선수 간 논의 형식으로 진행될 수 있다. 정식적인 프로세스는 다음과 같이 세 가지 종류의 회의로 구성 될 수 있다: (i) 각 경주에 대한 디브리핑/평가/분석을 위한 주말 회의; (ii) 카누 및 카약에 대하여 현재 연도의 중반부(여름 시즌의 중반부 일 수 있음)에 실시되는 디브리핑/평가/분석; (iii) 다른 개인이 선수 또는 탑승자와 함께 일하는 경우, 선수의 관점, 코치의 관점 및 스포츠 과학 팀의 관점을 관여시키는 연말 리뷰(검토). 마지막으로, 디브리핑이 실시되는 시기를 고려하는 것이 중요하다. 예를 들어, 경주에 대하여 디브리핑이 실시되고 운동능력이 최적 수준 이하인 경우, 선수는 감정적이 될 수 있으므로 웜다운(warm-down, 정리 운동)이 완료될 때까지 기다리는 것이 가장 좋다. 다음날까지 기다릴 수도 있지만, 선수가 세부 사항을 생생하게 회상 할 수 있도록 경주가 실행된 날부터 1일 또는 2일 이내에 논의를 실시하는 것이 중요하다.

주의 사항 - 처음부터 선수들이 효과적 및 객관적으로 자신을 되돌아 볼 수 있는 역량을 지니고 있는 것은 아니다.

효과적인 분석 프로세스를 개발하려면 훈련 또는 성과에 대한 객관적 정보의 수집이 요구된다. 이와 함께 "오늘의 경주에 대하여 이야기 합시다. 당신의 생각은 어떠한가요? 250 m 경주가 어땠는지 말해주세요. 그 시점에서 무엇을 생각하고 느꼈나요" 등의 좋은 질문이 필요하다. 가장 중요한 것은 선수가 경주에서 발생한 일에 대하여 솔직하게 이야기 할 수 있을 만큼 안심할 수 있는 환경을 조성하는 것이다(**그림 5.3**).

부정적 산만 요인(distractions)에 대한 효과적인 관리 Effectively managing negative distractions

고성과 스포츠에서, 선수의 최선의 집중이나 효과적인 집중을 약화시킬 수 있는 혼란이 많이 발생할 수 있다. 카누와 카약 스포츠에서는 좋지 않은 물 조건, 비 바람, 불일치 스타터(inconsistent starter), 출발 시간 지연 또는 장비 문제 등 외부로부터 발생되는 부정적인 산만 요인이 있을 수 있다. 패배에 대한 두려움, 결승전 진출에 관한 걱정, 내부적으로 생성된 기대를 비롯하여 "나는 우승을 차지하기 위해 최상위 3인(top 3) 안에 들어야 한다" "이것을 할 수 있는가? "내 훈련 방식이 옳지 않다면 어떻게 해야 하는가?" "나는 이런 조건에서 결코 잘하지 못할 것이다"라는 많은 비생산적인 생각 등 수많은 내부적인 산만 요인이 있을 수 있다.

이러한 부정적인 산만 요인에 대처하는 가장 좋은 방법 중 하나는 발생할 수 있는 모든 부정적인 산만 요인의 목록을 작성한 후에 각 산만 요인에 대한 솔루션(해결책) 목록을 작성하는 것인데, 이는 통제 가능한 많은 부정적인 산만 요인(예컨대, 자신의 생각 또는 스타터에 대한 반응)들이 있는 반면에 통제 불가능한 산만 요인(예컨대, 기

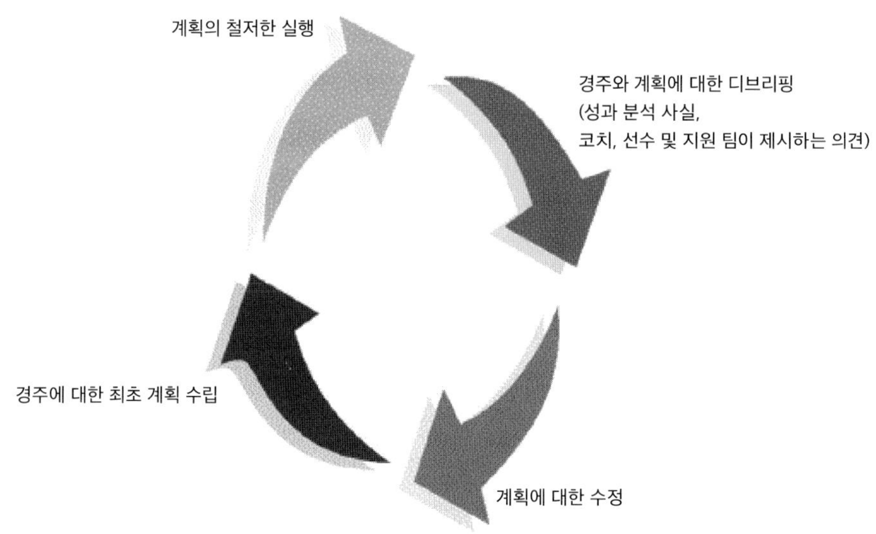

그림 5.3 디브리핑(debriefing) 프로세스

상 조건 또는 시작 시간 지연)도 있다는 것에 대한 이해에 기초한다. 그럼에도 불구하고, 선수들이 상황에 어떻게 대응해야 하는지에 대해 항상 선택할 수 있다는 것을 깨닫는 것이 중요하다. 부정적인 산만 요인에 직면했을 때 올바른 신호에 효과적으로 집중하고 다시 초점을 맞추는 것을 배우는 것은 항상 중요하다.

효과적인 장단기 목표 설정 Setting effective long and short-term goals

목표는 객관적인 표준이거나 행동의 목적에 관련된다. 주관적 목표는 "나는 나의 스포츠를 즐기고 싶다"또는 "나는 최선을 다하고 싶다"와 같은 좀 더 일반적인 의도를 진술한 것이다. 객관적인 목표는 팀을 조직하는 목표, 더욱 구체적으로는 탑승자 보트의 패들링 기술을 향상시키겠다는 목표처럼 좀 더 일반적 일 수 있다. 선수가 추구하는 객관적 목표에는 결과 목표, 운동능력(성과) 목표 및 프로세스 목표라는 세 가지 유형이 있다. 결과 목표는 경주에서의 우승 등 결과에 대한 집중을 강조한다. 결과 목표의 달성은 종종 타인에 의해 좌우된다. 운동능력(성과) 목표는 선수의 이전 운동능력을 기준으로 표준을 달성하는 것을 강조한다. 이것은 내부 목표이다. 프로세스 목표는 견고한 톱 핸드(top hand), 각 스트로크의 파워, 양호한 캐치(catch)에 대한 집중 등 운동 수행 중에 선수가 실행하는 행동을 강조한다. 이러한 세 가지 유형의 목표 모두 중요하며 디브리핑 절차를 통해 기록되고 정기적으로 재검토하고 필요에 따라 조정되어야 한다. 현운동능력인 동시에 도전적인 매주 훈련의 목표 또는 목적을 수립하는 것이 중요하다. 현운동능력과 측정 가능한 목표가 설정되면, 해당 목표는 정확하게 평가할 수 있다. 목표가 달성되면 선수는 상당한 동기 부여를 받는다. 그러므로 많은 작고 측정 가능한 일일 프로세스 목표를 수립하고 목표 달성에 전념하면 선수는 자신감을 강화할 수 있으며 경쟁에서 승산이 커질 수 있다. 또한, 이 세 가지 목표들이 모두가 중요하지만, 선수가 결과(경주에서 우승하거나, 경쟁자를 이기거나, 세계 선수권 대회 또는 올림픽에서 메달을 획득하는 등의 결과)를 직접 통제 할 수 없으므로 경쟁을 앞둔 대부분의 선수들에게 목표는 종종 매우 중요한 스트레스 요인이된다. 경쟁 일자와 가까운 일자 또는 경쟁 당일에는 프로세스 목표가 가장 바람직하다. 이는 프로세스 목표가 효과적인 초점과 밀접하게 연관되어 있기 때문에 경쟁자가 무엇을 할지에 관계없이 선수는 자신이 통제 할 수 있는 것(보트를 어떻게 움직일 것인가)에 집중할 수 있기 때문이다.

시각화: 마음의 눈
Visualization: our mind's eye

시각화는 선수가 개발해야 하는 일곱 번째 심리적 기술이다. 이미지는 시각적(경주가 전개되는 장면 또는 특정 기술이 실행되는 장면을 "시각화"함), 청각적 (코스에서 "동료의 말소리" 또는 물 속에서 들리는 "패들 소리"), 운동 감각적(보트의 움직임을 "느낌"), 또는 후각적(경쟁이 펼쳐지는 장소의 "냄새")일 수 있다. 또한, 이미지는 내부적 이미지(선수가 자신에게 유리한 지점에서 기술을 실행하는 이미지)와 외부적 이미지(선수가 자신이 기술을 사용하는 모습을 비디오 등으로 봄)라는 두 가지 유형이다. 연구 문헌에서 진행중인 논의가 있지만, 확실한 결론은 없다. 무엇보다 중요한 것은 선수들이 기술의 올바른 실행 여부, 보트에서의 역할, 경주 계획 등을 "눈으로 보고" "느끼는" 능력을 개발하고 이미지를 의식적으로 관리할 수 있는 능력을 발전시키는 것이다. 이미지 또는 시각화가 정기적으로 실행되면, 선수는 자신감과 동기 부여를 강화하고 운동 학습을 가속화하고 특정 기술에 대한 실제적인 연습을 보완 할 수 있다. 이 기술을 보다 잘 활용하기 위해, 선수가 실행해야 할 첫 번째 단계는 자신의 긍정적인 과거의 성과 또는 현재 자신이 잘 실행하고 있는 기술적 측면을 "상기"하거나 재현하는 것이다. 이러한 기술을 배우기 시작할 때, 과거에 잘 해낸 것을 현재에 시각화하는 것은 더 쉽다. 두 번째 단계는 선수가 과거 경주의 장면을 떠올릴 수 있는 능력을 개발했을 때 시작된다. 선수는 다음 달에 개최될 세계 선수권 대회에서 대회 장소의 모습, 원하는 경주 방식, 집중하고자 하는 대상 등 장면을 상상하거나 시각화하거나 느낄 수 있으며 경주 계획을 시각화할 수 있다. 가장 중요한 것은 시각화가 항상 긍정적이어야 한다는 것이다. 예를 들어, 선수는 자신이 기술을 성공적으로 실행하거나 경주에서 우승하는 장면을 시각화 할 수 있다.

탑승자 보트에 효과적인 팀 문화 구축
Building an effective team culture in crew boats

팀은 "공동의 목표를 달성하기 위해 서로 상호 작용해야 하는 사람들의 그룹"으로 정의된다.. 선수가 팀으로 느낄 때 탑승자 보트에서는 우수한 성과가 창출된다. 선수들이 자신의 그룹에 집중하는 것에서 한걸음 더 나아가 공통의 목표를 공유하고 보트에서 각자의 역할을 수행하는 것에 집중한다면, 성공 확률은 높아진다. 이러한 탑승자 보트를 구축하려면, 보트 안에서 시간을 보내야 할 뿐만 아니라 명확한 장단기적인 일일 목표, 보트에서 수행하는 일에 대한 명확성, 경주 계획에 대한 명료성 및 전념, 각 훈련 세션 및 경주 후에 실시되는 디브리핑(debriefing) 등이 요구된다. 디브리핑 시에 선수들은 경주가 어떻게 진행되었는지에 대하여 되돌아보고 훈련 측면 및 후속적인 경주 계획에 대한 개선점을 제안할 수 있다. 이 과정에서, 선수가 먼저 이야기를 시작한 후에 코치가 운동능력 정보를 담은 비디오 분석 및 메모를 사용하면서 자신의 관점에 대하여 논할 수 있다. 이를 통해 개인적인 책임감을 강화시킬 수 있다. 충분히 실행되지 못한 것과 적절하게 실행된 것을 모두 논의하는 것이 중요하다. 또한, 각 선수를 위한 몇 가지 실행 단계를 제시하면서 논의를 끝내는 것도 중요하다. 탑승자 보트 멤버들과의 이러한 종류의 토론은 발생될 필연적인 갈등을 관리하기 위한 훌륭한 의사소통 기술을 요구한다. .

많은 경우, 서로 잘 협력할 수 있는 탑승자들을 한데 모으고 각 탑승자가 이해하고 수락할 수 있는 경주 계획을 확고히 수립하고 최고 속도로 실행되는 많은 경주에서 탑승자들이 성공적으로 및 지속적으로 최적의 수준으로 경주 할 수 있음을 확신하기까지는 1-2 년이 소요될 것이다

정신 생리학: 바이오피드백(생체 자기 제어) 및 신경피드백 사용 Psychophysiology: the use of bio- and neurofeedback

핵심 심리 기술을 논의 할 때, 선수는 이러한 기술은 잘 습득하면 스트레스를 많이 유발하는 고성과 스포츠 환경의 요구를 관리하는 데 유용하다는 것을 이해한다. 정신 생리학 훈련(특히, 바이오피드백 및 신경피드백의 사용)은 선수가 다양한 단계(즉, 심리적, 감정적 및 생리학적 단계)에서 스스로 조절하는 방법을 습득하도록 설계된 방법론이다. 바이오피드백 및 신경피드백 훈련 및 또는 정신 생리학 훈련은 깊은 자기 인식을 수행하고 몸과 뇌에서의 생리 및 신경 활동에 대한 자기 조절 능력을 발달시키는 과정을 수반한다.

바이오피드백 및 신경피드백은 선수가 자신의 최적의 운동 수행 상태에 대하여 인식하고 영향을 끼치고 통제할 수 있는 능력을 향상을 위해 고안되었다. 바이오피드백 및 신경피드백은 신경계가 신체를 지휘하는 중심이라는 중심이라는 기본 원칙을 토대로 한다. 신경계는 중추 신경계와 말초 신경계의 두 부분으로 구분된다. 정보는 신경 조직을 통해 두 신경계 안에서 또는 두 신경계 사이에서 이동한다. 중추 신경계에는 뇌와 척수가 포함된다. 말초 신경계는 체성(자발적) 신경계 및 자율(비자발적) 신경계 등 두 부분으로 구분된다.

바이오피드백 훈련은 신체 내애서 '투쟁-도피 반응(fight-or-flight response)'(스트레스 반응)을 활성화하는 교감 신경계로 구성된 자율 신경계를 겨냥한다. 한편, 부교감 신경계는 신체 내에서 '투쟁-도피 반응'을 비활성화시키고 신체의 휴식과 재생을 가능하게 한다(이완 반응). 선수가 불안이나 스트레스를 경험하면 교감 신경계가 지배적으로 활성된다. 바이오피드백 훈련의 목적은 각 선수가 교감 신경과 부교감 신경 활동 사이의 균형을 향상시킬 수 있도록 하는 것이다.

바이오피드백 훈련은 근전도(EMG), 피부 전기반응 활동(EDA), 말초 체온, 심박수(HR), 호흡 속도와 깊이를 포함하여 피드백의 여러 형태를 포함한다. 특히, 피드백은 선수의 생리 반응에 대한 시각적 정보를 제공하므로 선수가 각성 수준을 스스로 조절할 수 있다. 신경피드백 또는 뇌파 검사 (EEG) 바이오피드백은 선수의 대뇌 피질의 활동에 대한 정보를 제공하는데, 이는 델타 (깊은 수면에 관련 있음)에서 세타 (공상), 알파 (준비 상태), 낮은 베타 (주의 집중 상태) 및 높은 베타(걱정 및 반추)에 이르는 다양한 주파수로 측정된다. 훈련 기간 동안 선수들은 시각적 및/또는 청각적 피드백을 받으며 집중을 위해 낮은 수준의 베타파를 강화하는 반면에 세타파(공상)와 높은 베타파(반추 및 불안)를 제한하도록 권장된다. 이러한 훈련은 선수가 눈 앞에 닥친 일에 효과적으로 집중할 수 있도록 스스로 조절할 수 있는 기술을 선수에게 제공한다. 바이오피드백 및 신경피드백 및 스포츠에 대한 연구의 본문이 있지만, 신경피드백 관점에서는 스스로 페이스를 조절할 수 있는 스포츠 선수(사격, 양궁, 그리고 골프 선수)들에 대해서만 측정이 실시되었다. 현재까지, EEG 장비는

최소한의 움직임 만이 EEG 신호에 영향을 미치게 할 수 있다. . 그러나 움직임으로 뇌파를 정확하게 측정할 수 있는 새로운 장비가 개발 및 시범 운영되고 있다.

요약하면, 선수가 이러한 8 가지 심리 기술(가능한 경우, 바이오피드백 및 신경피드백을 활용하는 정신 생리학 훈련)을 개발하고 지속적으로 미세 조정하면 선수는 경쟁 스포츠의 세계에서 직면하는 스트레스와 훈련 및 경쟁의 요구에 효과적으로 대처하기 위해 필요한 자아 인식, 견고한 자신감, 심리적 회복력을 발전시킬 수 있다. 이러한 기술을 훈련 세션과 경쟁에서 정기적으로 사용하는 해야 함을 기억하는 것이 중요하다. 효과적으로 배우고 실행하려면 정기적인 자기 반성 및 디브리핑이 이루어져야 한다.

참고문헌

Andreassi, J.L. (2007). *Psychophysiology: human behavior and physiological response*, 5th edn. Mahwah, NJ: Lawrence Erlbaum.

Bertollo, M., Robazza, C., Falasca, W.N. et al. (2012). Temporal pattern of pre-shooting psychophysiological states in elite athletes: a probabilistic approach. *Psych Sport Exerc* 13: 91-98.

Blumenstein, B., Bar-Eli, M., and Tenenbaum, G. (2002). *Brain and body in sport and exercise: biofeedback applications in performance enhancement*. New York: Wiley.

Davis, P., Sime, W.E., and Robertson, J. (2007). Sport psychophysiology and peak performance applications of stress management. In: *Principles and practice of stress management*, 3rd edn (ed. P.M. Lehrer, W.E. Sime and R.L. Woolfolk), 615-637. New York: Guilford Press.

Dupee, M. and Werthner, P. (2011). Managing the stress response: the use of biofeedback and neurofeedback with Olympic athletes. *Biofeedback* 39: 92-94.

Dupee, M., Werthner, P., and Forneris, T. (2015). A preliminary study on the relationship between athletes' ability to self-regulate and world ranking. *Biofeedback* 43 (2): 57-63.

Galloway, S.M. (2011). The effect of biofeedback on tennis service accuracy. *Intl J Sport Exerc Psych* 9: 251-266.

Gould, D., Dieffenbach, K., and Moffett, A. (2002). Psychological characteristics and their development in Olympic champions. *J Appl Sport Psych* 14 (3): 172-204.

Jones, G., Hanton, S., and Connaughton, D. (2007). A framework of mental toughness in the world's best performers. *Sport Psychologist* 21 (2): 243-264.

Moran, A. (2004). *Sport and exercise psychology: a critical introduction*. London: Routledge.

Oudejans, R., Kuijpers, W., Kooijman, C., and Bakker, F. (2011). Thoughts and attention of athletes under pressure: skill-focus or performance worries? *Anxiety Stress Coping* 24 (1): 59-73.

Reeves, C., Nicholls, A., and McKenna, T. (2011). The effects of a coping intervention on coping self-efficacy, coping effectiveness, and subjective performance among adolescent soccer players. *Intl J Sport Exerc Psych* 9 (2): 126-142.

Robazza, C., Pellizzari, M., Bertollo, M., and Hanin, Y.L. (2008). Functional impact of emotions on athletic performance: comparing the IZOF model and the directional perception approach. *J Sports Sci* 26 (10): 1033-1047.

Werthner, P., Christie, S., and Dupee, M. (2013). Neurofeedback and biofeedback training with Olympic athletes. *NeuroConnections* 2: 32-37.

제6장

카누 훈련

1절; 단거리

서론

경쟁 시즌, 특히 선수에게 중요한 경주 일정이 훈련 계획의 출발점이 되어야 한다. 엘리트 선수의 경우, 그러한 출발점은 연도에 따라 세계 선수권 대회 또는 올림픽 경기가 될 것이다. 단거리 카누와 슬라롬 카누 경기에 대해서도 마찬가지인데 두 경기 모두 올림픽 프로그램에 포함되어 있기 때문이다. 계획 수립은 대회 종료 전날부터 시간적으로 역으로 이루어지며 선수의 계획에 대한 기간 설정을 관여시킨다. 이 계획의 일부에는 유산소 및 무산소 능력, 근력 강화, 스포츠 과학 및 심리학 등 다양한 생리적 측면이 포함되어야 한다. 장기(2-5년) 및 단기(2년 미만) 목표는 선수의 경제적 및 사회적 상황(직장, 가족 등)에 의해 부분적으로 결정된다. 지리적 측면 또한 계획에 영향을 미칠 것이다. 예를 들어, "선수가 연중 내내 선수가 훈련을 받을 수 있는지" 또는 "연중 절반 동안 호숫물이 얼어 붙을 수 있는지"에 관한 문제가 있다.

200 m 경주가 올림픽 프로그램에 포함됨에 따라, 3개 선수 그룹이 있다. 첫 번째는 더 전통적인 계획 구조를 가진 1,000 m 그룹(TMG)이다. 두 번째 그룹은 무산소 및 파워 개발에 상당히 집중하는 200 m 그룹이다. 여성 그룹인 세번째 그룹에서는 유산소 및 무산소 능력이 혼합되어있다. 여성들 또한 200 m와 500 m를 경주하고 있으므로 그룹 간의 대조는 남성 그룹만큼이나 중요하다.

그러나, 점점 더 많은 여성들이 특정적인 경주를 전문으로 하고 있다. 많은 국가들이 엘리트 수준에서 경쟁력을 갖추기 위해 선수가 해야 할 일을 설명하는 요구사항 계획의 형식으로 문서를 작성했다. 이 문서는 훈련을 계획 할 때 지침으로 사용할 수도 있다.

이 장의 1 절에서는 계획 과정을 개략적으로 설명하며 유형, 양(운동량) 및 프로그램의 각 특정 측면을 실행해야 하는 시기 및 이유를 제시한다. 주니어(junior) 선수가 아닌 수석 단거리 스포츠 선수에게 초점이 맞춰질 것이다.

계획 과정
The planning process

계획 수립 과정은 개별 선수와 그들이 필요로 하는 것을 살펴 보는 것으로 시작되어야 한다. 특정 선수에 관련된 강점과 약점, 기회 및 위협을 조사함으로써 프로세스를 시작해야 한다.

장점: "선수는 무엇에 능숙한가?" "선수는 재정 지원을 받는가?" "친구 및 가족의 지원은 어떠한가?" "선수는 특정 활동을 아주 잘할 것이다 - 선수는 에너지가 매우 폭

한다. 연구에 따르면, 올림픽 카약 패들러는 높은 유산소 파워 기여(aerobic power contribution) 뿐만 아니라 높은 유산소 능력을 필요로 한다. 이 장의 목적을 위해, VO_{2max}(최대산소 섭취량)은 "카약" 또는 "카약 에르고미터" VO_{2max} 값을 나타낸다.

스웨덴 카누 연맹의 공식 문서인 Kravanalys("요구사항 프로파일")에 따르면, 메달 획득 확률이 높은 것으로 간주되는 엘리트 선수는 200, 500 및1,000 m에서 각각 4.9, 5.4 및 5.6 L•min^{-1} 의 최대 VO가 요구된다. 유산소 능력에 대한 정의 시에 많은 다양한 명칭과 용어가 사용된다.

예를 들어, 일반적으로 사용되는 용어는 무산소 역치, 혈중 젖산 축적 개시(개시점)(OBLA), 최대 젖산 안정 상태(MLSS) 및 개별 젖산 역치를 포함하다. 무산소 역치는 개념이며 정의는 개념적 정의이다. 안정 상태에서 운동을 실시하는 동안, 유산소 신진 대사는 활성된 근육의 에너지 요구사항과 일치한다. 이 수준에서는 운동 강도에 요구되는 모든 에너지를 산소 섭취에 기초하여 설명할 수 없다. 젖산 생산량은 젖산 소비량과 일치한다. 환언하면, 출현하는 속도는 사라지는 속도와 동일하다. 젖산 역치는 "운동 전 수준"을 초과하는 혈중 젖산 농도가 1.0 mmol•L^{-1} 이하로 증가하여 달성된 최고 산소 소비량 또는 운동 강도이다. 혈중 젖산 축적 개시(OBLA)는 혈중 젖산 농도가 4.0 mmol•L-1 까지 증가 할 때 발생한다. 이는 오랜 시간 동안 유지 될 수 있는 최대 강도이다. 혈중 젖산 4.0 mmol•L-1 수준이 젖산 역치에 관련되어 있고 지구력의 중요한 요소라는 주장이 있다. 잘 훈련된 3,000 m 선수 그룹(n = 16)에 대한 연구에서 OBLA에서의 경주 속도는 경주 운동능력의 큰 변동성을 설명하는 것으로 나타났다.

훈련 강도
Training intensities

표 6.1 500 m 시간을 기한 훈련 목적에 대한 시간 비교

분	초	전체 초 (seconds)	m s^{-1}	km h^{-1}	최대치의 %	강도
1	32.5	92.50	5.4	19.5	104	5
1	35.0	95.00	5.3	18.9	102	5
1	37.5	97.50	5.1	18.5	100	4
1	40.0	100.00	5.0	18.0	98	4
1	42.5	102.50	4.9	17.6	95	4
1	45.0	105.00	4.8	17.1	93	4
1	47.5	107.50	4.7	16.7	91	4
1	50.0	110.00	4.5	16.4	89	3
1	52.5	112.50	4.4	16.0	87	3
1	55.0	115.00	4.3	15.7	85	3
1	57.5	117.50	4.3	15.3	83	3
1	60.0	120.00	4.2	15.0	81	3

예: 500 m를 초과하는 거리에 대하여 선수의 최고 기록은 1 분 40 초이다. 따라서, 10*500 m에 대한 젖산 역치 훈련 프로그램은 다음과 같이 제시될 수 있다: 85 %에서 10*500, 또는 4.3 m/s에서 10*500, 또는 강도 3에서 10*500, 또는 140±5 BPM에서 10*500
이것은 실제로 훈련 프로그램의 다양성을 확보하는 좋은 방법이다. BPM, 분당

이 장에서 설명하는 훈련 강도는 스웨덴 표준에 기초하며 다양한 국가에서 유사하지만 경미한 차이가 있다. 스포츠 과학자의 영향력과 코치가 훈련 프로그램을 작성하는 방법에 따라, 훈련 강도는 다양한 방식으로 설명 될 수 있다. 예를 들어, **표 6.1**에 제시된 것처럼 속도에 기반한 프로그램(선수는 GPS/SpeedCoach® 사용)을 작성하는 것이 더 용이하다. **표 6.1**에서 제시된 젖산 농도는 단지 지침 일뿐이다. 이 농도는 개인마다 편차가 있으며 시간이 경과함에 따라 바뀔 수 있다. 선수 A의 경우 젖산 농도는 140±5의 심박동수를 의미할 수 있다. 선수 B에게서는 145 ± 5의 심박동수일 수 있다. 코치는 이것이 스포츠 과학자에 의해 구체적으로 제시되도록 요청해야 한다. 그러나 일반적으로 물 위의 속도는 다양한 속도로 노를 젓는 엘리트 선수 수준들에서도 비슷하다. 그러므로, 선수는 정기적으로 테스트를 받아야 한다. 속도와 젖산 농도의 관계에 대한 기본 지침은 **표 6.2**에 제시되어있다.

표 6.2 훈련 강도.

강도	심박동수 (최대치에 대한 비율(%))	젖산 (mmol L^{-1})
5	90-100 %	>10
4	90-100 %	6-9
3+	90-95 %	4-6 (3-8)
3	80-90 %	4 (2-6)
2	60-75 %	2-3
1	50-60 %	<2

출처: Svenska Kanotförbundet (2009).

근력 훈련
Strength training

"어떤 운동을…", "얼마나 자주…", "얼마나 많은 선두들과…", ."얼마나 많은 세트를…" 등은 자주 논의되고 논의되는 질문이다. 체육관에서 무엇을 훈련해야 하는지를 이해하려면, 패들의 영향으로 보트가 물을 어떻게 통과하는가에 대한 이해뿐만 아니라 카누 기술에 대한 이해가 중요하다.

근력은 선수의 운동 수행에 매우 중요하다. 보트의 무게는 12 kg이며 물은 저항력이 있다. 모든 힘을 물에 전달함에 있어서 최종적인 요소는 블레이드(blade, 날)이다. 4 인 카약(K4)에서 파워 강화는 32 kg에 달하는 보트 무게와 다른 선수들의 체중을 고려하면 더욱 중요하다. 따라서, 노를 저어 보트를 움직이려면 큰 힘을 만들어내야 한다. 힘은 얼마나 강해야 하는가? 스웨덴 KravAnalys에서 제안한 "권장되는 힘 요구량"은 **표 6.3**에 제시되어 있다. 운동 선수의 힘이 과도하게 강할 수 있는가? 이러한 우려는 탄소 섬유 패들이 도입되기 전부터 문제가 되기 시작했다. 이러한 변경으로, 패들의 샤프트(shaft, 봉)는 거의 파괴 불가능하다. 강도의 특수성(specificity)은 중요하다. 선수가 무거운 중량을 들어 올릴 수 있지만 그 힘을 물로 전달할 수 없다면 아무 효용이 없다. 힘이 과도하게 강할 때 수반되는 단점은 선수의 유연성이 약화되거나 운동 범위가 좁아질 수 있다는 것이다. 다음 절에서는 이러한 두 기술과 물 속에서의 패들 움직임에 대하여 살펴볼 것이다.

카누 기술
Canoeing technique

카누 기술을 간단하고 이해하기 쉬운 수준으로 단순화하기 위해, 카약 경주에 사용된 기술을 다음 4단계로 구분할 수 있다:

1 물속으로 진입: 패들을 물 속에 넣고 카누를 추진하기 위한 움직임을 시작한다. 진입 단계라고도 한다.(Catch)

2 패들로 물을 저으며 이동: 이것은 이 단계의 목표에 대하여 부정확한 명칭이다. 사실, 패들은 상대적으로 고정되어야 하며 (특히 속도가 높아짐에 따라) 보트는 패들을 지나가야 한다. 당김(pull) 단계라고도 한다.

3 물에서 나가기: 출구 단계라고도 한다.(exit)

4 공중에서 이동: 이것은 공중 단계라고도 불린다.

표 6.3 근력 요구: 카약

근력 유형/운동	남성1,000 m	여성 500 및 200 m	남성 200 m
최대 근력			
벤치프레스(1RM)	>1.4 × 체중	>1.1-1.2 × 체중	>1.8 × 체중
벤치 풀(당기기)(1RM)	>1.2-1.3 × 체중	>1.0 × 체중	>1.8 × 체중
중량을 사용하는 친 (1RM)	>50 kg	>25 kg	>70 kg
중량을 사용하는 딥 (1RM)	>50 kg	>35 kg	>70 kg
근지구력			
BP 2 분 55 kg M/ 40 kg W	>100	>80	>100
벤치 풀 2 분 55 kg M/40 kg W	>100	>80	>100
친(Chins)	>35	>35	>35
딥(Dips)	>35	>25	>35

출처: Svenska Kanotförbundet (2009). 저자가 수정함

패들의 생체 역학적 성능
Biomechanical performances of paddles

각 단계에서는 다양한 근육이 관련되지만, 기술에 대하여 기본적으로 이해한다면, 관여된 주요 그룹과 힘을 확인하는 것이 가능하다. 생체 역학 테스트의 결과는 최대 힘이 스트로크의 약 1/3에서 발생 함을 보여준다. 이는 실제적으로 블레이드가 물속에서 효율적으로 움직이기 위해서는 시간이 필요하기 때문이라고 가정하는 것이 타당하다. 패들 기계의 최대 힘은 훨씬 더 빠르게 발생하다. 이러한 현상은 패들 기계 자체의 기계적 장점과 기어링의 결과일 가능성이 큰데 그 이유는 물 속에 있는 '블레이드'와는 달리 패들 기계가 기계적 및 유체 역학적으로 상당한 장점을 갖고 있기 때문이다. 패들링에서 생체 역학적 성능에 영향을 미치는 요소는 다음과 같다.

1 최대 파워

2 임펄스(impulse)

3 스트로크 속도

4 블레이드가 물속에 있는 총 시간 (TBW = 블레이드 침수 시간)

5 패들이 물 속에 있는 스트로크 사이클의 백분율(%)
6 카약의 속도
7 순간적인 속도 변화.

최대 파워
Peak power

피크 파워의 중요성은 패들이 물 속에 있을 때 분명해진다. 일반적으로, 파워가 생산되는 시간이 일정하다고 가정하면 선수가 생산할 수 있는 최고 출력이 클수록 더 강한 임펄스(충격)가 발생될 가능성이 높아진다. 따라서, 카약을 사용할 때는 힘과 체중 사이의 균형을 잘 맞추는 것이 중요하다. 체중이 증가하면 물 속에서 보트의 저항이 증가하므로 파워 생성 및 속도와 관련하여 근육 조직을 더욱 효과적으로 사용해야 한다. 근육 질량 증가에 따른 체중 증가가 반드시 부정적인 결과를 가져오는 것은 아니다. 오히려, 근육이 효과적인 방법으로 사용될 수 있다면 유익한 것이다.

임펄스 및 빈도(스트로크 속도)
Impulse and frequency (stroke rate)

임펄스는 [생성된 파워] X [생성된 파워가 작용하는 시간(물속에 있는 시간)]으로 계산된다. 카누에서 빈도는 분당 스트로크 속도이다. 임펄스와 빈도 간의 관계는 단거리 경주에서 매우 중요한데, 이는 이러한 두 가지 요소가 생성된 일(work)의 양을 결정하기 때문이다. 그러한 일(work)은 물을 통해서 보트를 이동시키는 요인이다.

TBW 및 패들이 물 속에 있는 시간의 *백분율(%)*
TBW and the percentage of time the paddle is in the water

스트로크 속도가 높을수록 블레이드가 물속에 있는 시간의 비율이 자동적으로 증가한다. 이는 이해하기가 약간 어려울 수 있는데, 그 이유는 빈도가 높을수록 TBW가 감소하지만 스트로크 주기의 공중 단계(패들이 공중에 있는 단계)에 관련하여 TBW는 단지 조금만 감소하기 때문이다.

그러므로, 스트로크 속도 증가로 TBW가 감소 되더라도 전체 스트로크 주기 동안 패들이 물 속에 있는 시간의 백분율(%)이 증가한다. 패들이 물속에 있어야 하는 시간에 대한 최적의 인터벌(간격)은 67-75 %로 간주된다. 이 값이 67 % 미만이면 속도 변화에 영향을 미친다고 간주되므로 물리적 효과가 감소한다. 이 값이 75 %를 초과하면 각각의 스트로크 사이의 시간적 간격이 매우 작아지므로 피로가 더 빠르게 발생하고 기술적 손실과 젖산 생산량의 증가가 초래된다. 물 속에 있는 패들과 카누 기술의 효과를 이해한다면, 사용되는 근육을 확인할 수 있다.

전체 훈련 프로그램의 설계
Designing the complete training program

코치가 카누의 기술 및 관련 생리적 측면에 대하여 기본적인 지식을 갖추게 되면, 코치는 훈련 계획 수립을 시작할 수 있다.

연간 계획
Yearly plan

최선의 계획은 1년 또는 시즌 단위(예: 세계 선수권 대회부터 다른 세계 선수권 대회까지 기간)의 계획이다. 이러한 계획을 수립할 때는 일단 모든 대회를 포함시킨 후에 훈련 캠프 및 기타 회의와 같이 훈련에 영향을 미치는 다른 중요한 대회를 포함시킨다. 주간 계획을 위해서는 계단식 구조를 따르는 것이 좋다. 해당 주(week)는 수월하거나 평범하거나 어려운 주인가? 예를 들어, 1번째 주 ~ 5번째 주는 각각 "수월한 주", "평범한 주", "다소 어려운 주", "어려운 주", "수월한 주" 일 수 있다. 이런 식으로, 훈련 계획의 실행 단계를 설정하는 것이 가능하다. 연간 계획은 살아있는 문서가 될 것이며, 시즌이 계속되면 갱신되고 업데이트 될 필요가 있음을 지적하는 것이 중요하다. 계획에 대한 변경은 경기 일정 변경, 선수의 부상, 특정 선수에 대한 포커스(집중)의 변경 또는 기타 다양한 요인에 따라 발생할 수 있다.

주간 훈련 프로그램의 설계
Designing a weekly training program

연간 계획이 완료되면 주간 계획을 수립할 수 있다. 연간 계획에 기초하여, 해당 주에 집중해야 할 대상(포커스 대상), 원하는 운동량(km), 체육관 세션 횟수, 체육관 유형 및 기타 관련 정보를 파악할 수 있다. 다음과 같이 계획을 수립할 수 있다.

1. 특히 수요일 또는 목요일 오후에 휴식을 원하는 장소 또는 초과 회복(超過恢復, super-compensation) 세션에 관한 내용을 기재한다. 이렇게 하면, 주초에 주중이나 주말과 비슷한 개수의 세션이 계획될 수 있다.
2. 체육관 세션을 계획한다. 체육관 세션은 1주일에 3회, 즉 월요일, 수요일, 금요일로 계획하는 것이 가장 적절하다고 간주된다. 그러나 이번 주에 3회로 계획하고 다음 주에 4회(예: 이번 주 -월요일, 수요일, 금요일, 다음주 - 일요일, 화요일, 목요일, 토요일 등)로 계획할 수 있다.
3. 패들링(paddling) 세션과 특정 보트 (K1, K2, K4, C1 또는 C2)를 계획한다.
4. 이러한 모든 데이터를 확보하면 다양한 세션을 설계할 수 있다. 예를 들어, 이제는 유산소 및 무산소 운동 세션과 회복 세션을 추가할 수 있다.
5. 세션의 실제적인 선택은 코치에게 달려 있으며, 특정 훈련주기의 요구사항에 따라 결정된다. "속도"," 속도 내구성", "유산소 또는 무산소 능력" 향상에 집중한다. 제안된 규칙은 각 세션의 유효 시간을 특정 강도로 계산하는 것이다. 또한, 특정 세션 간의 회복 시간을 고려해야 한다. 예를 들어, 진행 시간이 더 짧게 계획된 "속도 세션"은 진행 시간이 더 긴 유산소 훈련 세션에 비해 나중에 회복 시간을 적게 요구할 것이다. 힘이 많이 드는 체육관 세션 후에 스피드 세션이나 기술 세션이 진행 되도록 계획하는 것은 바람직하지 않은데, 그 이유는 잘못된 근육 그룹이 사용될 수 있고 기술 세션에서 선수가 피곤한 상태에 있으면 적절한 기술을 유지하는 것이 불가능하기 때문이다.
6. 코치는 프로그램을 실행해야 하며, 프로그램이 수정되어야 하는 경우에는 주중에 언제든지 기꺼이 나서고 유연하게 대응해야 한다.
7. 선수의 발전을 모니터링하는 것도 계획의 중요한 부분이 될 것이다. 따라서, 정기적인 체육관 테스트(6주마다 실행되는 것이 권장됨) 및 수상(on-water) 테스트를 실시하는 것이 좋다. 체육관 테스트에 대한 예는 이 장의 뒷부분에 포함되어 있다.

근력 단련
Strength training

카누 스트로크에서 사용된 근육 조직에 대한 지식에 기초하여 훈련 과정을 "푸시앤풀(push-and-pull)" 운동으로 단순화하는 것이 가능하다. 따라서, 체육관 프로그램을 설계하려면 코치는 선수가 어떤 경기에서 경쟁해야 할 것인지를 알고 있어야 하며 그러한 지식을 바탕으로 훈련을 위한 연간 계획에 따라 프로그램을 설계해야 한다. 일반적으로, 최대 근력 등을 염두에 두고 근력 훈련을 4-6 주의 기간으로 계획하는 것이 일반적이다. 요즘 추세는 올림픽 리프트를 선수에게 충분히 훈련시켜서 몸 전체를 효과적으로 사용하는 법을 배우게 하는 것이다.

그러한 경향은 사실일지 모르지만, 카누에서 사용되는 스포츠 특정적 근력을 충분히 강화시켜야 할 필요성은 무시할 수 없다. 이것이 카누 스포츠에 유익하다는 것을 보여주는 과학적 문서나 연구 결과는 존재하지 않는다. 시간은 종종 제한되어 있으므로, 선수는 시간을 최대한 활용해야 한다. 예를 들어, 여성 카누선수가 예컨대 턱걸이를 10개 이상 할 수 없다면 그녀는 인상(snatches) 또는 용상(cleans) 대신에 턱걸이 훈련에 집중하는 것이 더 유리할 것이다. 근력 훈련에서 집중해야 할 다른 대상에 대한 예는 **표 6.4**에 제시되어 있다. 또한, 표에는 특정 유형의 훈련에 대한 세트와 반복 횟수가 표시되어 있다.

훈련 프로그램의 예

7번째 주 훈련: 미국 플로리다

7번째 주		세션	언급사항	중점사항	특정적인 중점사항
월요일	AM	체육관 프로그램 1	훈련 세션후 스트레칭		속도, 최대 근력, 근지구력, 신체 동작 조정력, 유연성
	FL	10 km 2 km 천천히 운동. 7 km@2, 1@1		블레이드(날)을 물 속에 넣는 것에 집중함	기술, 신체 동작 조정력
	PM	10*4@3-3+		AT	기술, 신체 동작 조정력
화요일	AM				
	FL	10*750@3	폭발적으로 출발하는 기술	전환을 위한 시작 단계	폭발적 움직임, 속도, 기술, 신체 동작 조정력
	PM	10*1000@ 200 - 3/4 속도로 운동	K2	보트 운용 및 보트 제어	기술, 신체 동작 조정력/타이밍
수요일	AM	체육관 프로그램 2			
	FL	10 km 천천히 뛰기			
	PM	10*30/30, 15*10/10	모든 노력은 경주에 관한 것이어야 한다. 가능한, 승리해야 한다.	선수가 피곤할 때 지구력 및 속도. 정신적 접근방법도 적용한다.	속도 지구력, 젖산 인내, 정신적 인내
목요일	AM	휴식			
	PM	1*500, 1*1000	타임 트라이얼(time trial): 일반적인 경주 워밍업	새로운 경주 계획에 대한 테스트 실시	모든 요인들에 대한 테스트
금요일	AM	체육관 프로그램 3			최대 근력, 신체 동작 조정력
	FL	5 km 저항 운동. 좌측/우측 2*5 출발	체육관에서 운동을 마친 직후, 해묘(海錨, sea anchor) 또는 테니스 공 저항		특정적인 근력
	PM	25 km (5*2, 5@3, 3@4, 2@2, 5@3)			지구력
토요일	AM	미니 철인 3종 경기 (수영, 10km 달리기, 15km 노젓기)	모두 함께 시작		지구력, 유산소 능력
	PM	휴식			
일요일	AM	하루 종일 휴식	선수가 집에서 밖으로 나가도록 유도하기 위한 무엇가를 찾아 본다!	약간 가벼운 스트레칭	운동 회복

표 6.4 세트, 반복 및 강도

MS	최대 근력: 3-5 세트 × 1-3 반복 (3-5 분 휴식), MS 85-100 % 또는1 RM
ES	폭발적인 근력: 3-6 세트, 4-6 회 반복 (2-5분 휴식), 1 RM의 ES 70-85 %
SS	속도 근력: 3-6 세트 × 6-10 회 반복 (빠른 움직임, 2-4 SS 분 휴식)
MSS	최대 속도: (RM의 60-85 %) 1-3 세트 × 5-6 회 반복 (긴 휴식, 가장 빠른 움직임 속도)
E	지구력: 2-4 세트 × 15-50 회 반복 (1-2 분 휴식)
ANE	무산소 지구력: 장시간 간격/많은 반복, 1-5 세트
AEE	유산소 지구력: 몇분 지속, 1-5 분 휴식
HT	비대(hypertrophy): 8-12 회 반복, 상대적으로 느린 움직임
OC	자신의 선택

체육관 프로그램1: 체육관 테스트

운동	결과	언급사항	포커스
워밍업 자건거	5 분		
워밍업 패들 기계	7 분		
벤치 프레스1 RM		최대 5세트 허용됨	최대 근력
벤치 풀1 RM		최대 5세트 허용됨 최대 5 cm 벤치	최대 근력
벤치 프레스 2분 55 kg			근지구력
벤치 풀 2 분 55 kg		최대 5 cm 벤치	근지구력
친(Chins) 1 RM		최대치에서 80kg가 가능했음. 이에 더하여, 선수는 반복 실행해야 한다.	최대 근력
딥(Dips) 1 RM		최대치에서 80kg가 가능했음. 이에 더하여, 선수는 반복 실행해야 한다.	최대 근력
친(chins) 최대 반복			근지구력
딥(Dips) 최대 반복			근지구력
완료 후 스트레칭			유연성

체육관 프로그램 2

운동	세트*반복	언급사항	중점사항
워밍업 패들 기계	7 분		
서킷(순환) 운동 (덥벨 컬, 덤벨 벤치 풀, 덤벨 벤치 프레스)	2[3*18-25)]	1 세트는 세가지 운동을 휴식 없이 3회씩 반복하는 것임.	지구력 및 젖산 인내
순환(서킷) 운동 (딥, 친, 인클라인 Abs)	2[3*18-25)]	1 세트는 세가지 운동을 휴식 없이 3회씩 반복하는 것임.	지구력 및 젖산 인내
서킷(순환) 운동 (라트 풀다운 [Lat Pulldown], 삼두근, 익스텐션, 싱글 덤벨 풀)	2[3*18-25)]	1 세트는 세가지 운동을 휴식 없이 3회씩 반복하는 것임.	지구력 및 젖산 인내
Abs	200		안정
워밍다운 (warm-down) 패들 기계/수상(물위)	10 분		기술

체육관 프로그램3

운동	세트*반복	언급사항	중점사항
워밍업 패들 기계	7 분		
덤벨 벤치 프레스	4*2-6		최대 근력
덤벨 벤치 풀	4*2-6		최대 근력
딥(Dips)	4*2-6		최대 근력
친(Chins)	4*2-6		최대 근력
벤치 프레스	4*2-6		최대 근력
바벨 벤치 풀	4*2-6		근력, 신체 동작 조정력
클린 & 프레스	4*2-6		근력, 신체 동작 조정력
Abs	200		안정
워밍다운(warm-down) 패들 기계/수상(물의)	10 분		기술

제2절: 슬라롬
SECTION 2: SLALOM

카누/카약 슬라롬의 특수성
The specificity of canoe/kayak slalom

슬라롬에서는 패들러가 코스에서 자신을 표현하는 방식으로 약 100초 동안 정신적 및 육체적 노력을 쏟게된다. 패들링 유형은 완전히 비주기적이므로 특별하다. 즉, 노력의 특성이 직선 경주에 비해 근본적으로 다르다. 또한, 카누/카약(CK) 슬라롬 경기장은 야외의 강이다. 목표 또는 "오프 플랜"은 두 개의 장대 모양을 가진 기문을 통해 설정된 경로를 따르는 것인데 이 장대를 건드리면 경주가 끝날 때 심사 위원으로부터 시간 벌칙을 받을 수 있다. 목표는 이러한 요소를 이해하여 패들링의 효율성을 극대화하는 것이다. 효율성이 높다는 것은 속도와 정확성을 의미하며 강물 변화에도 불구하고 패들러가 스스로 제어하는 방식과 최종 결과에 영향을 미친다는 것을 의미한다.

최선의 학습은 과제마다 다르게 이루어진다. 그러므로, 최선의 훈련은 주요 대회 경쟁 코스의 모든 특성을 재현할 수 있는 강에서의 급류 연습을 실시하는 것이다. 목표는 진전이 지속적이고 영구적이고 가능한 신속히 이루어지게 하는 것이다. 이는 패들러가 끊임없이 자신을 재평가할 수 있는 훈련 장소에서 도전을 받아야 할 필요가 있음을 의미하지만 다양한 어려움이 수반된다. 현재, 다양한 상황에서 선수가 더욱 빠르게 배우기 위해서는 모듈식 인공 코스 등을 사용해서라도 경기장을 다양화하는 것이 필수적이다. 본질적으로, 슬라롬 패들러는 진부함 보다는 새로움을 더 잘 표현할 수 있는 모험가이다.

도전 받고 더 빠른 진전을 달성하려면 인간의 본성이 변화해야 하기 때문에, 폐쇄적인 환경에서 운동하는 선수조차도 다양한 환경에서 훈련하는 것이 중요하다는 사실이 강조되어야 한다. 이해와 진전에 대한 갈증은 새로운 지평을 발견하려는 열망과 기쁨으로 더욱 커질 것이다. 근육과 생리 발달은 분명히 흥미롭지만, 관련 시각적 정보의 획득과 의사 결정은 물론이고 다른 진행 목표, 특히, 장대[poles] 사이를 매끄럽게 통과하기 위해 필요한 기술 및 정밀도와 근력/생리적 능력을 결합하는 것은 필수적이다.

계획 프로세스: META 훈련
Planning process: the META training

계획 프로세스는 무엇을 기반으로 하는가? **그림 6.2**에 제시된 다섯 분지의 별(five-branched star)은 META 훈련에 대하여 설명한다.

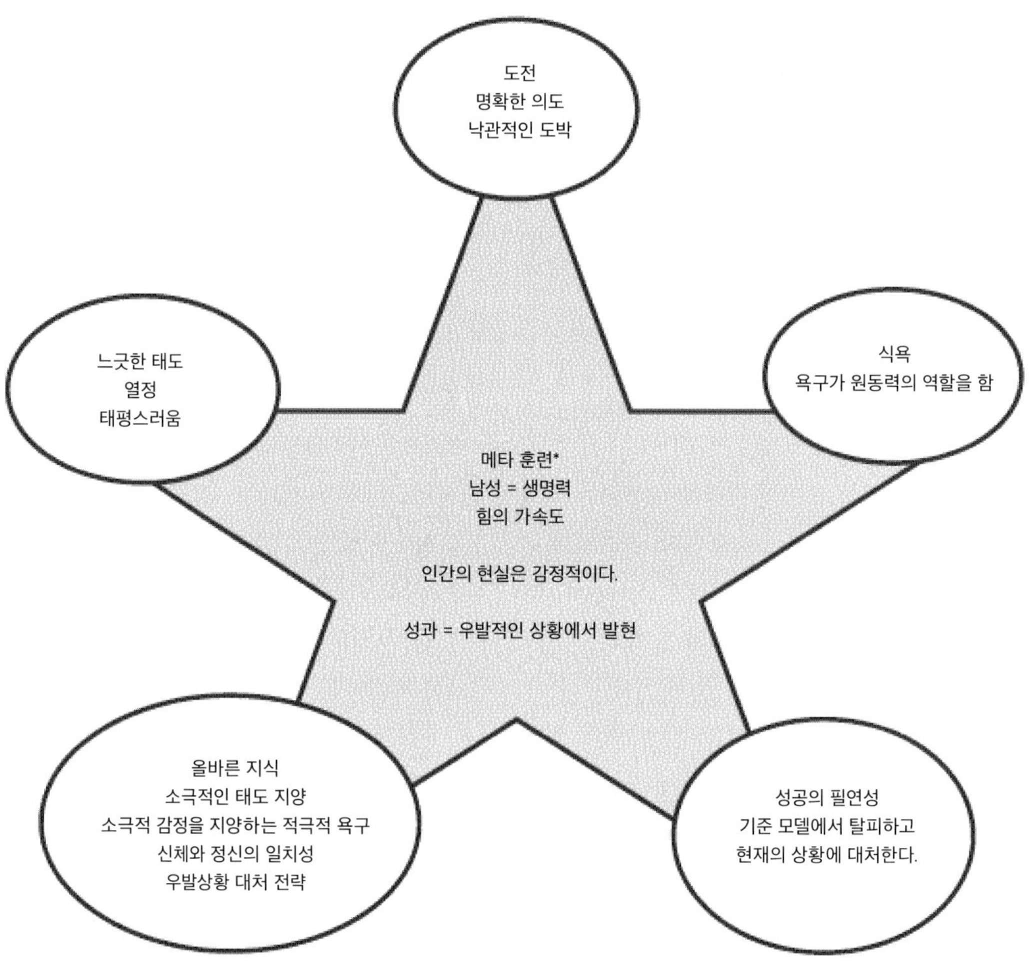

그림 6.2 메타 훈련에서 사용되는 5개 분지(five-branched) 별

훈련의 기초
The basics of training

카약/카누 슬라롬은 "선수의 성공"이 "인간의 다양한 차원들의 조합"에서 비롯되는 궁극적인 분야이다. 인간의 다양한 차원을 정의하는 것은 어려운 동시에 단순하지만 스포츠 세계에서 인정되는 주요 차원은 신체적 차원, 기술적 차원 및 정신적 차원이다. 어떤 코칭 스타일은 매우 특이하고 부적합한 것처럼 보일 수 있다. 사실, 무엇이 세계 선수권 대회 또는 올림픽 금메달 획득을 위해 필요한 준비로 성립되는가에 대한 필자의 의견은 육체적, 기술적, 정신적 준비로 구분된 각각의 훈련에 대한 세분화된 접근법과 일치하지 않는다. 필자는 이것을 META 훈련이라고 부른다(META는 "후", "넘어서", "함께"를 의미하는 그리스어 접두사에서 파생되었다: 이 용어는 전체, 반영/반성 및 변화의 의미를 표현한다.).

몸과 마음의 비이중성(nonduality)에 대한 개념
The concept of nonduality of body and mind

필자는 영혼과 육체가 서로 별개라고 간주한다. 실제적으로, 생각의 경험과 마음의 경험은 신체의 경험과는 매우 다르다. 즉, 마음과 몸은 동일한 현실의 두 측면, 즉 동일한 동전의 양면에 불과하다. 마음과 몸은 서로를 반대할 수 없으며 서로 모순 될 수 없으며 서로 단절 될 수 없다.

간단히 말해서, 훈련은 정신적 차원과 신체적 차원 및 다른 차원 사이에서 분리 될 수 없다. 그러나 우리는 이것을 어떻게 다루어야 하는가? 필자는 정신적, 신체적, 기술적 준비를 별개로 간주하는 것이 일반적이라는 것을 이해한다. 그러한 구분은 편의적인 이유로 인한 것이지만 무엇보다 스포츠와 서구 세계에서 사물 및 사건을 바라보는 보편적인 관점이기 때문이기도 하다. 나는 각 개인의 심리적 측면이 신체와 밀접하게 관련되어 있으며 그것을 어떻게 사용하느냐에 따라 발전의 양상이 결정된다고 믿는다.

우리가 몸을 더 많이 이해하고 몸이 필요한 것을 파악하고 몸의 결함과 취약성을 받아들일수록, 몸은 욕망과 즐거움을 더 많이 환영하고 더욱 앞으로 나아간다. 그러므로 이 모든 측면을 성공적으로 포함하는 신체적 훈련, 정신 훈련 및 기술 훈련의 방법에 의존하는 것이 중요하다.

잘못된 패러다임에 기초하여 선수들에게 적합한 훈련을 모색하려 한다면 잘못된 길을 걷고 있는 것이다. 이는 높은 수준의 스포츠에서 발생하는 불가피한 실패에 직면했을 때 큰 실망과 해결할 수 없는 문제를 야기할 수 있다. 세분화되거나 분류된 훈련은 실제적인 세상을 잘못 반영한 것이며 처음에는 따르기가 더 쉬운 것처럼 보이지만 궁극적으로는 인간의 상태에 대한 나의 견해와는 일치하지 않는다. 이러한 인식론적 틀에서 나는 내가 코치하는 선수들과 함께 형성한 상징주의에 의지한다. META * 훈련은 선수의 모든 행동을 체계적으로 안내 할 것이다.

필연적인 성공을 위한 성과에 대한 정의
The definition of performance for inevitable success

여기에는 다음과 같은 질문이 포함된다: 성과를 어떻게 개념화 할 것인가? 이 모든 것에서 인간에 대한 나의 관념은 무엇인가? 이는 인식론적이고 철학적인 논의이다. 나는 주제를 깨닫기 위해 노력할 것이다. 나는 인간의 현실이 주로 감정적인 현실이라고 믿는다. 몸과 마음은 분리될 수 없다. 기본적으로, 우리는 주로 살고자 하는 욕망, 존재하려는 욕망, 우리의 존재를 보존하고 향상시키려는 욕구를 갖고 있다. 정서, 기쁨, 두려움, 기분, 열정은 우리의 삶을 형성하고 올림픽 금메달을 획득하게 하는 근원이다. 우리의 준비는 이러한 정서적인 정글을 기반으로 이루어지며, 이러한 "깊이를 헤아릴 수 없는 깊이"에서 성과가 달성된다. 욕망이 없으면 아무런 행동이나 이니셔티브(initiative)도 이루어질 수 없으며 다르게 말하자면 인생도 없는 것이다.

그러므로 자신을 표현할 수 있는 기쁨을 동반한 욕망이라는 관념은 의지라는 관념보다 강하다는 것을 인식하는 것이 중요하다. 이것이 내가 각 훈련 세션 중에 적용하려는 것이다. 그러한 목적을 위해 경쟁을 준비하는 것은 훈련하는 것보다 훨씬 더 중요하다. 성공의 필연에 대하여 준비하는 것은 함정과 장애물은 물론이고 주어진 기회를 통해 성장하고 자신감으로 충만해지고 실행하고 힘과 생명력을 강화하려는 욕망을 타협 없이 완전히 수용할 수 있기를 소원하는 것이다.

경쟁 상황에 대한 이해 및 수용 / 우발 사태 아이디어의 수용
Understand and accept the situation of competition/accept the idea of contingency

경쟁 상황은 복잡하고 특히 우발적인 상황이다. 우연한 경쟁 상황에서 모든 사람들이 자신을 표현할 수 있기를 원한다면 적절한 전략과 사고 방식을 채택해야 한다. 비상 사태는 무엇인가? 비상 사태란 우리가 미래를 예측할 수 없다는 의미인데, 그 자체로 불확실하고 예측할 수 없으며 완전하게는 파악 불가능하다. 미지의 상황은 경쟁적인 상황의 본질인데, 그 이유는 경쟁자의 경기 또는 표현을 위한 장소(경기장)이 "끊임없이 변동하고 불확실한 물의 움직임"으로 형성된 강가에 위치해 있기 때문이다. 따라서, 우발 사태의 전략은 매일 불확실한 상황, 무작위성, 불확실성을 매일 자신에게 유리하게 활용하는 데에 있다. 이러한 전략은 훈련 모델의 핵심이다. 강과 급류는 그 자체로 엄청나게 복잡한 변동과 불확실성을 발생시킨다. 주어진 시간 내에 잠재력을 최대한으로 실현시키려는 패들러는 그러한 강과 급류를 가능한 잘 활용해야 한다. 그 과정에서, 패들러는 상황에 대한 더욱 충분한 이해를 지향한다. 분명히, 전략에 대한 정의는 미리 설정된 프로그램에서 이탈하지 않고 전진과 항해의 기쁨을 끊임없이 추구하는 낙관주의와 결단을 토대로 앞으로 나아가기 위해 특정 상황에 몰두하는 것이다. 기쁨은 적절한 학습을 위한 유일한 길이다. 적절하게 학습하고 전진하는 것은 무엇인가? 사실, 지식에 대한 실제적 경험은 지식 그 자체보다 더 중요하다. 훈련을 신체적, 기술적, 정신적으로 나누는 데에는 한계가 있으며 궁극적으로 선수가 한계에 부딪힐 수 있다. 전인적인 인간의 성장에는 거의 제한이 없다는 것을 기억해야 한다. 그러나, 이러한 유형의 훈련을 성공적으로 활용하려면 상당한 기교가 요구된다. 이러한 유형의 훈련을 실행하려면 신뢰할 수 있는 사람 및 해당 분야의 전문가로 둘러싸여야 할 뿐만 아니라 상당한 자원 또한 필요하다. 그들은 높은 윤리적 태도를 보여야 하며 META 훈련의 특정 도구(물리 치료사, 요가 강사, 검안사, 코치 활동 유형 접근법, 아로마 테라피(요법) 및 상징적 모델링 치료사)를 사용해야 한다. 이 전략은 다음과 같은 질문에 기초한다: 어떻게 불확실성에 대처하고 이전보다 강해지는 방법을 배울 수 있는가? 이 전략은 스포츠 훈련에서 중요한 요소이며 모든 사람의 삶으로 확장 될 수 있다. 모든 카누/카약 슬라롬 패들러들에 대한 근본적인 질문은 다음과 같다: "코스의 난이도 및 도착 시간에 큰 영향을 미칠 수 있는 강물의 변화에도 불구하고 어떻게 성공적으로 최고가 될 수 있는가?" 이를 위해 우리는 "확실성이라는 발판에 발을 딛고 불확실한 강물에서 어떻게 노를 저어야 하는지를 배워야 한다". 이러한 지원은 1). 패들러의 추진 효율, 2) 패들러의 균형 유지 기술, 3) 장대

(poles)를 통과하고 그 궤적을 관리하기 위한 시각적인 인식 등 패들러가 물 위에서 자신을 표현하는 방식에 직접 관련될 것이다. 그렇게 하기 위해서는, 그러한 측면에 대하여 일련의 3-4 가지 훈련이 필요하다.

몸과 마음에는 한계가 있기 때문에, 상당한 질적 수준을 달성하고 특히 무엇보다도 선수의 긍정적이고 건설적인 경험을 위해서 훈련 세션을 미리 계획하고 조정하는 것이 중요하다. 이러한 문제에 대해 선수는 코치와 함께 자신의 한계를 설정할 것이다.

어떤 종류의 훈련을 실행해야 하는가? 기술은 75 %를 차지한다! "확실성이라는 발판에 발을 딛고 불확실성의 강에서 노 젓기"

많은 운동을 기술이라고 불린다. 운동은 형식이 다양하고 특정 상황에 적응하며 항상 유흥, 참신함, 탐색의 효율성, 전진하는 기쁨을 원동력으로 한다.

기억할 사항: 다양한 확실성이라는 뒷받침은 외부적인 상황이 아닌 패들러의 특징적인 스타일에 관련된다.

1. 추진 효율
2. 균형을 유지하는 기술
3. 장대(poles)를 통과하고 이동 궤적을 관리하기 위한 시각적 인식

카누 기술
Canoeing technique

기술의 능숙한 사용은 가장 많은 훈련을 요구한다. 훈련 세션의 측면에서, 기술은 세가지 운동 중에서 두 가지 운동에 가장 관련된다. 기술은 목표와 진전의 관점에서 세분화 될 수 있다.

- 항법 기술: 물의 다양한 움직임(낙하, 디플렉터[deflector], 파도, 롤러, 역류 등)의 극복과 처리에 대한 균형, 용이성 및 정확성.
- 기문(업스트림 기문, 단계적인 다운 기문)을 통한 다양한 궤적의 효과성(속도 정밀 쌍) 및 폴(장대)를 기술적으로 통과하는 것(정지, 지그재그, 역전, 피하는 등)에 대한 다양한 접근 방법의 효과성.
- 또한 선회, 가속 또는 감속을 위해 지지 장치의 힘전달(transmission) 효과성 및 보트 기능 사용의 효과성.

인공 하천에서 컨베이어 벨트로 보트가 들어 올려지기 때문에, (종종 할당된 항해 슬롯으로 인하여) 60 분으로 제한된 훈련 시간 동안 하강 횟수가 증가했다. 이후에 수행 될 분석의 소요 시간을 단축할 수 있도록, 각 훈련 세션 사이에 과도하게 휴식하지 않는 것이 중요하다. 모든 운동을 촬영하여 다양한 동작에 대한 분석 비디오를 만든다. 목표는 강에서 발생하는 것과 기문 사이에서 발생하는 것에 대한 이해를 증진하기 위해 "지상에서" 계속 학습하는 것이다. 실제적으로, 훈련 중에는 동시에 고려해야 할 정보가 너무 많다. 이때, 코치의 "직관적이고 노련한 능력"이 매우 숙련된 선수의 통찰력과 결합된다면 효과가 증대되어 더 빨리 진행하는 것이 가능하다.

더 빨리 앞으로 나아가려는 욕구: 경쟁 상황 등 감정적인 상황에서 흔들리지 않는 기술에 통달하려는 의지
The desire to progress faster: the will to master skills that will not be shaken during highly emotional situations such as competition

육체적 접근과 근육적 접근은 카누/카약 슬라롬에서 성공을 결정하지 않으며 보다 포괄적인 접근법에 비해 불충분하다고 판명 될 것이다. 그러므로 다양한 신체적, 생리학적 훈련은 더 큰 목표를 염두에 두고 실행될 것이다. 따라서 물리적 차원 측면에서의 전진(progression)은 기술

적인 스킬(skill)과 탐색에 항상 유용 할 것이다. 또한, 그러한 훈련은 도전적인 강 및 코스를 더욱 효율적으로 더욱 오랫동안 탐색할 수 있는 패들러의 능력을 향상시켜 패들러가 더 자세하고 신속하게 학습할 수 있게 한다. 더욱 효율적으로 탐색하기 위해 보낸 시간은 변화를 가져온다. 끊임 없이 피로에 지친 선수는 항해 시에 향상을 위한 욕구가 없더라도 이상하지 않다. 불행하게도, 그러한 상황에서도 너무 많은 패들러들은 향상의 욕구를 갖고 있다.

개인적으로 생각하건대, 훈련 중에는 "일"이라는 단어는 훈련 중에 사용이 금지되는데 그 이유는 "일"이 메달을 가져오지 않기 때문일 것이다. 선수가 단지 운동을 능숙하게 하고 운동량이 많다는 이유로 메달을 거머쥘만하다고 할 수 없다. 그와는 상반적으로, 즐거움을 유지하면서 매일 더욱 발전하고 자신의 한계를 뛰어 넘는 선수는 메달을 거머쥘 자격이 있다.

유산소 및 무산소 능력
Aerobic and anaerobic capacity

기본적인 유산소 운동은 일주일에 한 번 슬라롬 보트 밖(일반적으로 일부 발판, 사이클링 또는 드물게는 크로스컨트리 스키)에서 실행하는 것이 가장 좋다. 목표는 경주 속도로 순항하는 것이므로 많은 훈련 세션은 무산소 능력에 해당하는 5-8 기문으로 분할되었다.

특정 유산소 운동은 수 킬로미터(km)의 강줄기를 따라 고도의 기술을 요구하는 항해를 할 수 있도록 루프(loop) 형식으로 이루어지지만 궤적의 난이도가 제한적이므로 코스에는 제한적인 수의 기문이 있을 뿐이다. 일반적으로, 이러한 유산소 훈련은 매주 2-3회 프로그램 된다.

특정 유산소 훈련의 예: 하강 3회 3세트 반복 - 급류에서 1분 30초 ~2분 및 평수에서 1분(컨베이어 벨트 리프트에서 1분 30초). 이 코스에서는 최대 4개의 업스트림 기문이 설치되거나 즉석에서 만들어진다).

평수(flatwater) 기문을 통과하는 스플릿 시프트(split shift)는 특정 경쟁에 집중하는 훈련 세트 준비 시에 근력 증강을 위해 프로그래밍 된다. 2 세트(10분) 6×25 (4-5 기문을 향해 결정되고 시간이 설정된 하류 코스. 상류는 여유롭게 노를 저을 수 있는 코스 임)가 권장된다.

훈련 강도
Training intensities

많은 경주 스피드 세션은 15-25초 사이에 있는데, 이 속도로 지각(perception) 집중을 유지하고 경쟁 속도로 항해할 수 있다.

근력 훈련
Strength training

근력 훈련 및 특정적인 힘 강화 훈련은 기본적인 훈련이다. 그러나 이러한 유형의 훈련은 1차적인 반사 신경에 대한 진단과 특정 통합 운동 후에 실시된다. 목표는 경쟁에 따른 감정적 흥분에 의해 흔들리지 않는 튼튼한 기반 위에서 새로운 기술을 안정적으로 활용하는 것이다.

동계 훈련 중: 일주일에 2-3회 훈련. 대회 훈련 중: 일주일에 1회 + 몇 차례 워밍업.

- 이 훈련 세션은 보트에서 수행되는데, 한 발 또는 양 발로 서 있으면서 탄성 밴드로 팔이 움직이는 속도를 줄이고 팔의 움직임을 방해한다. 이 훈련은 척추와 어깨의 구조적 심근을 강화하고 부상을 방지하기 위한 물리 치료적 접근에서 비롯된 것이다. 나는 이 훈련 대신에 근력을 4배 강화하여 근육을 실제적으로 강화하는 훈련 세션을 활용했다.

1. 항상 근위에서 원위까지(무게 중심으로부터 손가락, 머리 및 발을 향해) 움직이는 운동. 탄성 밴드를 중심으로 구성된 움직임을 통해 선수는 불안정한 상황에서도 물 속에 지지력을 형성하여 패들 스트로크의 자연스러운 표현을 모방할 수 있다.
2. 균형, 조화, 속도, 힘 및 지구력을 결합, 유도 및 향상시키는 것을 의도한 훈련이다.
3. 보트 안에서 기술 손실을 겪지 않고 강도, 속도 및 지구력을 향상시킨다.
4. 시즌을 통틀어 어깨와 척추 부상을 예방한다.

- 3-4분 동안 등속성 지구력 자세의 형태로 척추 심근(횡단, 회음근)의 코어를 안정화하고 강화한다.
- 바이오덱스(Biodex) 또는 콘트렉스(Contrex)와 같은 기계에서 등속성을 강화하여 각 지지물(support) 상에서 속도 생성의 한계와 진행 속도를 높이다. 내림근(depressors) 및 회전근(rotators)에 대한 등속 세트.
- 첫 번째 시즌 목표가 설정되기 12주 전, 8개 세션으로 구성된 훈련으로서 각 세트는 3주 동안 실행된다. 두 번째 시즌이 4 개월 후에 시작되면, 시즌 첫 번째 마감 직후에 이런 종류의 훈련을 기억할 수 있다.
- 보트 안에서 최대 속도보다 낮은 속도로 유산소 운동을 반복하며 겨울에는 속도를 늦춘다.
- 겨울 준비 기술 세트에 따라 특정 제스처(카약의 원형 지지물 및 카누의 횡단 항력)에 대한 등속성 세션.

검안법
Optometry

다양한 시각적 특성(초점 집중, 초점 집중 지구력 등)을 개발하기 위해, 시각적인 운동 세션은 거의 매주 실행되도록 계획된다.

운동 요법, 정골 요법 및 아로마 테라피
Kinesiotherapy, osteopathy, and aromatherapy

이러한 유형의 교육 세션을 META* 훈련에 기초하여 전문가가 가르치는 회복 및 예방 세션 (정골 요법 및 운동 요법, 침술 및 아로마 테라피)과 결합하는 것은 필수적이다.

전체 훈련 프로그램의 설계
Designing the full training program

연간 계획
Yearly plan

예: **그림 6.3** - Tony Estanguet의 2012 프로그램 문서.

연간 계획은 두 가지 주요 기간으로 구성된다. 첫 번째 기간의 목표는 국가 대표팀 선발을 준비하는 것이다. 그것은 10월과 4월까지 7개월 동안 지속된다. 두 번째 기간은 더 짧고 세계 선수권 대회 또는 올림픽과 함께 종료된다. 이 기간은 5월부터 9월까지 약 4개월 동안 지속된다. 각 기간은 특정적인 주요 블록으로 구성된다. 모든 기간 동안, 목표는 가능한 한 많은 국제 경기 수준의 급류 경주 코스에서 노를 젓는 것이다.

- 기간 1: 10 월 - 4월
- 기술 개발 블록: 10월 - 11월 (6주)
- 등속성 블록 저항 훈련: 11월 - 12월 (4주)
- 휴식 + 유산소 운동 개발 블록: 연말, 12월 말 - 1월 초 (2주) (스키 등)
- 겨울 기술 개발 블록: 4 주, 호주
- 대회 전(前) 블록: 6 주
- 테이퍼링(tapering) 블록: 2 주

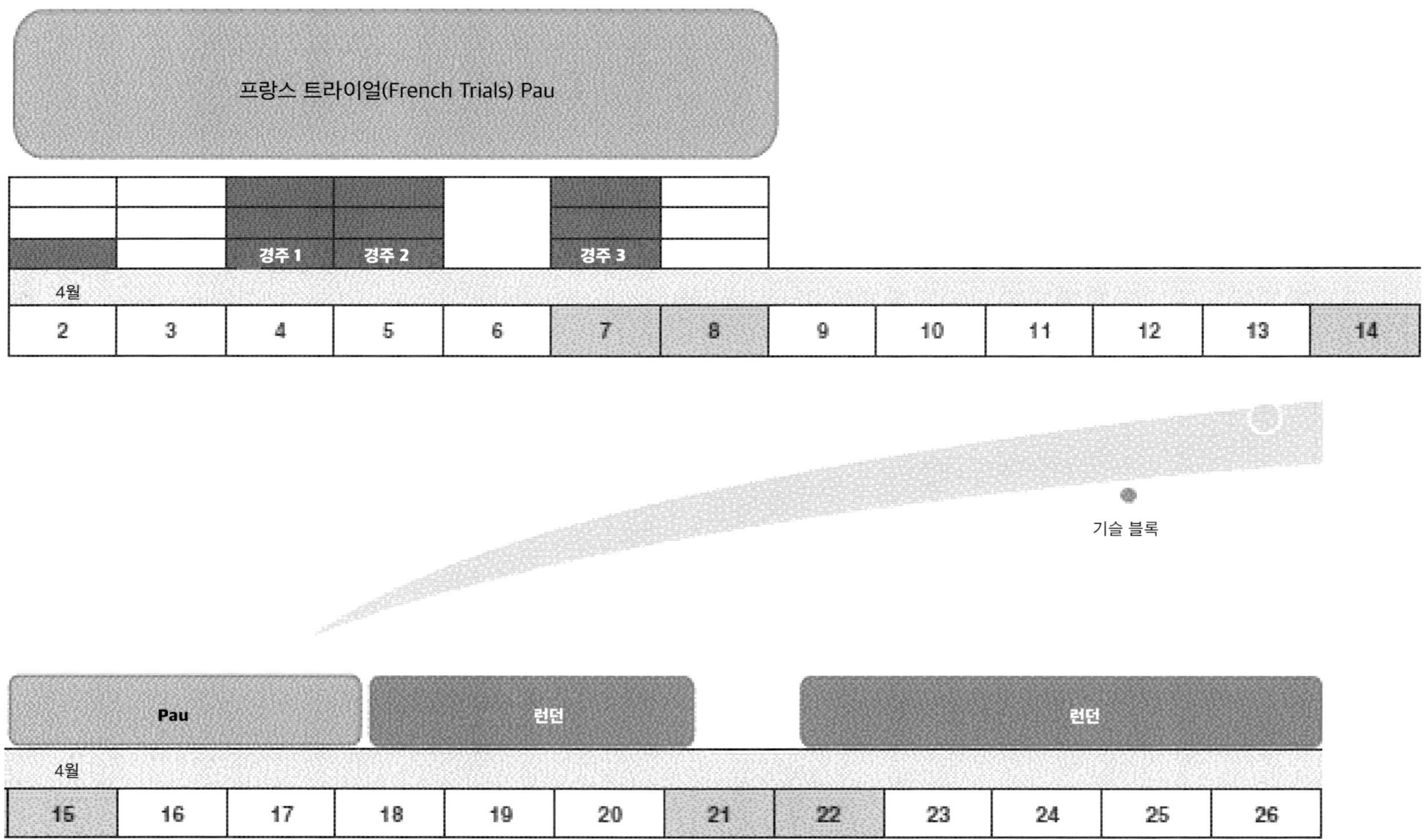

그림 6.3 Tony Estanguet: 2012 프로그램

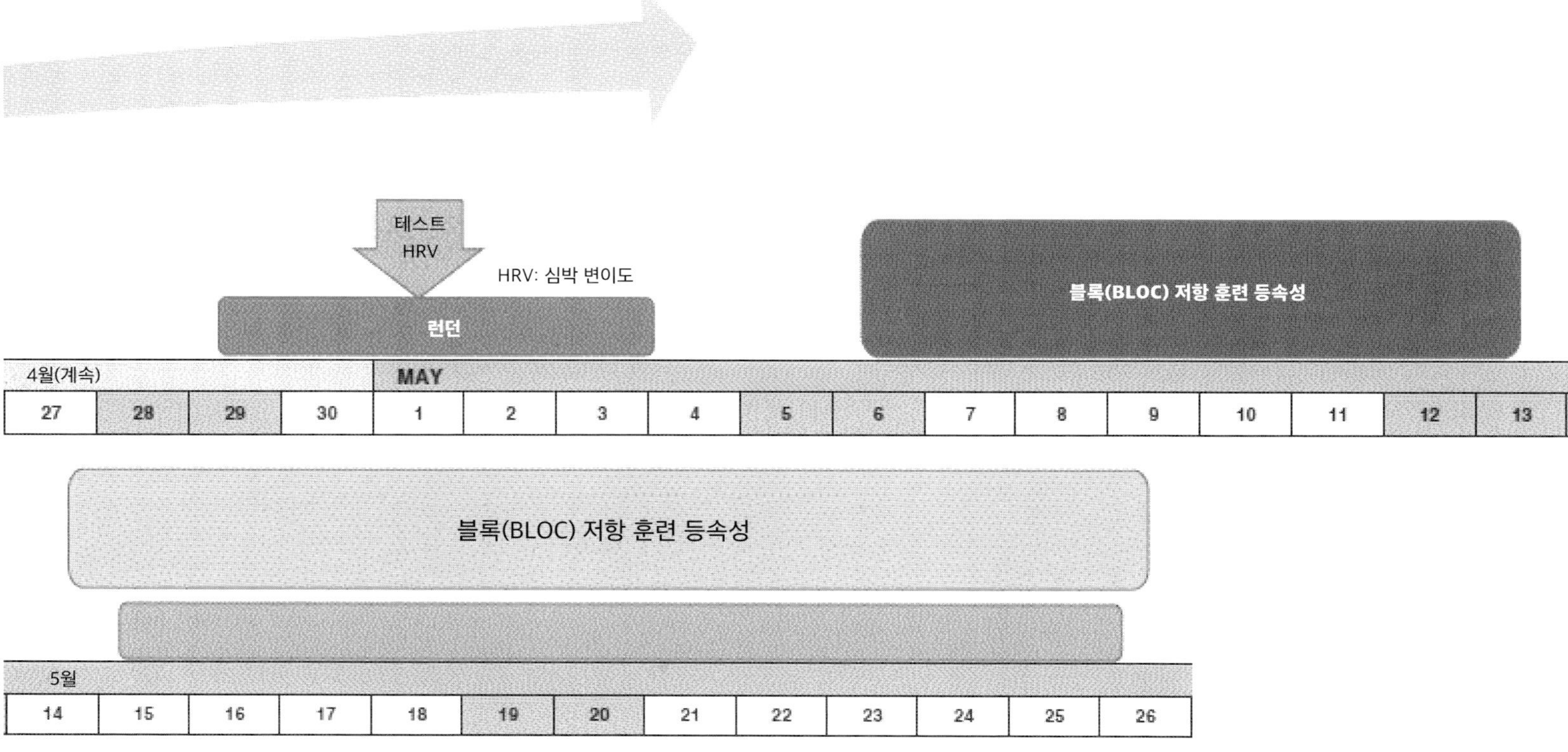

테스트
HRV
HRV: 심박 변이도
런던
블록(BLOC) 저항 훈련 등속성
4월(계속)
MAY
27 28 29 30 1 2 3 4 5 6 7 8 9 10 11 12 13
블록(BLOC) 저항 훈련 등속성
5월
14 15 16 17 18 19 20 21 22 23 24 25 26

그림 6.3 (계속)

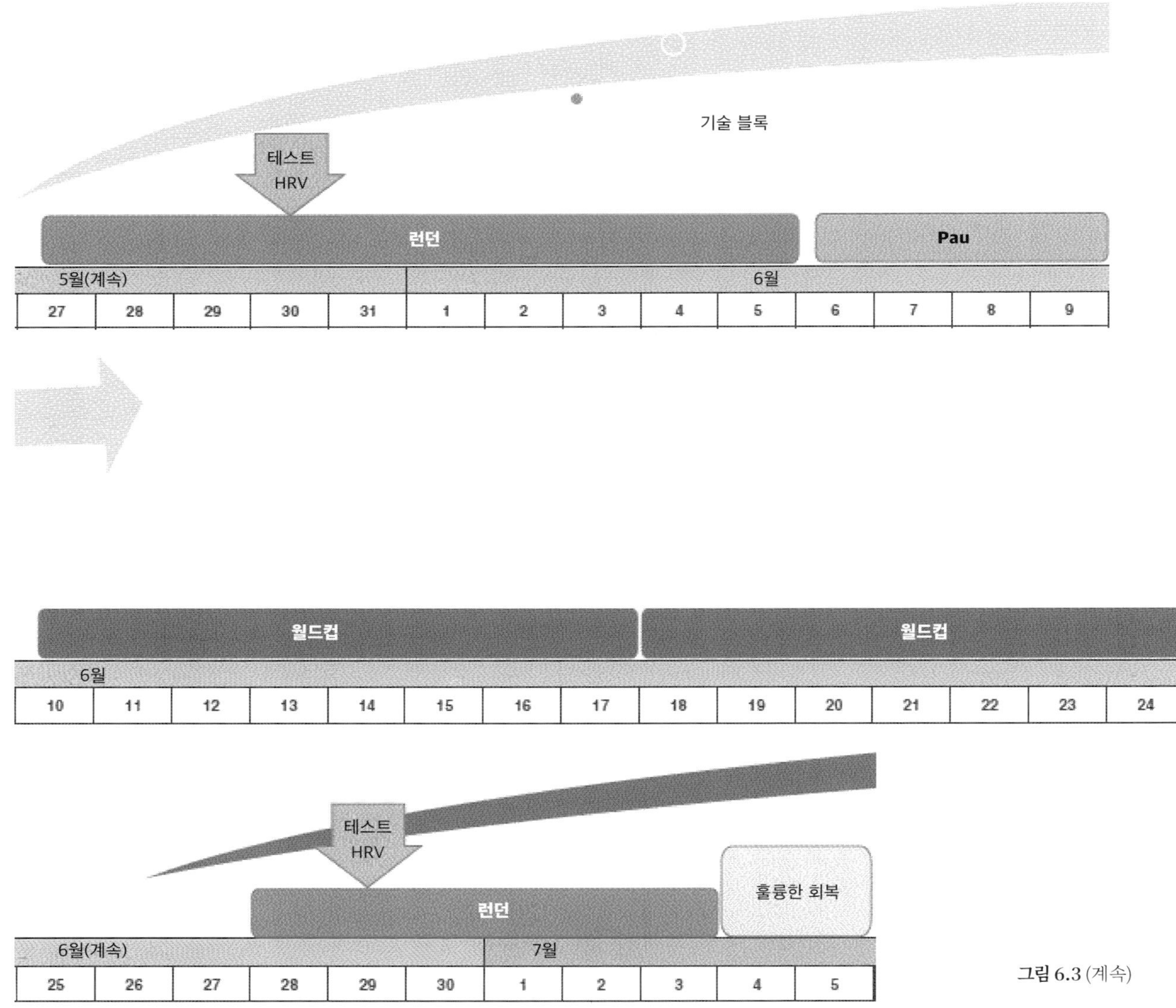
기술 블록
테스트 HRV
런던
Pau
5월(계속)
6월
27 28 29 30 31 1 2 3 4 5 6 7 8 9
월드컵
월드컵
6월
10 11 12 13 14 15 16 17 18 19 20 21 22 23 24
테스트 HRV
런던
훌륭한 회복
6월(계속)
7월
25 26 27 28 29 30 1 2 3 4 5

그림 6.3 (계속)

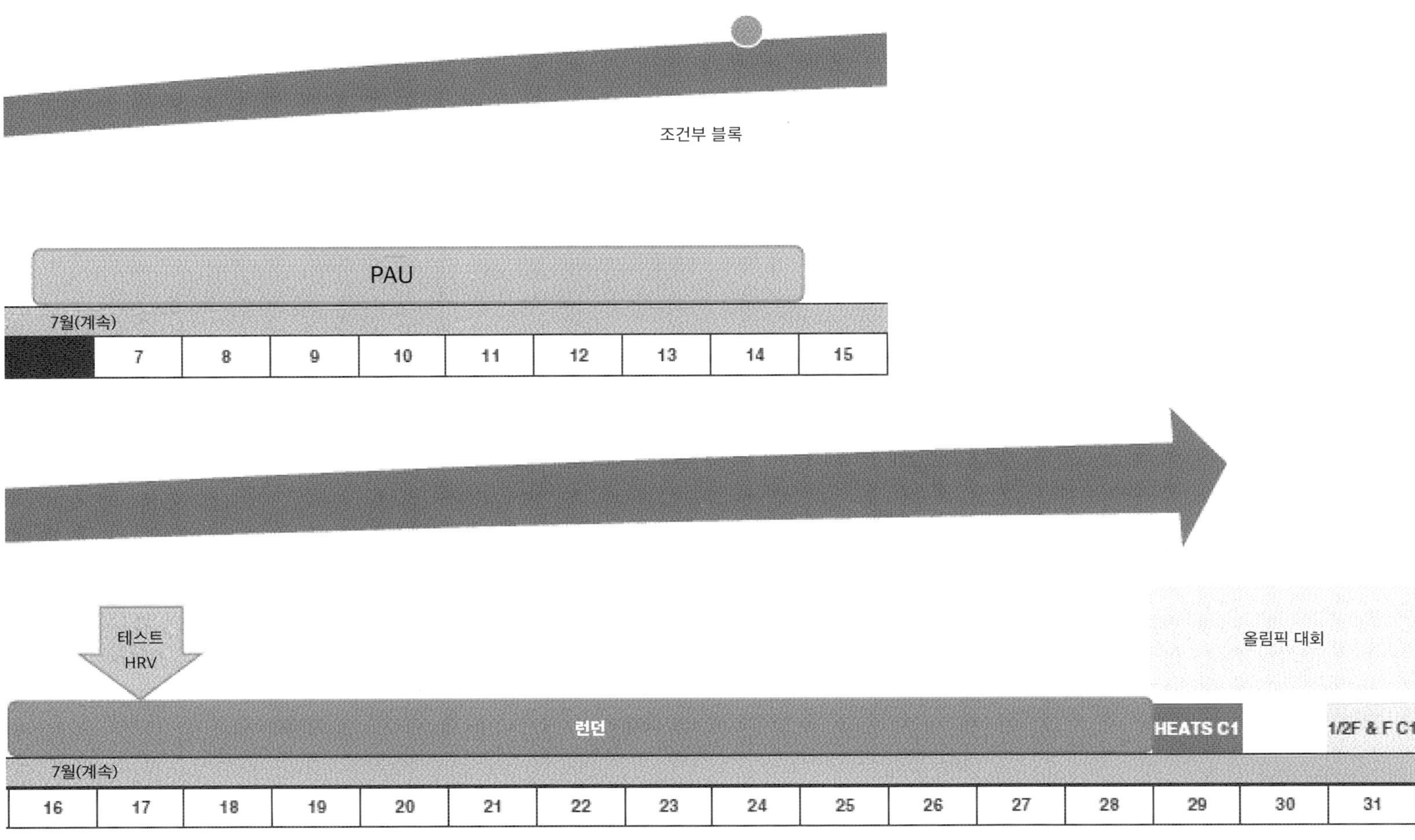
조건부 블록
PAU
7월(계속)
7
8
9
10
11
12
13
14
15
테스트 HRV
올림픽 대회
런던
HEATS C1
1/2F & F C1
7월(계속)
16
17
18
19
20
21
22
23
24
25
26
27
28
29
30
31

그림 6.3 (계속)

- 기간 2
- 5 주: 최초의 국제 경기 기간 및 올림픽 슬라롬 코스에 대한 특정 훈련
- 2 주: 특정 제스처에 대한 등속성 세션
- 2 주: 기술 세드
- 2 주간: 대회 훈련, 월드컵 시리즈
- 5 주: 리뷰(검토)

주간 훈련 프로그램 설계

예: 대회 전(前) 블록 (D-3 주)

BLOC 1 prépa Piges							
화요일	수요일	목요일	금요일	토요일	일요일	월요일	화요일
6	87	8	9	10	11	12	13
RM 게나쥐 (gainage)	기술 층 (tiers)	RM	기술	장거리	RM	장거리	RM
루프(loop) I2	I3 30″30″	기술	쿼츠/데미스 (Quarts/ demis)		자유	I3 30″ 30″	루프(loop) I2
기술		루프(loop) I3				I1	자유 기술

Gainage(게나쥐): 자세적 근육 강화

I1: 저 강도 유산소 운동.

I3: 고강도 유산소 운동.

LIBRE: 전진을 위한 최선책은 무엇을 할 것인지 자유롭게 결정한다.

장거리: 100초 경주 설계처럼

루프 I2: 루프, 보통 강도 유산소 운동.

루프 I3: 루프, 고강도 유산소 운동.

쿼츠/ 데미스: 1/2 코스.

각 코스의 절반 부분에는 기문 5-6개로 구성된 두 개의 구획이 있다.

RM: 저항 훈련.

Tech: 기술.

참고문헌

Bonetti, D.L. and Hopkins, W.G. (2010). Variation in performance times of elite flat-water canoeists from race to race. *Int J Sports Physiol Perform* 5 (2): 210-217.

Jackson, P.S., Locke, N., and Brown, P. (1992) The hydrodynamics of paddle propulsion. Paper presented at the 11th Australian Fluid Mechanics Conference, University of Tasmania, Hobart, Australia.

Michael, J., Smith, R., and Rooney, K. (2009). Determinants of kayak paddling performance. *Sports Biomechanics* 8 (2): 167-179.

Svenska Kanotförbundet [Sweden Canoe and Kayak Federation]. (2009) SKF:s Kravanalys Kajak Sprint. Ursviken, Sweden: Svenska Kanotförbundet.

제7장

카누 및 카약에 수반되는 의료 문제

엘리트 선수의 훈련과 경쟁은 개인적으로 많은 스트레스를 유발한다. 패들러, 특히 엘리트 패들러는 스포츠 의학에서 흔히 관찰되는 많은 문제에 직면한다.

환경 요인
Environmental factors

카누 스포츠에서 수반되는 특정 의료 문제는 훈련이나 경기 중 우발적으로 발생하는 전복 사고에 관련하여 환경 요인에 종종 관련이 있다. 많은 엘리트 패들러는 일년 내내 물 위에서 훈련에 힘쓴다. 겨울철에는 물이 더 차갑다. 패들러가 물에 빠지면 저체온증 및 익사뿐만 아니라 피부 연화 또는 참호족염(trenchfoot)이 발생할 위험이 증가한다. 급작스럽게 물 속으로 들어가면 냉수의 충격으로 인해 과호흡, 기관지 경련 및 심장 정지를 유발 수 있다. 장기간 노출되면 골격근이 약해지고 체온 조절 능력을 유지할 수 없으며 저체온증이 발생한다. 그러므로 물이 차가울 때 모든 패들러는 적절한 의류(예: 스플래시 커버와 잠수용 고무옷) 및 부양 장치(구명 조끼 등)를 착용하고 보트의 부력 지지가 충분한지 확인하는 것이 좋다. 엘리트 패들러들에서는 익사가 흔하지는 않지만, 찬물에서 훈련 할 때는 위험에 대단히 주의해야 한다. 좋은 방법은 "해안 근처에서 물의 양은 호수 중앙에 있는 물의 양과 동일하다"는 것을 젊은 패들러들에게 가르치는 것이다.

뜨겁고 습기가 많은 환경에서 운동 중에 생기는 열은 몸에서 쉽게 소멸 될 수 없다. 그러므로 장기간 운동을 하는 동안 이상(異常) 고열(hyperthermia)로 인한 부차적인 피로감이 발생할 위험이 있다. 탈수증이 동반되면, 열탈진은 저혈량증(低血量症)을 유발할 뿐만 아니라 골격근과 피부에 산소화된 혈액을 요구되는 비율로 공급하는 것이 불가능하게 되고 열사병이 유발 될 수 있는데 이러한 상태는 의식 상실과 장기 손상을 특징으로 하는 치명적인 질환이다.

또 다른 공통적인 환경 문제는 태양 복사이다. 여름철에는 노출 증가, 감소된 오존 농도 및 물의 태양광선 반사 증가 등으로 인하여 태양 관련 의료 문제가 발생할 수 있는 위험이 상당히 크다. 일광 화상(sunburn)은 흔히 발생되는 문제이며, 흑색 종과 같이 태양에 의해 유발되는 다른 질병은 특히 백인 인구에서 발생 빈도가 증가하고 있다. 패들러들에서는 안구의 내측 결막에서부터 증식되어 침범하는 익상편(pterygium)이 자주 발생된다. 이러한 안과 질환은 바람, 물 및 태양 광선에 노출됨으로써 촉진된다. 이러한 상태의 몇몇 사례가 패들러들에서 보고되었는데 병변은 절제가 요구된다. 그러므로, 모든 패들러들은 태양 광선 차단 용품(예: 보호복, 모자, 자외선 차단제 및 선글라스)을 착용 및 사용하는 것이 좋다.

전복을 초래하는 질병
Some diseases responsible for turn-overs

엘리트 패들러들에서 대부분의 전복 사건은 우발적이지만 일시적인 무의식이나 균형 유지력 상실을 초래할 수 있는 장애를 진단하고 치료하는 것이 중요하다. 이러한 질병은 그 자체로는 위험하지는 않지만 전복 사고로 이어질 수 있기 때문에 위험할 수 있다는 사실에 주목해야 한다.

대부분의 엘리트 패들러는 젊고 건강하지만, 뛰어난 프로필에도 불구하고 기저 질환을 갖고 있을 수 있다. 많은 흔하지 않은 질환 중에 특히 유전 질환은 의식소실을 초래할 수 있지만 여기에서 논의하지 않는다.

신경계 질환
Neurological diseases

운동으로 유발되는 실신은 매우 일반적인 문제이다. 이는 뇌관류 부전으로 인한 전뇌허혈(global cerebral ischemia)의 결과이다. 강도 높은 지구력 훈련 등 장시간 운동하는 동안 또는 그 직후의 관류 부전은 피부혈관 확장(cutaneous vasodilation)에 관련될 수 있지만 근육 혈관이 여전히 확장되어 심박출량 저하와 실신이 유발될 수 있다. 편두통 발병(운동성 편두통)은 모든 종류의 운동적인 노력 후에 발생할 수 있다. 많은 노력성 편두통은 고전적인 편두통의 일부 특징만을 보인다. 심한 두통, 암점, 간헐적 과호흡 및 오심(구역질)은 대개 운동 직후에 발생한다. 국소 신경학적 결손은 드물다. 증상은 탈수증, 과도한 열, 저혈당증에 의해 발생할 수 있으며 익숙지 않은 고도에 의해서도 발생할 수 있다. 편두통은 훈련 받지 않은 운동 선수들에게서 더 흔하지만 체력이 향상되고 다른 유발 요인을 피할 수 있다면 감소하는 경향이 있다.

심장병 및 급사
Cardiac disease and sudden death (SD)

발작성 심방 빈맥(PAT)은 젊은 운동 선수에게 나타나는 심장 부정맥의 일반적인 유형이다. PAT 은 대개 수초 ~ 수 시간 지속되는 양성 재돌입 부정맥이다. 빈맥이 발생하면, 심박출량이 감소하고 어지럼증이나 실신 같은 증상이 나타날 수 있다. PAT는 탈수, 저혈당, 베타-자극제 및 카페인과 같은 약물에 의해 유발될 수 있다. 이러한 부정맥은 연령이 증가할수록 그리고 유발 요인이 없는 경우 종종 감소한다. PAT는 약리학적 약물로 성공적으로 치료할 수 있지만 이러한 약물(특히 베타-차단제) 중 일부는 운동 능력을 감소시킨다.

볼프 파킨슨 화이트 증후군(WPW)은 선천성 비정상적인 방실 전도 경로(atrioventricular conduction pathway)의 존재로 인해 발생한다. WPW 증후군은 종종 매우 빠르고 오래 지속되는 빈맥 발생과 연관되어 있다. 이러한 발병은 심박출량을 감소시키며 어지럼증이나 실신과 같은 증상이 나타날 수 있다. 현재 WPW 증후군은 약리학적 방법과 중재적 방법을 통해 성공적으로 치료 가능하다.

젊은 성인과 젊은 운동 선수에서 급사(SD)는 흔하지 않다. SD의 발생 빈도는 연간 100,000 명당 1 명이다. 기저에 있는 심장 질환은 SD의 가장 흔한 원인이다. 가장 흔한 심장 질환의 원인에는 구조적으로 정상적인 심장 안의 전기적 이상과 비대성 심근병증(HCM) 등 다양한 유형의 심근병증이 포함된다. 35세 이상의 운동 선수의 경우, SD의 주요 원인은 관상동맥 죽상경화증(coronary atherosclerosis) 이다.

HCM은 선천성 질환이며 젊은 운동 선수에서 악성 심실성 부정맥으로 인한 SD(특히 운동 중)를 흔하게 유발하는 원인이다. 증상은 종종 거의 없으며 호흡 곤란, 현기증, 실신을 포함할 수 있다.

이 질병에 대하여 카누와 카약 운동 등 운동 스포츠는 금기 이다. HCM은 종종 심초음파 검사(EchoCG) 이상을 유발하며 EchoCG 로 진단 된다.

내분비 질환
Endocrine disease

제1형 당뇨병은 인슐린 의존성이며, 대개 젊은 사람들이 영향을 받는다. 적절한 인슐린 치료를 통해 많은 당뇨병 환자가 치열한 경쟁(올림픽 포함)에 참여할 수 있다. 그러나 패들러에게 혈당 조절은 매우 중요한데 그 이유는 저혈당증 및 고혈당증은 의식을 저해할 수 있기 때문이다.

호흡기 질환
Respiratory diseases

운동 유발성 천식(EIA)은 운동 인구에서 흔하다. 그러나 물 위에서 발생하는 EIA는 특히 EIA가 심각하거나 흡입기(inhaler)를 찾는 데 어려움을 겪는 경우(아래 참조) 패들러에게 균형 문제를 초래할 수 있다.

운동 유발성 천식
Exercise-induced asthma

운동 유발성 천식(EIA)은 격렬한 신체 활동으로 유발된 기침, 천명, 호흡곤란과 같은 천식 증상을 설명하기 위해 사용되는 용어이다.

운동 선수들에서 EIA 유병율이 높은 것으로 보고되었다. 활동 유형(지구력 유형 스포츠에서 유병율이 더 높음) 및 훈련 조건(동계 스포츠에서 유병율이 더 높음)이 천식의 유병률에 영향을 미친다. 하계 올림픽 선수들 중 약 10 %에서 EIA가 발병된다.

강도 높고 장기적으로 실시되는 지구력 훈련이 "기도 기능"뿐만 아니라 "기도 구조"에도 영향을 미칠 수 있다는 증거가 있다. 환경 노출, 기도에 대한 기계적 스트레스, 빈번한 호흡기 감염, 자율신경기능장애 등은 모두 EIA 발병에 기여한다. EIA는 기도 염증 및 구조 변화(기도 개형) 및 다양한 기도 폐색를 유발한다. 다행스럽게도, 이러한 변화는 훈련 중단 후에 부분적으로 되돌릴 수 있다. 카누 선수는 격렬한 운동을 하는 동안 폐환기(ventilation) 수준이 높기 때문에, 차가운 공기와 알레르기 유발 항원 및 오염 물질과 같은 대기 오염 물질에 대한 노출이 다른 스포츠 선수에 비해 증가한다.

운동 선수에서 천식의 최적 관리를 연구한 연구는 거의 없다. 현재, 카누 선수에서 천식은 현재 국내 및 국제 지침에 따라 관리되어야 한다고 권고되고 있다. 천식 관리의 목표는 증상을 최소화하고 폐기능을 최적화하는 것이며 이는 운동 선수가 아닌 사람들의 천식 관리 목표와 유사한다. 또한, 천식 관리의 목표는 스포츠 수행 능력 극대화에 유용할 것이며 특히 "천식 조절에 영향을 미칠 수 있고 확인 및 치료되어야 하는 상부 호흡기 감염(URI)" 등 운동 선수에서 흔히 발생하는 EIA 및 동반 질환을 예방하는 데 도움이 될 것이다.

운동 선수를 관리할 경우, 현재의 도핑 방지 규정을 특별히 고려하여 진단 및 약리학적 관리를 신중하게 수행해야 한다. 흡입한 천식 약물이 건강한 운동 선수의 운동 수행 능력의 향상시키지 않는다는 연구 결과에 근거하여, 도핑 규칙은 현재 이전에 비해 훨씬 덜 엄격하게 시행되고 있다.

천식 환자가 동료들과 동등한 수준으로 신체 활동에 참여할 수 있도록 EIA에 관한 지식을 습득하는 것이 매우 중요하다. 이러한 측면에서 최적의 후속 치료를 통한 정확한 조기 진단이 중요하다.

비약리학적 조치
Nonpharmacological measures

천식에 대한 교육은 천식 관리의 필수적인 구성 요소로 간주된다. 천식 조절 기준, 예방 조치, 악화 관리 등을 모니터링 하는 것은 선수가 습득한 "자기 관리 기술"의 일부이어야 한다.

카누 선수들의 경우, 훈련 환경에 존재하는 알레르기 유발 항원(알레르겐)에 대한 노출을 피하는 것은 쉽지 않지만 그러한 알레르겐을 반드시 확인해야 한다.

감정과 스트레스는 천식 증상을 악화시킬 수 있다. 그러나 적절한 천식 조절 조치는 천식의 영향을 감소시키는 데 유용할 수 있다. 운동 전에 강도가 낮은 운동(워밍업)을 실시 하면 약 2시간 동안 운동에 대한 "불응기(refractory period)"가 유도 될 수 있다. 가능한 경우, 선수들은 대기 질이 좋지 않거나 온도와 습도가 극히 높거나 낮은 상황에서는 훈련을 피해야 한다. 안면 마스크 등 기계적 차단(barrier)은 차가운 공기 또는 일부 오염 물질의 영향을 상쇄할 수 있지만 운동 중에는 요구되는 폐환기(ventilation) 수준이 증가하므로 용인되지 않는 경우가 많다.

약리학적 치료
Pharmacological treatment

카누 선수에서 천식 약물 요법은 개별화되어야 하며 주로 흡입식 코르티코스테로이드(ICHs)를 통한 염증 감소에 기초해야 한다. ICS는 몇 주 동안 정기적으로 사용되면 대부분의 환자에서 운동유발성 천식(EIA)을 줄일 수 있다. 속효성 베타-2 작용제는 간헐적인 증상 및 EIA 예방에 가장 많이 사용되는 "완화제" 약물이다. 그러나 운동 유도 기관지 수축(EIB)에 대한 보호(예방) 효능은 이러한 약제가 정기적으로 사용될 때 감소하기 때문에 이러한 효능의 손실을 최소화하기 위해 요구되는 최소 투여량 및 빈도로 사용해야 한다.

천식이 ICS 저용량으로 조절되지 않는 경우, 현재 지침은 그러한 조절을 개선하기 위해 지속형(long-acting) 베타-2 작용제(LABAs)가 처방되어야 하지만 루코트리엔(leukotriene) 길항제는 이러한 목적을 위한 부차적인 선택 사항이라고 제시한다. LABAs를 사용한 단독 요법은 천식 악화 및 심각한 천식 발생에 관련이 있기 때문에 허용해서는 안된이다. 경구용 코르티코스테로이드가 심한 천식 악화에 필요할 수 있지만, 사용을 위해서는 "치료 목적 사용의 면제(TUE)"가 요구될 수 있다. 모든 선수는 천식 치료제 사용에 대한 세계도핑방지기구(WADA)의 규정을 준수해야 한다. 흡입식 베타-2 작용제는 EIA를 위한 최상의 예방적 약물이며 운동 전에 사용하면(예: 10-15분) 운동 중에 기도 반응(airway response)을 완화할 수 있다.

교감 신경 활동에 관련된 의료 문제 및 격렬한 훈련에 대한 엘리트 선수의 적응
Medical problems associated with sympathetic nervous activity and adaptation to intense training in elite athletes

교감 신경계는 신체적 운동에 대한 몸의 적응을 위해 가장 중요하다(즉, 훈련 효과). 교감 신경계는 카테콜아민(아드레날린과 노르아드레날린)을 사용하여 작용한다. 혈액 속에 있는 아드레날린은 부신 수질의 교감 신경 자극에 기인하며, 이러한 분비를 통해 교감 신경의 작용을 유지한다. 이와는 대조적으로, 대부분의 혈장 노르아드레날린은 교감 신경 말단으로부터의 범람(overflow)에 기인한다.

모든 운동은 '자발적 운동 동원(voluntary motor recruitment)"을 요구하지만, 혈압, 심박출량 증가 및 골격근 혈류 분포뿐만 아니라 교감 신경계의 유출(outflow)로부터 피드백 또한 요구된다. 그러나 교감 신경계의 유출은 엘리트 지구력 운동 선수의 부적응 및 카테콜라민의 과도한 분비에 관련된 의학적 문제의 발생으로 이어질 수 있다.

신체적 훈련은 교감 신경계에 대한 적응을 유도한다. 엘리트 "지구력 운동 선수"에서는 24시간 평균 아드레날린과 노르아드레날린 농도가 훈련 받지 않은 피실험자에 비해 2배나 높지만, 일반적으로 지구력 훈련은 어떠한 절대적 운동량 수준에서는 혈장 아드레날린 농도를 감소시킨다.

그러나, 많은 비운동 자극에 대한 반응뿐만 아니라 동일한 상대적인 운동량 수준에서 비교할 때, 훈련된 "지구력 운동 선수"는 주로 앉아서 생활하는 사람들에 비해 카테콜라민 분비능(secretion capacity)이 더 높다. 카테콜아민 농도는 신체 운동 기간 보다는 운동 강도에 더 큰 영향을 받으며 교감 신경계는 지구력 훈련 보다는 고강도 운동 시에 더 많이 활성화된다. 카테콜아민 농도가 젖산 역치와 최대 산소 섭취량 (VO)을 초과하여 현저히 증가하는데, 이는 특히 골격근 구심성이 고강도 조절에 필수적인 역할을 하기 때문이다. 그러므로 연구에 따르면 기본 카테콜아민 농도는 5-10 배 증가할 수 있으며 때로는 운동 시에 VO_{2max}(최대 산소 섭취량)의 160 %까지 증가할 수 있다.

그러나 세계 정상급 지구력 운동 선수에서 카테콜아민 농도는 장거리(50 km) 크로스컨트리(cross-country) 스키 경기 후에도 동일하게 증가한 것으로 나타났다. 또한, 장기간의 지구력 운동은 운동 후에도 수 시간 동안 지속적인 교감 신경계 활성화를 유도할 수 있게 한다.

교감 신경 반응 자체에 대한 운동 훈련의 효과는 복잡하다. 그러나 지구력 훈련에 대한 한 가지 재미있는 효과는 심장의 교감 신경 활동에 대한 반응으로 심장변동성이 둔화되고 근수축성이 증가한다는 것이다. 또한, 이러한 심장변동성 활동의 둔화는 본질적으로 일정한 부하에서 '급성 장기(24 시간) 운동 테스트' 중에 나타날 수 있다. 심박동수 감소의 기본 메커니즘은 베타-수용체 하향 조절 및 탈감작화(무감각화)일 가능성이 가장 높다.

교감 신경계 유출 및 부신 내분비 능력은 세계 정상급 지구력 운동 선수의 운동 수행 능력에 대하여 '제한 요인'이 될 수 있다. 장기간의 운동에 관련하여 엘리트 내구 운동 선수의 과도한 운동, 감염 위험 증가 및 비정상적 심장 기능은 운동 부적응으로 인한 것으로 알려져 있다. 과도한 훈련 스트레스가 있는 동시에 회복이 불충분하게 이루어지면, 운동 수행 능력 저하와 부적응이 발생할 수 있다. "과도 훈련 증후군"으로 알려진 이 복잡한 상태는 지구력 운동 선수를 괴롭힐 수 있다. 과도 훈련 증후군이 탈진에 연관되어 있을 뿐만 아니라 기초 카테콜아민 분비가 50 % 이상 감소(하향 조절이나 불충분한 분비 및 교감 신경 유출이 있음을 의미함)하는 현상에 연관되어 있는 것으로 나타난 '통제적 연구'에서는 훈련 스트레스의 적응에 대한 교감 신경계의 중요성이 입증되었다.

또한, 점막 면역의 변화는 교감 신경계의 활성화에 관련성이 있다. 분비 면역 글로불린-A(IgA)의 생산은 상부 기도(URT) 병원체에 대한 "첫 방어선"이 형성될 수 있게 한다. 장시간의 운동 및 강도 높은 훈련은 IgA의 타액 분비를 감소시킬 수 있으며 타액 IgA의 감소는 URT 감염 위험 증가에 관련되어 있는 일치된 의견이 있다(Walsh 등, 2011). 이러한 면역 약화의 근간을 이루는 메커니즘은 교감 신경계의 활성화 및 관련 효과에 연관되어 있다.

신체 활동으로 인해 심장 손상이 발생할 수 있다는 의견은 20세기 말에 처음 제안되었다. 심장 손상에 대한 가장 가능성이 있는 메커니즘은 실제적인 구조적 변화를 포함하여 카테콜아민의 과다 분비인데, 이는 심장에 카테콜라민 관련 독성 영향을 줄 수 있으며 스트레스성 심근병증('타코츠보 심근증'이라고도 함)이나 고박출 심부전의 발생에 핵심적 역할을 하는 것으로 나타난다. 이러한 조건은 초지구력 운동 선수들 및 장거리 아이언맨(Iron-man) 철인 3종 경기를 마친 선수들에서 나타나는 것으로 설명되었다. 이러한 발견은 임상적으로 중요할 수 있는데, 그 이유는 수영 선수와 철인 3종 경기 선수에서 일부 경우 치명적일 수 있는 소위 '수영 폐부종'이 발병될 수 있기 때문이다. 그러나 일과성 폐부종 또한 엘리트 사이클리스트(cyclist) 등 다른 지구력 운동 선수들에서도 발견되었다(McKenzie 등, 2005). 그러므로 상기 폐부종이 일시적으로 발병하는 현상이라는 특성으로 인하여, 심장에 미치는 '카테콜라민 관련 영향'은 엘리트 지구력 운동 선수들에서 과소 진단되는 경우가 많을 것이다.

여성 패들러에 대한 특정 의료 문제 Specific medical problems for female paddlers

여성 엘리트 패들러는 남성 패들러와 동일한 의료 문제가 있다. 그러나 분명히 스트레스를 초래하는 몇 가지 추가적인 문제가 있다. 다른 지구력 스포츠에서처럼 세계 정상급 패들러에게 필요한 고된 훈련은 월경 장애와 무월경증을 초래할 수 있다(3장 참조). 여성 선수는 남성 선수에 비해 철분 섭취량은 더 적은 반면에 철분 손실량은 더 크므로, 여성 선수는 저색소성 빈혈 발병 위험이 높아져 운동 수행 능력이 저하 될 수 있다. 철분 결핍은 헤모글로빈 농도와 혈청 페리틴(체내 철분 저장량의 지표)에 의해 가장 쉽게 진단된다. 정기 검진이 권장된다. 그러나 철분 보충제는 철분 결핍 빈혈이 있는 사람에서는 운동 수행 능력을 향상시키지만 체내 철분 저장량이 정상적인 선수에서는 그렇지 않다는 것이 강조되어야 한다.

참가 전(前) 검사 Preparticipation screening

그러므로 카누 선수에 대한 '경기 대회전 검사'는 병력 설문지, 신체 검사 및 심전도 검사 등과 같은 생리적 검사로 구성되어야 한다. 가족력 및/또는 가슴 통증, 호흡 곤란, 현기증, 실신, 비정상적인 심전도 등 심혈관 증상이 있는 경우에는 ECG를 포함하여 건강 상태 평가를 확대적으로 실시해야 한다. 혈액 및 소변 검사는 헤모글로빈과 철분 상태를 확인하거나 의심되지 않은 질병을 감지하기 위한 목적으로 많은 국가에서 일상적으로 실행된다. 이러한 선수들의 근골격계 시스템에 특히 주의를 기울여야 한다. 운동 범위, 근력 및 근육 불균형을 파악하려면 상세한 병력 조사 및 어깨에 대한 신체 검사가 필요하다. 가능하다면, 어깨의 내회전근 및 외회전근의 강도를 객관적으로 측정해야 한다.

도핑(약물 사용) 방지 Anti-doping

올림픽 게임의 카누 및 카약 경기는 약 30초 - 4분까지 지속되는 반면, 세계 선수권 대회에서는 수 시간 동안 지속되는 마라톤 경주가 있다. 그러므로, 엘리트 패들러는 높은 유산소 및 무산소 능력과 높은 최대 출력을 필요로 한다. 이러한 능력을 강화하기 위한 도핑 에이전트(약물) 또는 약물 사용 방법은 패들링 운동 수행 능력을 향상시킬 수 있으며 일부 국가에서 패들러들은 이러한 물질 및 방법을 흔히 사용했다(Berendonk 1991). 이에 따라, 국제 카누 연맹(ICF)은 도핑에 대한 강력한 조치를 조기에 실행하고 엘리트 패들러에 대하여 포괄적인 '경기 후 테스트'를 시작했다. ICF는 처음부터 '세계 도핑 방지 기구(WADA)'의 이해 당사자였으며 오늘날 '세계 도핑 방지 규약(WADA Code)'의 규칙과 규정을 준수한다.

'세계 도핑 방지 규약'은 모든 국내 또는 국제 수준의 선수들에게 적용되며 이러한 선수들은 국가 도핑 방지 기구 또는 ICF에 의해 각각 규정된다. 선수가 단순히 레크리에이션 활동에 참여하는 경우, 국가 도핑 방지 기구는 세계 도핑 방지 규약의 적용 여부 및 적용 방법을 결정할 수 있는 재량권을 보유한다. 선수의 역할과 책임은 세계 도핑 방지 규약에 포함되어 있다. 세계 도핑 방지 기구는 특정 시기에 금지되는 물질 및 방법 목록을 유지한다. 자세한 정보는 WADA 웹사이트 (www.wada-ama.org)를 참조할 수 있다.

또한, ICF는 도핑 방지 사안에 관련하여 모든 카누 선수들과 팀 지원 인력을 교육함으로써 "스포츠 정신"을 보존하기 위해 "순수한 패들링 운동(Pure Paddling Performance)"이라는 도핑 방지 교육 프로그램을 시작했다.

이 프로그램을 완료한 선수는 건강 위험과 도핑 방지에 관련하여 자신의 권리와 의무에 대해 더 많이 깨닫게 될 것이다. "순수한 패들링 운동(Pure Paddling Performance)"은 테스트, TUE(치료 목적 사용 면제) 및 소재지(whereabouts) 등 다양한 주제에 관하여 대화형(인터랙티브) 비디오 및 질문으로 구성된 대화형 학습 경험을 제공한다. 현재, 이 프로그램은 5개 언어로 제공된다.

참고문헌

Baker, S. and Atha, J. (1981). Canoeist's disorientation following cold water immersion. *Br J Sports Med* 5: 111-115.

Berendonk, B. (1991). *Doping dokumente. Von der Forschung zum Betrug*. Berlin: Springer Verlag.

Del Giacco, S.R., Firinu, D., Bjermer, L., and Carlsen, K.H. (2015). Exercise and asthma: an overview. *Eur Clin Respir J* 2: 279-284.

Maron, B.J. and Pelliccia, A. (2006). The heart of trained athletes: cardiac remodeling and the risks of sports, including sudden death. Circulation 114: 1633-1644.

McKenzie, D.C., O'Hare, T.J., and Mayo, J. (2005). The effect of sustained heavy exercise on the development of pulmonary edema in trained male cyclists. *Respir Physiol Neurobiol* 145: 209-218.

Walsh, N.P., Gleeson, M., Shephard, R.J. et al. (2011). Position statement. Part one: immune function and exercise. *Exerc Immunol Rev* 17: 6-63.

제8장

카누 경기에서 발생되는 정형외과적 부상

서론

카누 분야는 지난 10년 간 급속히 확장되어온 평수 (또는 단거리), 슬라롬, 카누 항해, 해양 레이싱, 드래곤 보트, 마라톤, 카누 폴로, 자유형 및 스탠드 업 패들 보드 등 다양한 분야를 포함한다. 단거리와 슬라롬은 올림픽 프로그램에 포함되어 있다. 카누가 널리 보급되기는 했지만, 스포츠 부상에 관련하여 출판된 과학 연구의 수는 유감스럽게도 적다. 기존의 여러 연구에서 청소년, 성인 및 노인 스포츠맨으로 구성된 전문 운동 선수 및 자유 시간 운동 선수들의 데이터가 결합되었다.

연구의 대부분은 레크리에이션 경주와 경쟁적인 급류 경주를 포함한다. 이 분야에서 더 많은 부상과 위험(예를 들어, 보트 전복에 따른 저체온증)이 발생된다.

몇몇 연구들의 저자들은 신체 특정 부분의 장애, 즉 손목, 요추, 척추, 어깨 등의 장애를 분석하거나 하나의 분야에 대해서만 배타적으로 보고한다. 여러 학문 분야를 다루는 몇 가지 일반적인 연구가 있다. 그러나 엘리트 평수(flat water) 및 슬라롬 패들(slalom paddlers)에 관련된 사례들에 대하여 보고하고 자세한 후속 연구 내용을 수록한 자료집은 전혀 없다. 본문은 본인이 이 분야에서 획득한 경험을 요약했다. 필자는 '부상 발생률'이 관련성을 갖고 있다고 생각한다.

카누 및 카약의 일반적인 특성 General characteristics of canoeing and kayaking

카누와 카약은 주기적이고 상대적으로 낮은 강도로 실행되는 스포츠이다. 낮은 강도는 운동 선수가 20-25kpa 이하의 힘만을 생성한다는 것을 의미한다. 물은 부드러운 매체이다. 그러므로, 패들링 시작 시에는 그다지 높은 강도가 요구되지 않는다. 그러나 이 운동의 빈도와 속도는 높은 수준이다. 경쟁에서 이기려면 가능한 오랫동안 매우 높은 스트로크(stroke) 속도를 유지해야 한다. 패들링은 힘과 지구력 간의 섬세한 조화가 요구된다. 신체 접촉은 없으며 다리에 체중 부하가 걸리지 않는다. 그러나 카누의 이동 및 움직임은 매우 불안정한 위치에서 수행되어야 한다. 균형 문제는 바람, 바람에 의해 생성되는 파도 및 난기류로 인해 발생할 수 있다. 새로운 제조 기술로 인하여 카약과 카누의 불안정성은 증가되고 있다. 카약과 카누는 점점 더 좁아지고 있다. 다른 근육 그룹의 활동의 동시성은 안정성을 유지하기 위한 팔과 신체의 급작스런 움직임에 의해 방해 받을 수 있다. 이것은 몸통 근육 부상을 초래할 수 있다. 부드러운 매체인 물은 시작은 수월하게 하지만 신체의 지탱은 더 어렵게 한다. 카누는 야외 스포츠이다. 카누 경주는 매우 높은 온도에서 진행될 수 있으며 경쟁하는 선수들은 물에 반사된 직간접적인 햇빛에 노출된다. 열과 습도가 심한 장소에서 격렬하게 운동하는 선수는 수분과 전해질이 상당히 부족해질 수 있다. 이러한 전해질 불균형은 근육 수축력을 감소시킬 수 있으며 근육 부상의 부차적인 원인이다. 카약 선수 또한 환경 오염에 노출 될 수 있다. 이러한 환경이 의학적으로 미치는 영향에는 둔부 부위, 무릎 부위 및 손에 발생할 수 있는 몇몇 피부 감염(접촉성 피부염) 등이 있다. 카약 및 카누는 생리적 강도는 비슷하지만 운동 체계(locomotor system)의 물리적 준비 및 로딩(loading)에 대해서는 차이가 있다. 카약에는 대칭 운동이 요구된다: 무게 중심이 상대적으로 낮고, 척추가 주로 회전 운동에 의해 부하를 받으며, 부상은 매우 긴 지렛대로 인하여 어깨에서 자주 발생된다. 카누에서는 로딩(loading)이 비대칭적이다. 무릎 위치로 인해 무게 중심이 높아진다. 안정성을 보장하기 위해서는 몸통의 빈번하고 본능적인 움직임이 요구된다. 굴곡 및 신전(extension)은 척추에서 크다. 무릎 부상이 발생할 위험이 있다.

임상적 생체 역학
Clinical biomechanics

몸통, 어깨 부위, 골반, 무릎 관절의 움직임 및 부하를 분석한 우수한 연구가 있다.

카약 및 카누의 움직임은 일반적으로 설명된다.

카약 기술
Kayaking

카약 스트로크에서, 선수는 보트가 가속하고 물의 저항이 감소하기 때문에 "캐치"(패들이 물에 닿을 때) 시에 근육을 강하게 수축시켜야 한다. 이러한 움직임은 당기기(pulling)로 묘사된다. 그러나 선수가 패들을 당기는 도중에 패들의 날을 아래로 기울여 보트를 패들 근처로 이동시키려 함에 따라, 운동은 주로 몸통 근육에서 이루어진다. 당기는 단계가 길수록 운동은 더 효율적이다. 따라서, 선수는 전진하려 한다. 척추와 골반에서는 약간 구부러진 위치에서 연속적으로 진자(pendulum)처럼 움직이는 회전 운동이 있다. 패들의 날이 둔부에 도달하면, 선수는 당기는 쪽의 팔로 패들(다량의 물과 함께)을 들어 올린다. 그런 다음, 반대쪽에서 움직임의 대칭 단계가 시작된다. 패들의 날은 평평한 위치에 있지 않지만 거의 90° 회전되므로 선수는 날을 손목으로 비틀어야 한다. 손목이 당김(pulling) 단계에서 등쪽 또는 손바닥 쪽을 향해 움직이면 신근 또는 굴근 근육이 과도하게 긴장된다. 결과적으로, 상과염(epicondylitis) 또는 팔뚝의 힘줄윤활막염(tenosynovitis)이 발생될 수 있다.

카누 기술
Canoeing

카누의 스트로크 기술은 다르다. 사이클이 시작될 때, 선수의 무게 중심은 보트의 가장자리 옆에 있다. 선수는 패들의 날에 의지하고 코어 근육을 사용하여 자신의 몸과 보트를 패들 쪽으로 당긴다. 팔의 근육은 당겨지는 것처럼 보일지라도 안정성 확보를 돕는다. 패들을 물에 넣을 때, 선수는 약 40° 정도 앞으로 몸을 민다. 요추 전만(lumbar lordosis)이 증가하고 후만(kyphosis)이 감소하며 척추는 약 30°의 비틀린 상태에 있다. 선수는 몸을 날에 기댄다. 그러므로, 당기는 손의 측면에서, 등은 오목하다. 척추의 요추 부분에서 볼록한 척추측만(scoliosis)이 발생한다. 당기는 팔의 측면에서, 등 및 복근은 상단 손의 측면에 비해 더 큰 힘을 생성한다. 당기는 과정에서, 보트의 속도가 증가하면 근육의 긴장이 감소한다. 척추의 비틀림과 굴곡이 줄어들고 다른 쪽의 신체 근육의 긴장이 증가한다. 그러나 당기는 팔 쪽의 근육 우위는 동일하게 유지된다. 선수가 패들을 물 밖으로 들어 올리면, 선수의 몸통은 반대측으로 약 10° 비틀린다. 이 후, 패들을 다시 전방으로 밀어 내면 사이클이 반복된다. 대부분의 운동은 등근육 및 어깨 근육에 의해 이루어진다. 힘의 대부분은 회전하는 신체 근육에 의해 생성된다. 패들의 날이 편평하기 때문에, 패들을 물 밖으로 움직여도 물이 들어올려지지 않는다. 어깨 부위의 근육 로딩(loading)이 카약 선수에 비해 더 작다. 카누에는 방향타가 없기 때문에, 선수는 손목을 구부려서 양손으로 보트를 조종해야 한다.

카누는 스트로크 당 5-7 m의 거리를 커버 할 수 있다. 패들링 빈도는 분당 35-40 회이다. 선수는 연간 3,000 km 이상을 이동하므로 본문에서 설명된 운동을 연간 50만 회 이상 수행한다.

운동 수행 능력
Performance

전문 스포츠에서 운동 수행 능력의 꾸준한 향상은 카누에서 특히 인상적이다. 이러한 언급은 **표 8.1**에 제시되어 있다. 20년의 기간 동안 관찰된 운동 수행 능력의 향상은 올림픽 챔피언이 달성한 성과를 비교함으로써 측정되었다. 육상 경기 및 수영 경기는 지속 시간(duration)이 비슷하고 생리적 요구가 상호 비교할만하므로 벤치 마크로 선정되었다. 조사 기간을 선행한 20년의 기간 동안 발생되었던 결과 변화가 기록되었다. 모든 비교는 카약의 발전을 가장 역동적으로 보여주는데(**표 8.1**), 생체 역학적 측면이 개선되었고 신체 훈련 적응이 향상되었다는 것이 그 부분적인 이유이다. 새로운 유형의 패들과 보트 제작 기준이 도입되었던 1984년부터 2004년까지의 기간에 가장 중요한 장비적 변화가 있었지만, 장비 개발 또한 중요한 역할을 했다.

이러한 기술적 변화는 운동 장애 발병률의 변화를 가져왔다. 물속에 "달라 붙는" 새로운 날개형 패들은 팔 근육과 어깨 주변의 근육에 훨씬 많은 긴장(strain)을 초래하고 변형을 가져온다. 적응 기간에는 근육, 힘줄 및 관절 부상의 수가 크게 증가했다. 이후, 근육계의 적응에 따라 부상의 수는 이전 수준으로 감소했다. 보트의 좁은 구조로 인하여, 몸통 근육의 부상은 더 자주 발생하는데 그 이유는 몸통 근육이 균형과 안정성을 유지하려는 과정에서 과부하 되는 경향이 있기 때문이다.

헝가리 국가 대표팀 자료
Hungarian national team data

연구의 저자는 카누 마라톤 (35-38 km)뿐만 아니라 200 m, 500 m, 1,000 m 거리의 올림픽 평수(flatwater) 보트에서 발생한 부상을 분석했다. 올림픽 평수(flatwater) 팀은 약 35-40명의 팀원으로 구성되었으며, 청소년 팀은 45-50명의 팀원으로 구성되었다. 마라톤 국가 대표팀은 약 절반 정도의 규모였다. 이러한 팀원 수는 변경 될 수 있었지만 총 인원수는 평균적으로 연간 120-140명이었다. 그러므로, 약 130명의 선수들이 겪은 부상과 손상을 매년 분석했다. 분석에는 1981년부터 2001년에 이르는 20년 기간이 포함되었다. 평균 훈련 시간은 일일 4.5시간이었다. 훈련 빈도는 일주일에 5-6회(선수의 연령, 분야 및 준비 사이클[주기]에 따라 다름)였다. 선수들은 연간 약 45주를 훈련했고 훈련 누계 시간은 약 1,000시간에 달했다. 20년의 기간 동안, 250만 시간을 초과하는 훈련 프로그램에 대하여 분석을 실시했다. 부상은 훈련 또는 경쟁 중에 발생한 것으로 정의되었으므로 정규 훈련 일수에서 최소한 1일이 제외되었다. 부상은 7914 건이 있었다.

표 8.1 1964-1984 및 1984-2004 기간에 있었던 올림픽 챔피언 성과의 변화

	1964년 결과(초)	1984년 결과(초)	1964년 결과 에 비교한 개선(%)	2004년 결과 (초)	1984년 결과에 비교한 개선(%)
W K1 500 m	133	118	11.3	108	8.5
W 200 m 자유형 수영	131a	119	9.2	118	0.8
M K1 1,000 m	237	225	5.1	205	8.9
M K4 1,000 m	194	182	6.2	177	2.8
M 1500 m 달리기	218	212	2.8	214	-0.94
M C1 1,000 m	275	246	10.6	226	8.1
W 400 m 자유형 수영	252	231	8.3	223	3.5

a 196년 데이터; 1964년에는 경쟁이 없었음.
1: 싱글, 4: 4인; C: 카누, K; 카약, M: 남성, W: 여성

부상 발생율
Injury rates

부상에 대한 후향적 연구에서, 노출 시간별 부상 발생율은 1000시간당 3.17 건의 부상이 발생하는 것으로 나타났다. 카약 및 카누는 부상 위험이 낮은 스포츠이다. 대부분의 부상은 경미하며 예방 가능하다. 모든 것을 고려하면, 카약과 카누는 안전한 스포츠이다. 대부분의 부상(7,423건 또는 93.8 %)은 훈련 중에 발생했다. 부상은 여성과 남성간에 균등하게 분포했다. 시즌 전(前) 및 경쟁 시즌이 종료된 후에는 "과다 사용 부상(반복적인 움직임으로 인한 부상)"이 가장 많았다.

카누는 주기적이고 비접촉인 스포츠이다. 따라서 급성 또는 외상성 상처는 비교적 드물게 발생한다. 그 중 대다수는 부하, 달리기, 크로스 컨트리 스키, 사이클링(cycling) 등과 같은 육지 훈련 중에 발생한다. "과다 사용 부상"은 매우 흔한데, 이는 모든 훈련 시즌 동안 동일한 관절 위치에서 편심적 및 주기적 로딩(loading)이 수천 번 반복적으로 반복되기 때문이다. 장기간 동안 발생되는 이러한 높은 수준의 로딩으로 인하여 일련의 미세 외상이 발생하고 그러한 결과가 축적되면 "과다 사용 부상"이 발생한다. 문헌과 비교하여, 카누에서 부상이 발생할 확률은 상대적으로 낮다. 이러한 부상 확률은 다른 스포츠와 비교하면 매우 낮은 수준이다(표 8.2).

표 8.2 다양한 스포츠에서의 부상 발생률
(1000시간당 발생 건수)

축구(여성)	Engström	15.5
축구(남성)	Junge	8.5
아이스하키	Lorentzon	39.9
오리엔티어링(orienteeringL 지도와 나침반만 가지고 정해진 길을 걸어서 찾아가는 스포츠)	Johansson	3.0
카약 및 카누	Present source	3.2

부상 발생
Incidence of injuries

부상은 다음과 같이 세 가지 범주로 분류되었다: 3일 미만의 훈련 중단을 초래하는 "경미한 부상", 4-10일의 훈련 중단을 초래하는 "보통 수준의 부상" 및 11일 이상의 훈련 중단을 초래하는 "심각한 부상". 압도적인 대다수의 부상은 경미한 부상이다(표 8.3). 육지 훈련하는 동안 심각한 부상은 8:1의 비율로 발생한다. 최상급 선수들은 동기 부여가 높았으며 경쟁은 매우 치열하다. 국가 대표팀의 일원이 되는 것은 재정적인 문제가 되기도 한다. 그러므로,

선수는 자신의 고통을 과장하는 데에는 관심이 없다.

여성과 남성의 부상 발생률을 비교할 때 유의한 차이는 없었다. 마찬가지로, 올림픽 대회에서 경주하는 선수들과 마라톤 대회에서 경주하는 선수들 사이에는 부상 발생률에 차이점이 없었다.

올림픽 대회는 예외적인데, 그 이유는 올림픽에서 경쟁한다는 사실로 의욕이 고취된 선수들에서 "과다 사용 부상"이 더 많이 발생하기 때문이다. 이 모든 것과 상반되게도, 성인과 청소년 선수 간 뿐만 아니라 카약 선수와 카누 선수 간에는 차이가 있었다. 여성들은 상대적으로 짧은 시간 동안 카누를 타기 때문에, 여성의 부상률에 대해서는 결론을 내릴 수 없다(**표 8.4**). 부상에 대한 카누 선수들의 높은 취약성은 그들의 움직임 특성과 비대칭성으로 설명 될 수 있다. 부상에 대한 청소년 선수들의 취약성이 높은 이유는 청소년 선수들이 자기 통제가 부족하고 코치들의 경험이 적기 때문일 수 있다.

표 8.3 카약, 카누 및 육지 훈련 중 부상 발생률

	%	카약 및 카누	육지 훈련
경미 (1-3 일)	82	1	1
보통 (4-10 일)	11	1	3
심각 (≥11 일)	7	1	8

표 8.4 부상의 비율

비교 그룹	부상률
카약: 여성 vs. 남성	1:0.98
평수 vs. 마라톤	1:0.96
남성 카누 vs 남성 카약	1:1.22
성인 선수 vs 청소년 선수	1:1.27

일반적인 정형외과적 부상
Common orthopedic injuries

몸통: 근육
Trunk: muscles

신체의 다른 부위와 마찬가지로, 몸통 근육에서 염좌 및 부분적인 파열이 발생할 수 있다. 이러한 부상은 패들링 및 보충 훈련 중에 발생할 수 있다. 필자의 경험에 따르면, 주로 영향을 받는 부위는 배측최장근, 승모근 및 광배근이다. 이러한 부상은 특히 보충훈련(역도 - 웨이트리프팅) 및 악천후(돌풍, 거친 물)에서 발생한다.

몸통: 척추
Trunk: spine

필자의 경험에 비추면, 요추부 척추 질환은 카누 선수들에게서 매우 흔하다. 본인의 공저자와 본인은 1987년 헝가리 스포츠 의학 리뷰에서 카누 선수들의 이러한 질환에 대해 보고했다. 총칭적인 용어인 "카누 선수 척추 증후군"은 당기는 손 쪽에 있는 요추부의 볼록한 척추측만증, 요천추각(lumbosacral angle) 및 요추부의 전만의 증가, 등 추간판의 척추증(spondylosis), 후관절증(Baastrup 증후군)을 포함한다.

카누 선수에서 자주 발생하는 척추증(spondylosis)을 파악하는 것은 매우 중요하다. 1986년, 우리는 이러한 척추증의 발생률을 조사했다. "A"는 1950년대 및 1960년대에 활동한 국가 대표 카누 선수를 의미하며, "B"는 1986년에 활동한 국가 대표 카누 선수를 의미한다. 1986년의 청소년 팀 구성원은 "C"(**표 8.5**)로 표시되었다. 패들링을 시작한 평균 연령은 낮아졌으며 경력도 더 길어졌다. 경력이 최고조에 달했을 때, "B" 그룹의 구성원은 "A" 그룹 구성원의 전체 경력에 비해 더 오래 동안 패들링 활동을 이어나갔다. 유럽 인구에서 척추증 발병률은 4-6 %이다. 카누 선수의 경우 척추증 발병률은 몇 배 더 높다. 척추증 발병률은 "B" 그룹에서 50 % 였고 청소년 그룹 "C" 에서는 30 %를 초과했다. 20년 동안 실행된 연구에서, 2명의 카약 선수(소녀 1 및 소년 1명)에서 척추 디스크 이탈(slipped disc)이 발생했다. 그 소녀는 절제술 후

에 회복하여 마라톤 세계 선수권 대회의 더블 카약에서 금메달을 획득했다.

표 8.5 카누 선수의 척추 부상: 경력 시작 일 및 지속 기간

	A	B	C
부상 건수	14	18	16
패들링을 시작하는 평균 연령(세)	15	12.1	11.9
패들링을 지속하는 평균 기간(년)	14.4	15.9	6.9
척추측만증 (발생 횟수)	8	13	12
척추측만증의 평균 각도	4	8	7
척추분리증(발생 횟수)	2	9	5

상지: 어깨
Upper limb: shoulder

회전근개(rotator cuff) 부상 및 충돌 증후군은 카누에서 자주 발생하는 "과다 사용 부상"이다. 이러한 어깨 부상은 종종 보수적으로 관리되지만, 수술이 요구되면 목표는 "견봉하 공간(subacromial space)"을 확대하는 것이다. 그러한 목표는 견봉(acromion)과 견봉하 낭(subacromial burse)을 부분적으로 제거함으로써 달성된다. 회전근개가 찢어지면 수술적 복구가 요구된다(**그림 8.1**). 어깨 아탈구(subluxation) 및 이탈은 단거리 경주 중에 발생하지 않는 것은 아니지만 슬라롬에서 더 자주 발생한다.

어깨 탈구의 통상적인 치료법은 재치환술 후에 손상된 견봉 및 기타 구조를 수술적으로 재건하는 것이며 점진적인 재활 치료가 수반된다(**그림 8.2** 및 **8.3**). 대흉근(m. pectoralis major) 부상 또한 잘 알려져 있다. 이것은 근력 훈련 시에 발생한다. 이러한 경우, 찢어진 힘줄은 수술적 재건이 필요하다. 장기간의 재활이 필요하지만 경쟁적인 카누 스포츠를 다시 하는 것이 가능하다(**그림 8.4**).

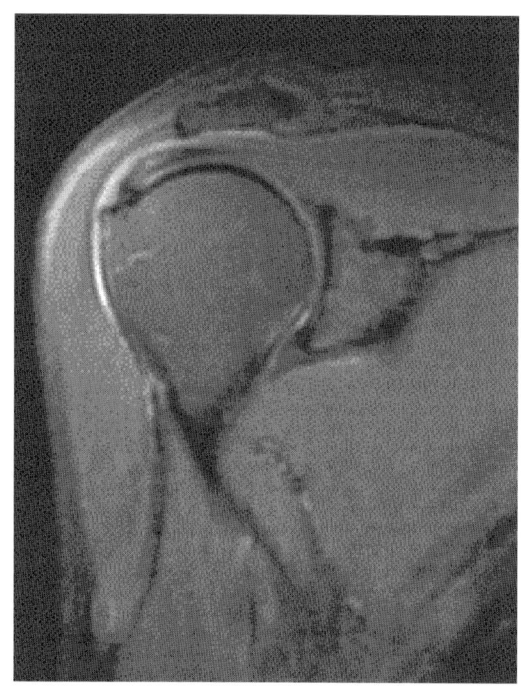

그림 8.1 어깨 극상근 건병증 (Supraspinatus Tendinopathy).

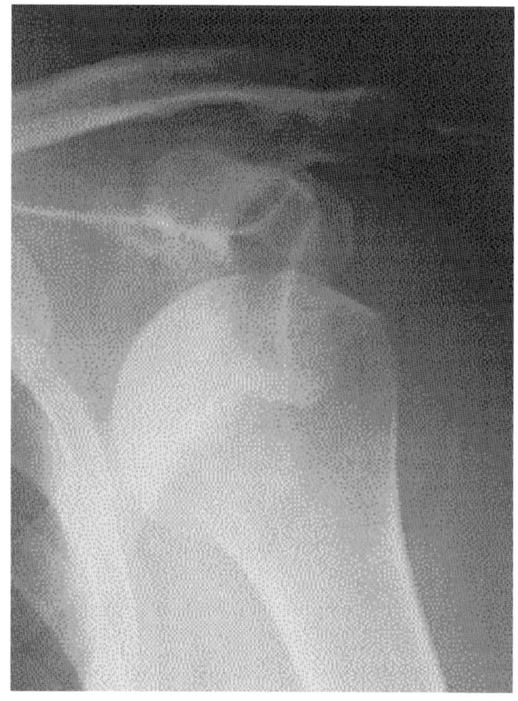

그림 8.2 어깨 전방 탈구

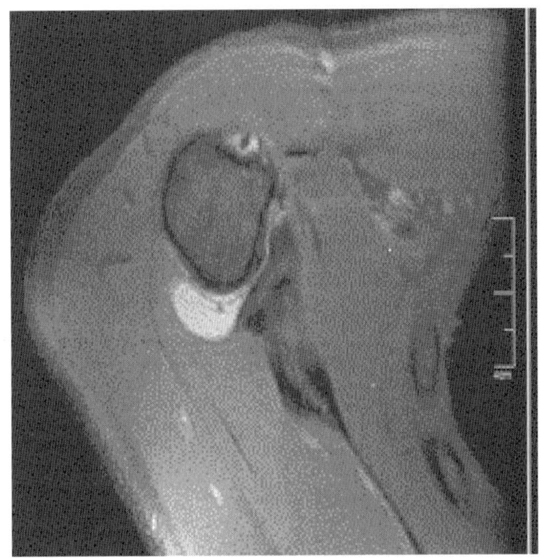

그림 8.3 이중 관절와 관절순 (glenoid labrum) 파열

상지: 팔뚝, 손목, 손
Upper limb: forearm, wrist, and hand

주요 만성적인 문제 중 하나는 손목 신근 건염(tendinitis)이다. 생체역학 분석에 의하면 패들링은 당기고 있는 손의 힘을 필요로 한다. 카누와 카약 조종에서 그리핑(gripping) 시에는 팔뚝 또한 일을 한다. 결과적으로, 팔뚝과 손목에 부상이 발생할 수 있다. 패들링 동작 자체, 과다한 그리핑(gripping) 및 조종으로 인해 과다하게 사용된 힘줄에 국소압통(local tenderness), 뼈마찰음(crepitus) 및 부종이 발생한다. 몸의 회전과 어깨 근육에 의해 생성된 힘은 팔뚝에 의해 패들의 날로 전달된다. 일부 국가에서는, 비패들링 기간(패들링을 하지 않는 기간)이 끝난 후 환경 조건에 따라 다시 패들링을 시작하는 시기인 2월과 4월 사이에 이러한 부상이 자주 발생한다. 이러한 문제는 마라톤 경주 패들러 보다는 청소년 올림픽 경주 팀원에서 가장 많이 발생한다. 젊은 선수의 경우, 팔뚝 근육과 힘줄의 적응이 더 느리게 이루어지며 패들링 기술 수준은 더 낮고 코치의 경험은 많지 않다. 실내 패들링 수조(paddling tank) 또는 기계식 또는 고무 로프(rope) 시뮬레이터로 훈련하는 것은 일반적인 훈련에 적합하지만 실제적인 균형 유지 및 적절한 기술에 대한 훈련으로는 적합하지 않다. 이러한 선수들에서는 드 퀘르벵 건초염(De Quervain tenosynovitis)와 손목 수근관 증후군(carpal tunnel syndrome)이 보고되어왔다. 겨울 시즌 종료 후, 패들 시즌이 시작되면 손의 굴곡근 힘줄의 염증과 중수수지(中手手指, metacarpophalangeal) 및 지절간관절(指節間關節, interphalangeal joint)에서 결절종(ganglion)이 진행된다. 패들링을 하지 않고 오랫동안 휴식한 후에는 물집이 생길 수 있는데 감염 예방이 중요하다. 엄지의 바닥에 있는 굳은 살(패들 축에 의해 발생된 각질 피부)은 패들에 영향을 미치지 않지만 또 다른 특징적인 현상이다(**그림 8.5**).

(a)

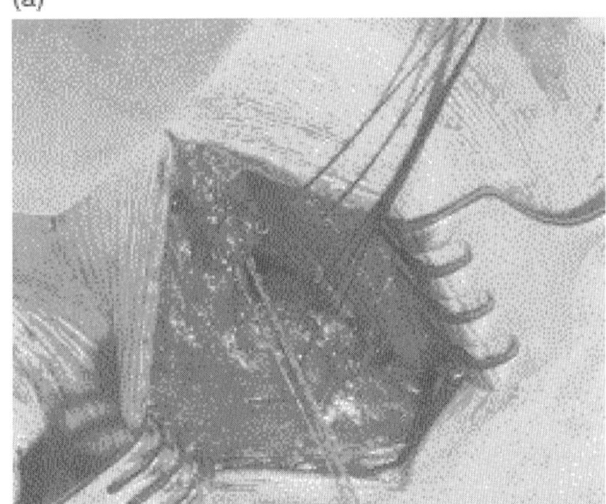

(b)

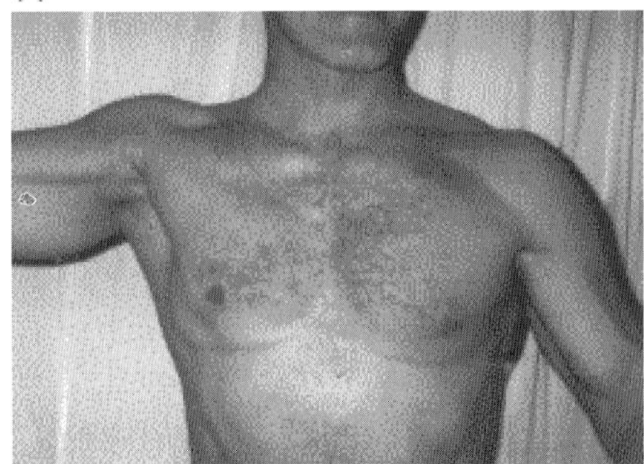

그림 8.4 (a,b) 대흉근 파열

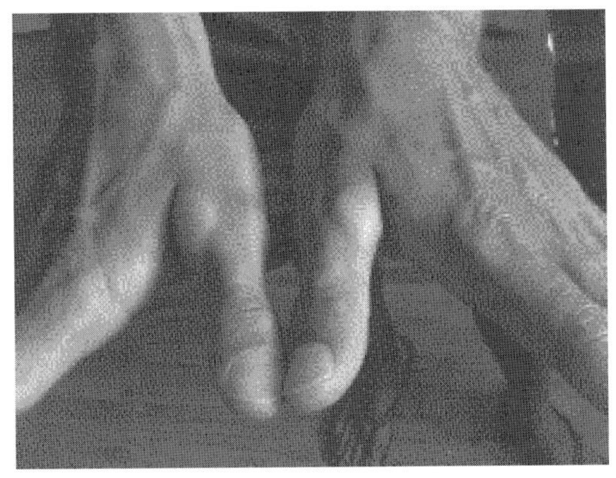

그림 8.5 손에 형성된 굳은살

하지: 골반
Lower limb: pelvis

좌골 점액낭염(Ischial bursitis)은 뒤넙다리근 햄스트링의 부착부 건염(insertional tendonitis)과 구별하기가 어렵다. 통증은 좌골 결절(ischial tuberosity) 부위에서 국소적으로 발생하며 딱딱한 카약 시트의 압력에 의해 유발된다. 치료는 보존적으로 이루어지며 때로는 부신겉질 스테로이드 주사가 필요하다. 대퇴골 관골구 부딛힘 증후군(FAI)은 최근 카누 선수들 사이에서 흔히 발생되고 있다. FAI는 일반적으로 핀서(pincer), 캠(cam) 및 혼합의 세 가지 형태로 발생한다. 핀서(pincer) 형태는 관골구가 대퇴골두(femoral head)의 표면을 너무 많이 덮고 있는 상황을 묘사한다. 과다범위(over-coverage)는 일반적으로 관골구의 앞면 상단 부분을 따라 발생하며 연골관절순이 전대퇴골두-목 접합부와 관골구 테두리 사이에 끼어 있게 되는 결과를 초래한다. 핀서(pincer) 형태는 대부분 후퇴, 관골구 회전, 심부(深部), 과도하게 깊은 소켓(socket) 또는 볼(ball)이 골반 안으로 확장되는 상황 등에 부차적으로 발생된다. 캠(cam) 형태는 대퇴골두와 목 사이의 관계가 완벽하게 둥글 수 없음(즉, 비구면)을 보여준다. 둥근 형태가 없기 때문에 머리와 관골구 사이에서 비정상적인 접촉이 발생된다. 캠과 핀서 형태는 함께 존재할 수 있는데, 이러한 공존을 혼합 충돌(mixed impingement)이라고 부른다. 연골 손상, 조기 고관절 관절염, 관절와순 파열(labral tear), 고관절 과민증, 견갑골극하 충돌(subspinous impingement), 운동 탈장, 좌골대퇴 충돌 및 요통 등 이러한 모든 진단에는 관골구 부딛힘 증후군(FAI)이 동반 될 수 있으며, FAI는 숨어 있을 수 있다(**그림 8.6**).

하지: 무릎
Lower limb: knee

슬전낭염은 카누 선수의 무릎 아래쪽에서 자주 발생한다. 이 문제가 재발하는 경우에는 배액(drain) 해야 한다(드문 경우, 절제해야 한다). 또한, 슬개대퇴 통증과 연골연화증도 카누 선수에서 발생한다(**그림 8.7**).

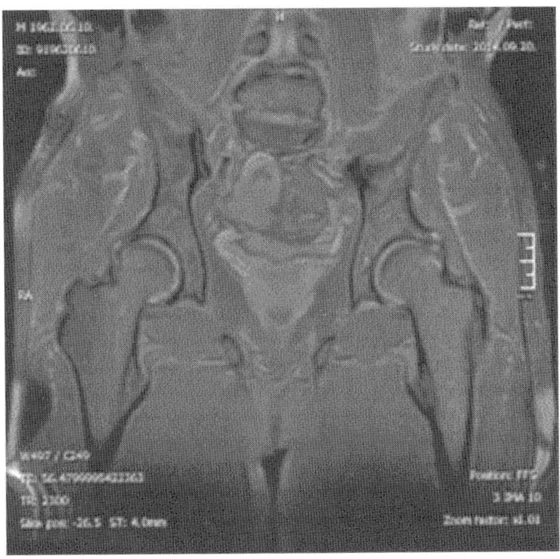

그림 8.6 대퇴비구 충돌
(Femoroacetabular Impingement)

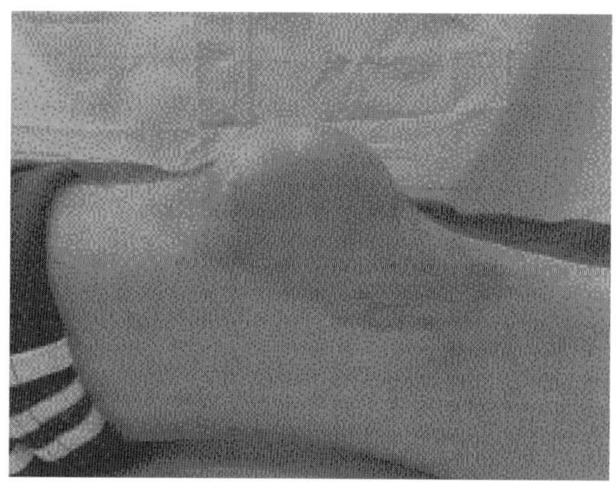

그림 8.7 무릎앞윤활낭염(슬전낭염)

하지: 발목과 발
Lower limb: ankle and foot

카약과 카누에서 하지(발목과 발)에는 부하가 빈번하게 걸리지 않는다. 그러므로, 부상은 카약 선수의 발 뒤꿈치 굳은 살을 제외하고는 보충 훈련 중에만 발생한다(엄지 손가락 하단의 장애와 유사함).

예방 및 치료
Prevention and therapy

카약 및 카누에서 가장 흔한 근육 및 관절 부상은 예방 가능하다. 카약 선수 및 카누 선수의 "과다 사용 부상"을 포함한 부상의 예방 및 치료는 다른 스포츠 부문에서 선수가 겪는 유사한 부상에 대한 예방 및 치료와 다르지 않다. 스트레칭은 일상적으로 사용되고 있기 때문에, 경미한 근육 부상의 발생률은 25 % 감소했으며 중등도의 근육 부상의 발생률은 10 % 감소했다.

우선, 초보자의 경우 척추 부상을 예방하기 위해 적성 검사가 불가피하다는 것을 강조하는 것이 중요하다. 작은 기술(또는 작지는 않은 기술)에 주의를 기울인다면, 카약과 카누에 관련된 많은 부상을 예방할 수 있다. 패들링 기술은 예를 들어 정확한 무릎 꿇기(kneeling) 위치를 포함한다.

이는 카누 선수의 발과 다른 무릎 사이의 적절한 거리 선택을 의미한다. 교육과 재교육(많은 국가들에서는 기후로 인하여 일년 내내 패들링을 하는 것이 가능하지 않음)은 코치가 수행해야 하는 일이다. 우선 초보자를 위한 패들의 길이와 날(블레이드)의 폭을 선택하고 나중에 선수의 근력이 강해지면 이러한 매개변수를 변경하는 것은 코치의 임무이다.

훈련 전후의 마사지, 특정 근육의 운동전 스트레칭, 육상 및 수상에서의 워밍업은 매우 중요하다. 불행하게도, 최상급 선수들 조차도 그러한 워밍업을 소홀히하는 경향이 있다.

일년 내내 훈련 프로그램의 중요한 부분인 부하(웨이트리프팅: weight-lifting)는 많은 부상을 초래한다. 부하 훈련에서는 최적의 중량, 반복 횟수 및 휴식 시간을 올바르게 선택해야 한다. 이것은 코치의 책임이다. 그러나 선수들은 종종 무리하게 운동하는데, 이는 무엇보다도 모든 근육에 부상을 초래할 수 있다. 치료 방법에는 휴식 및 훈련 방법 변경(유산소 훈련을 위한 수영 및 자전거 타기), 비스테로이드계 항염증제, 근육 이완제, 물리 요법(초음파, 열, 이온 도입법, 자기장 및 충격파 요법), 급성 손상에 대한 얼음 찜질, 심각한 전완 건염(forearm tendinitis) 발생 부위의 고정 등이 있다. 패들링 기술, 장비 선택 및 관련 주제에 대하여 코치와 논의하는 것이 도움이 되는 경우가 많다. 예를 들어, 패들이 너무 길면 근육에 의해 생성된 힘이 매우 긴 레버(lever)에 전달되어 팔뚝의 건병증(tendinopathy), insertiopathies, 건활막염(tenosynovitis) 등 "과다 사용 부상"이 초래될 수 있다. 좋은 장비와 적절한 패들링 기술은 매우 중요하다. 초보자, 청소년 및 마스터 운동 선수를 대상으로 하는 대회전 검사 및 적성 검사는 의학적으로 중요하다.

참고문헌

Chong-hoon, L. and Ki-jeong, N. (2012). Analysis of the kayak forward stroke according to skill level and knee flexion angle. *Int J BioSci BioTech* 4 (4): 41-48.

Dobos, J., Csépai, D., and Moldvai, I. (2005). Acute and overuse injuries in elite kayakers and canoeists. *Hung Rev Sports Med* 46: 199-211.

Dobos, J., Massányi, L., Somogyvári, K., and Csépai, D. (1987). Analysis of low back deformations of elite canoeists. *Hung Rev Sports Med* 28 (3-4): 227-232.

Dobos, J. and Pavlik, A. (2011). Locomotor anamnesis of the Hungarian Olympic team of Beijing. *Hung Rev Sports Med* 22 (4): 129-144.

Du Toit, P., Sole, G., Bowerbank, P., and Noakes, T.D. (1999). Incidence and causes of tenosynovitis of the wrist extensors in long distance paddle canoeists. *Br J Sports Med* 33: 105-109.

Fiore, D.C. and Houston, J.D. (2001). Injuries in whitewater kayaking. *Br J Sports Med* 35: 235-241.

Kameyama, O., Shibano, K., Kawakita, H. et al. (1999). Medical check of competitive canoeists. *J Orthop Sci (Japan)* 4 (4): 243-249.

Kizer, K. (1987). Medical aspects of white-water kayaking. *Phys Sportsmed* 15: 128-137.

Walsh, M. (1985). Preventing injury in competitive canoeists. *Phys Sportsmed* 13 (9): 120-129.

제9장
파라카누

개요 및 역사

장애가 있는 패들러는 카누 스포츠에서 전례 없는 부류의 선수들이 아니다. 카누, 특히 카약이 다리에 장애가 있는 사람들에게 적합하다는 것은 오랫동안 잘 알려졌다. 그 이유는 카누 및 카약이 앉아서 하는 스포츠라는 명백한 사실 때문이다. 20세기 중반 프랑스에서 촬영된 역사적인 사진은 그러한 사실을 증명한다(**그림 9.1** 및 **그림 9.2**). 수년 동안 전 세계의 많은 클럽에는 레크리에이션 목적으로 노를 젓는 개인적인 구성원들이 있었다. 경쟁을 유발 한 활동은 거의 없다. 주목할만하게도, 영국 카누 유니언(현재 영국 카누 협회)은 장애가 있는 사람들을 지역 및 전국 카약에 대회에 수년간 출전시켰다. 그들은 과거에도 현재에도 여전히 시간대(time- band) 방법을 따르고 있다. 이는 패들러가 시간대 내에서 운동을 수행하도록 허용하는 것이다. . 이것은 모든 등급의 장애인들이 함께 경쟁할 수 있는 장점을 가지고 있다. 단 하나의 뚜렷한 차이점은 경쟁이 물 위에서 펼쳐진다는 것이다. 이는 매우 포괄적인 접근법이다. 단점은 실제적인 능력에 관계없이 특정 시간대에 머무르기 위해 운동 능력이 조작될 가능성이 있다는 것이다. 마찬가지로, "카누카약"의 프랑스 연맹은 프랑스 사회의 통합 수단으로 스포츠를 활용한다는 사회적 의제의 일환으로 많은 클럽에서 "핸디 카약" 레크리에이션 카약을 적극적으로 홍보했다. 21 세기의 첫 10년 동안, 이태리 및 캐나다 "카누카약" 연맹은 클럽 및 대회에서 장애인의 참여를 확대하기 위해 노력했다. "파라카누"는 국제 카누 연맹(ICF)의 최근 프로젝트이다. 2004-2008년, ICF는 관심 수준을 파악하기 위해 회원 연맹에 설문지를 배포했다. 2008년 3월, 캐나다 카누카약 협회는 몬트리올에서 장애인을 위한 국제 컨퍼런스를 개최했다. 이 국제 컨퍼런스는 ICF에 의해 승인되었으며 브라질, 프랑스, 헝가리, 이탈리아, 미국 및 캐나다는 공식 대표단을 파견했다. 비공식 대표단은 영국과 뉴질랜드에서 파견되었다. 국제 바아(va'a) 협회(IVF) 적응 패들 프로그램의 대표도 참석했다. 이 조직은 2004년부터 격년으로 열리는 세계 선수권 대회에서 적응형 패들에 대한 경주를 포함 시켰다. 컨퍼런스는 다음의 원칙과 목표를 강조한 최종 보고서와 함께 폐막되었다.

원칙
Principles

- ICF PaddleALL/PaddleAbility 프로그램은 지적 장애와 신체 장애를 모두 다룬다.
- 이 컨퍼런스 개최의 촉매제는 장애인 올림픽 게임이었지만, PaddleALL 운동은 신체적 또는 지적 장애 여부에 상관없이 모든 장애인의 요구를 다루어야 한다.
- 세계 보건기구(WHO) 의정서 및 국제 장애인 올림픽

위원회(IPC) 분류 코드에 일치하는 기능적이고 긍정적인 접근

- 전체 프로그램은 장애인을 위한 스포츠 및 활동에 대한 WHO 표준을 반영해야 한다.
- 성 평등 프로그램
- 이 컨퍼런스는 ICF를 위한 새로운 이니셔티브 및 프로그램이므로, 처음부터 "성 균형(gender balance)"이 이루어져야 한다.
- 피라미드 기저에 PaddleALL 스포츠 개발을 위한 강력한 기반 구축
- 프로그램이 장기적으로 지속가능하려면 카누/카약 클럽, 지역 및 국가에서 기존 장비의 능숙한 사용 촉진, 코칭(coaching) 지도력 향상, 인지도 강화하는 등 강력한 기반을 구축해야 한다.
- 기존 대회 및 기관들과의 협력
- 장애인을 위한 스포츠를 홍보하는 기존 대회 및 많은 기관들과 협력적 관계(파트너십)를 발전시켜야 한다.
- 기존 카누/카약 장비를 사용하여 장애인을 위한 기회를 제공을 촉진한다.
- 카누/카약 클럽이 현재 보유하고 있거나 쉽게 획득 가능한 기존의 안정적인 보트를 사용하거나 다른 유형의 패들(예: 초보자, 마스터 등)들이 사용할 수 있는 보트를 사용한다면 국가 프로그램의 신속한 확장이 수월해 질 것이다.
- 카누/카약은 이러한 원리의 실현을 가능하게 하는 많은 보트 유형을 포괄한다.
- 코칭 및 자원 기술의 국제적인 공유. 지식의 전달
- 프로그램을 신속하게 구축하려면, 모든 국가들이 경험과 자원을 공유해야 한다. 정보를 공개적으로 공유해야 할 필요성이 있다.
- PaddleALL은 포괄적이어야 한다.
- 모든 보트 유형은 기술적인 기회를 제공하므로, 모든 패들 스포츠는 PaddleALL에 관여해야 한다(평수[flatwater] 카누와 카약, 슬라롬, 드래곤 보트, 아웃트리거 등).

통일되고 조정된 전세계적인 접근법이 가장 광범위하게 성공적일 것이다.

그림 9.1 좌측 상지 보형물을 장착한 싱글 카누(C1) 패들러를 초장기에 촬영한 사진

그림 9.2 패들에 부착된 상지 카누 보형물

목표(국제장애인올림픽위원회에 대한 목표) Goals (for the International Paralympic Committee)

- 2012 장애인 올림픽 카누/카약 경주를 포함시킴
- 이 목표는 그 당시 가장 중요한 목표였다. IPC는 최소 기준에 부합하는 신뢰할만한 신청에 대하여 충분한 기간 내에 조율이 이루어진다면 2012년 여름 장애인 올림픽을 위한 시범 스포츠로서 카누/카약 등의 스포츠를 고려할 것이라는 논의가 있었다. 카누/카약이 2012 장애인 올림픽에 포함 됨에 따른 엄청난 이점을 고려하여, 이 컨퍼런스는 이 목표를 최우선 과제로 지원했다.
- ICF는 카누와 카약에 대한 관리 기구이기 때문에, 이 컨퍼런스는 카누와 카약 경기를 모두를 포함시켜야 한다는 목표를 승인했다.
- 성 균형
- PaddleALL은 사실상 완전히 새로운 ICF 프로그램을 시작하려는 이니셔티브 이다. 국제 올림픽위원회(IOC)는 스포츠에서 성 균형을 달성하기 위해 모든 스포츠에 대한 명확한 국제적 방향을 제시하므로, PaddleALL은 처음부터 성 균형을 유지해야 한다.
- 의미 있는 국제 경쟁 (엄격함)
- 대회는 "참여"와는 달리 "경쟁적"이어야 하고 진지해야 한다. 즉, 이 대회의 기준은 보트 분류 기준, 엄격한 규칙, 규약 집행, 시상에 대한 규약 등 현재의 ICF 대회의 기준과 동일하다. 대회는 주류 ICF 대회만큼 진지하게 다루어 져야 한다. 또한, 대회는 기존 주류 대회에 통합되어야 한다.
- ICF는 카누와 카약의 포함을 위한 IPC 기준을 충족시켜야 한다.
- 18 개국 및 3 개 대륙
- 다양한 장애 그룹
- IPC는 소수의 그룹에게 기회를 제공하는 스포츠보다는 다양한 장애 그룹에게 경쟁 기회를 제공하는 스포츠가 더욱 매력적이라고 간주한다. 현재, 27 개 IPC 스포츠 중 육상 경기 및 수영 부문에서만 모든 장애인에게 기회가 제공된다. 얼마나 많은 장애인 그룹이 노를 저으며 경쟁할 수 있는지 알 수 없지만 이 종목은 2012년 런던 올림픽에서 정식 종목으로 IPC 프로그램에 최초로 포함되었다. 카누 카약은 특히 팀 보트의 사용을 통해 모든 주요한 장애 그룹을 다룰 수 있게 한다. 이러한 점에서, 팀 보트는 매우 매력적이다.
- 통합적인 전세계적 접근법
- IPC에 대한 접근방식은 집중적이고 강력하고 전세계적이어야 한다. 전세계 패들 스포츠 부문을 이끌고 있는 ICF가 선도적인 역할을 해야 한다. 마찬가지로, 컨퍼런스가 진행됨에 따라 특히 미국과 이탈리아에서는 아웃트리거 패들링(outrigger paddling) 부문에서 인상적인 프로그램이 선보여진 것이 분명하다. 기술적인 관점에서 볼 때, 아웃트리거 카누는 성공을 가져올 수 있는 보트의 특성을 보여준다. 컨퍼런스에서는 아웃트리거(Va'a) 카누에 대한 정치적 관점이 인정되었는데, 이는 아웃트리거(Va'a)에 관련된 국제 대회의 코디네이션(조정)을 위해 특별히 조직된 별도의 국제기구(IVF)가 있기 때문이다. 장애인 올림픽에서

PaddleALL의 아웃트리거를 권장하는 정치적 측면은 컨퍼런스의 범위를 벗어난 것으로 간주되었다. 그러나 컨퍼런스에서 발표된 내용은 ICF와 IVF 간의 대화에 따라 다음 세 가지 영역에서 중요한 약속이 이루어질 가능성을 분명하게 보여준다: (i) 안정적인 카누 옵션을 제공하고, (ii) 팀 구성을 통해 다양한 장애인 그룹을 다루고 (iii) 호주 및 환태평양 국가들을 ICF가 주도하는 프로그램 안으로 끌어 들여 ICF 의 노력을 뒷받침 한다. 11월에 개최된 2008 ICF 총회에서 이 컨퍼런스의 보고서가 채택되었다. 새로 취임한 회장인 캐나다의 존 에드워즈(John Edwards)의 지휘하에 "모든 사람을 위한 카누 위원회(Canoeing For All Committee)"는 캐나다 다트머스(Dartmouth)에서 개최된 2009 카누 단거리 세계 선수권 대회 경기의 첫 번째 목표로 "적응형 패들"의 사용을 촉진해야 할 책무가 있었다. "모든 사람을 위한 카누 위원회(Canoeing For All Committee)"는 IPC의 일반적인 지침에 따라 특정 경주에 대한 참여를 확대하기 위한 노력에 집중했다. 이 목표는 달성 가능하고 매우 유익했는데 그 이유는 "파라카누"에 대한 국가 장애인올림픽위원회(National Paralympic Committees)로부터 자금을 조달할 수 있었기 때문이다. 2009년부터 2014년까지 "파라카누" 프로그램은 IPC 로부터 인정 받기 위해 많은 변화를 거듭하고 많은 이니셔티브를 실행해 나갔다. 또한, IPC는 2016년 올림픽 대회에 대한 최소 참가국 수를 24개국으로 변경했다. 그러한 국제적인 대회가 개최되기 전에, 주요한 결정은 ICF에서 이루어졌다.

- ICF와 IVF 간의 합의
- ICF는 계속 선도적인 역할을 수행한다, 한편, IVF는 이니셔티브를 지지한다. IVF는 바아(Va'a) 보트 기준에 대한 권위를 보유하고 있다.
- 200 m 경주 거리를 정의한다.
- 동시에 200 m 경주 거리가 올림픽 대회의 카누 단거리 종목으로 채택되었다. 거리가 짧은 경주였기 때문에, 경주는 경쟁이 치열하고 흥분을 자아냈다.
- 시각 장애인 범주 또는 지적 장애 범주를 제외하는 결정이 내려졌다.
- 이 결정은 국제 대회에 대해서만 이루어졌다. 이 결정은 IPC 승인 신청을 강화하기 위해 ICF의 집중력을 보강해야 할 필요성으로 인한 것이었다. 이로써, 조기 포함, 경주의 구체화, 다른 장애인으로의 확장이 모색될 것이다. 국가 연맹은 국가 차원에서보다 폭 넓은 참여를 장려할 수 있는 권한을 보유하고 있다. 예를 들어, "캐나다 카누 카약 협회는" 시각 장애를 가진 패들러를 위한 규칙을 개발했다.
- 최소 폭을 요구하는 카약 보트 기준이 수립되었다.
- ICF는 한가지 중요한 차이를 제외하고 "ICF 카누 단거리 카약 표준"과 동일한 카약 보트 표준을 채택했다. 폭은 50cm로 설정되었고 선체 바닥부터 10cm 높이에서 측정되었다. 이러한 폭 기준은 올림픽 카누 단거리 카약의 경우에 비해 보트 안정성을 개선하기 위해 채택되었다. 이 기준은 일부 유럽 국가에서 일반적인 비정식적인 카약 투어 보트에 기초했다. 이는 또한 모든 연령대의 모든 잠재적인 파라카누 선수들이 스포츠에 쉽게 접근할 수 있게 해야 할 필요성과 이러한 보트 모델이 클럽 수준에서 카약 초보자를 위한 용도로 이미 존재했다는 인식에 기초했다. 이러한 결정은 "파라카누"의 급속한 성장에 매우 중요했다.
- 바아(Va'a) 보트의 기준 수립
- IVF는 채택 및 공포를 위해 규칙의 정의를 ICF에 제출했다.
- 적응형 장비
- 적응형 장비는 ICF에 의해 규제되지 않는다. ICF는 선수가 효과적으로 패들링하는 데 필요하다고 간주되는 모든 장비를 사용하도록 허용하는 원칙을 고수한

다.

- 마찬가지로, 그 반대도 사실이다. 즉, 적응형 장비에 대한 규제를 통해 장애인이 되는 선수는 없을 것이다.
- 경주
- 원래, ICF에는 탠덤(tandem) 및 싱글 경주가 포함되었다. 성별과 능력이 다른 구성원을 요구하는 탠덤 경주 팀은 선수의 연령이 높아지고 각자 정착하여 삶을 살고 있었으므로 함께 필요한 훈련을 하기 위한 이동이 불가능하여 조직하기가 매우 어려웠다. 이것은 국제적 차원에서의 사례였고 국가 차원에서 더욱 어려웠다. 확립된 경쟁 시스템에서는 국내에서 국제 수준까지 공통된 경주가 개최될 필요가 있기 때문에, 싱글 경주에만 집중하는 결정이 이루어졌다. 이로써 프로그램에 경주가 추가되었다. 그러나 선수들은 개별적인 훈련에 적응하는 것이 수월했기 때문에 참여가 크게 증가했다.
- 분류 체계가 수락되었다.
- IPC는 2015년 1 월 이사회에서 카약을 위한 새로운 스포츠 특정적인 분류 체계를 수락했다. IPC는 바아(Va'a)를 위해 제안된 분류 체계를 받아들이지 않았다. 증거 기반의 스포츠 특정적 분류 체계의 개발은 IPC의 핵심 목표이다. 새로운 스포츠는 장애인 올림픽에 처음으로 도입되었을 때부터 부합해야 한다. 장애인 철인 3종 경기(paratriathlon)와 파라카누 모두 "2016년 리우 올림픽·패럴림픽"이 개최되기 전에 그러한 목표를 달성해야 했다. 기존의 장애인 올림픽 스포츠는 이러한 목표를 향해 노력하고 있다. ICF는 새로운 시스템의 성공을 위해 상당한 시간과 비용을 투자했다. 또한, IPC는 2020 도쿄 장애인 올림픽에 바아(Va'a) 경주가 포함될 수 있도록 지원하기 위해 수용 가능한 바아(Va'a) 분류 체계를 시기 적절하게 개발하기 위한 연구에 지속적으로 전념하고 있다.

'파라카누(paracanoe)'의 세계적인 성장 Worldwide growth of paracanoeing

카누 단거리 세계 선수권 대회에는 7 개의 연맹으로부터 27 명의 파라카누 선수들이 참가했다. 조기에 참여한 연맹국은 브라질, 캐나다, 프랑스, 영국, 포르투갈, 이태리 및 미국이었다.

그러나 많은 연맹이 파라카누 경기의 시작을 매우 관심 있게 지켜보고 있었다. 2010년 카누 단거리 세계 선수권 대회에는 28개 연방 연맹에서 67명의 파라카누 선수들이 참가했다.

ICF는 2016년 리우 올림픽·패럴림픽 프로그램에 파라카누가 포함되도록 IPC에 신청했다. 2010년 11월, ICF의 신청은 수락되었다. 다음 두 가지 조건이 언급되었다: ICF는 지속적으로 전세계적으로 참여할 것이다. 또한, 스포츠 특정적인 분류 체계가 개발 및 실행될 것이다(**그림 9.3**).

36 개 연방국이 2014년 모스크바에서 개최된 세계 선수권 대회에 참석했다. 11개 연합국은 2010년과 2013년 사이에 세계 선수권 대회에 참석했으며 5개 연맹국은 대륙 선수권에 참석했다. 8개국 이상의 연맹국들이 코칭 과정 및 분류 과정에 투자하고, 국제적인 경쟁을 위한 파라카누 보트를 받았다. 대륙 관점에서 볼 때, 모든 대륙은 다수의 연맹들을 통해 관여했다. **그림 9.4** 및 **9.5**를 참조할 수 있다.

매우 단기간에 파라카누가 급속히 성장한 사실은 매우 주목할만하다. 이러한 성장은 ICF가 파라카누를 2020 도쿄 장애인 올림픽 종목으로 포함시키기 위해 요구되는 더 높은 표준(32 개국)을 충족시켰음을 의미한다. 특정적인 경주는 2017년에 결정되었다. 이러한 노력은 모든 ICF 대륙 협회 및 ICF 회원 연맹 간의 긴밀한 팀워크를 매우 뚜렷하게 보여주었다.

이러한 성공으로 파라카누의 장점에 관련하여 레크리

에이션, 관광 및 의료 분야에서 깊은 논의가 진행되고 있으며 모든 장애인이 카누 스포츠에 참여할 수 있는 기회가 확대되고 있다. "패들링"의 두 세계를 형성하는 레크리에이션과 경쟁을 모두 탐구하고자 하는 장애인에게 미래는 밝다. ICF는 파라카누에 대한 확고한 옹호를 통해 "가능성의 세계"로 들어가는 문을 열었다(**그림 9.6**).

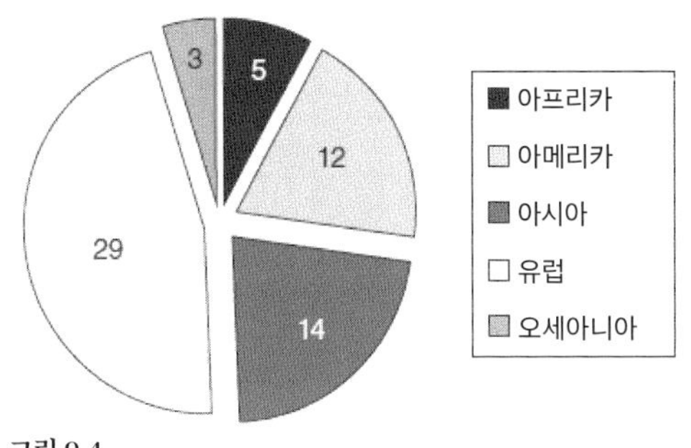

그림 9.4

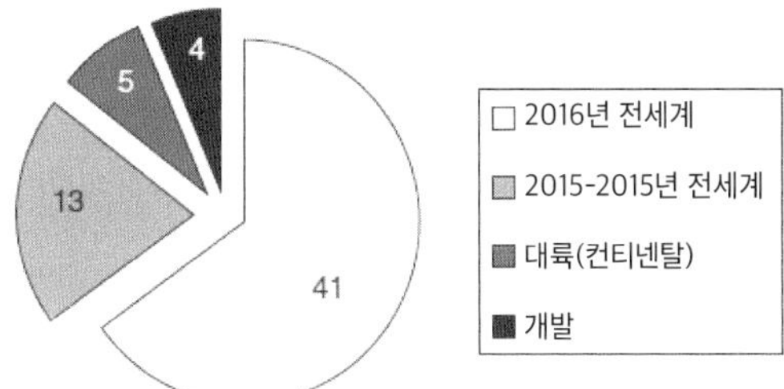

그림 9.5

"파라카누"에 대한 근거 중심의 분류 EVIDENCE-BASED CLASSIFICATION FOR PARAKAYAK

2009년과 2014년 사이에 사용된 파라카누 분류 체계에는 팔(A), 몸통과 팔(TA), 다리, 몸통, 팔(LTA)이라는 세 가지 클래스가 포함되었다. "A 클래스"에는 가장 장애가 심한 선수들이 포함되어 있었는데 이러한 선수들에서는 일반적으로 팔에 기능만 있거나 팔꿈치와 손목 관절이 없었다. "TA 클래스"는 일반적으로 팔과 몸통에 기능을 가지고 있지만 다리가 기능하지 않았거나 손목 관절을 갖고 있지 않았다. "LTA 클래스"는 장애가 가장 적은 그룹으로서 일반적으로 팔과 몸통이 기능하고 다리가 부분적으로 기능하거나 최소한 손가락 3개가 없는 선수들이었다. 이 시스템은 "파라로잉(파라 조정)" 분류 체계에서 채택되었으며 클래스에 대한 정의를 뒷받침하는 연구는 없었다. 이 시스템은 상지와 하지에 대한 근력 및 관절 가동 범위(ROM)를 평가하는 신체 검사를 기반으로 했는데 신체 기능은 0-5 점으로 채점되었다. 몸통 기능을 평가하기 위해서 세 가지 몸통 작업을 사용했으며 점수는 0-2 점으로 채점되었다. 또한, 이 시스템에서는 에르고 패들링 및 수상 패들링이 실시되는 동안 기술적인 관

그림 9.3 여성 싱글 카약(K1) 패들러. 안정성 강화를 위해 카약에 변경이 이루어졌음에 유의해야 한다

찰이 이루어졌다.

"파라카누"에서 경쟁할 수 있는 "최소 자격 기준"은 (i) 최소한 손가락 3 개 완전 손실, (ii) 최소한 부분적인 발 절단, (iii) 신체 평가 테스트에서 팔이나 다리의 영구적 손실(최소한 10점) 또는 팔 다리 모두의 영구적 손실(최소한 15 점).

최근 몇 년 동안, IPC는 경기 결과에 대한 장애의 영향을 통제(관리)하기 위해 신체적 장애가 있는 모든 선수들에게 근거 기반 분류 체계의 중요성을 강조했다. 그러므로, ICF는 파라카누 선수에 대한 검증되고 근거 기반의 분류 체계에 가장 부합한 보고서를 평가 및 개발하여 IPC에 제출하는 연구 프로젝트를 지원했다. 새로운 분류 체계의 전반적인 목적은 장애인들의 스포츠 참여를 촉진하기 위한 것이다. 이러한 연구의 목적은 다양한 유형, 부위 및 심각성의 장애가 카약 패들링 운동 능력에 얼마나 영향을 미치는지를 다음을 통하여 확인하는 것이다.

자격 요구사항: 파라카누에서 경쟁 할 자격을 갖추려면 선수에게는 다음과 같은 장애가 있어야 한다.

- 세 가지 유형의 해당 장애 중 한 가지 장애를 갖고 있어야 한다(근력 장애, 운동 범위 장애 또는 사지 결손 중 하나의 장애).
- 장애는 본질적으로 영구적이어야 한다(즉, 신체 훈련, 재활 또는 기타 치료적 개입 여부에 관계없이 장애가 가까운 미래에 해결되지 않을 것임).
- 장애가 활동 제한을 충분하게 초래해야 한다: 선수는 "최소 자격 기준"에 따라 정의된 장애가 있어야 한다.

Minimizing the impact of impairment on the outcome of competition:

장애가 경쟁 결과에 미치는 영향의 최소화:

- 인체 측정학적, 생리적, 심리적 특성의 조합이 가장 우수한 선수가 성공을 달성한다.
- 장애가 활동 제한을 적게 초래하기 때문이 아니라 해당 분야에서 더 강한 선수가 성공한다.

우리의 연구 그룹은 "파라카약에 대한 근거 기반 분류 체계를 설계하기 위한 연구"를 수행했다. 이 연구 결과는 평가 테스트의 생성/변경, 클래스 수의 결정, 클래스에 대한 정의, 파라카약에 대한 분류에 사용되는 최소 자격 기준의 정의 등에 유용했다.

그림 9.6 싱글 아웃트리거(outrigger) 카누를 사용하는 남성 C1 패들러

파라카약 선수의 분류를 위해 사용되는 평가 테스트
The assessment tests used for classification of parakayak athletes

파라카약을 위한 새로운 장애인 분류 체계를 설계하는 첫 번째 단계는 비장애인 엘리트 선수들이 카약 에르고미터 상에서 노를 저을 때 관절가동범위(ROM)를 정의하는 것이었다.

파라카약 선수의 분류에 사용된 신체 평가 테스트를 통해 스포츠에 대하여 요구되는 관련 ROM을 실제로 평가하도록 하려면 이 값을 정의하는 것이 중요했다. 노를 젓는 움직임은 물 및 공중 단계 동안 3 차원(3D)적인 상체 움직임과 동반되어 복잡하기 때문에, 카약 패들링 중 3D 운동학 분석은 스포츠 특정적인 ROM을 분석하는 방법으로 선택되었다. 이러한 분석은 파워 출력과 관절 각도 간의 관계를 조사하기 위해 엘리트 파라카약 선수들에 대하여 수행되었다.

몸통 및/또는 다리에 영향을 미치는 장애가 있는 국제 및 국내 수준의 엘리트 카약 선수 41 명과 신체적으로 국제적인 수준의 비장애인 엘리트 카약 선수 10명에 대하여 테스트가 실시되었다.

선수가 카약 에르고미터 상에서 저강도, 고강도 및 최대 강도로 노를 젓는 동안 3D 운동학적 데이터와 3D 파워 출력 데이터가 수집되었다.

어깨, 팔꿈치, 손목, 몸통, 둔부, 무릎 및 발목 관절에 대한 굴곡 및 신전의 최대 및 최소 피크 관절 각도를 계산하였다. 또한, 최대 및 최소 피크 관절 각도와 ROM은 어깨 외전 및 회전, 몸통 회전 및 측 방향 굽힘, 척골 및 요골측 변위에 대해 계산되었다.

남성과 여성의 모든 관절 각도와 파워 출력 사이의 상관 관계가 계산되었다. 이러한 결과를 보면, 몸통이 전방으로 굽은 자세로 앉아 몸통과 골반을 회전시킬 수 있고 둔부, 무릎 및 발목 관절을 펌핑 운동 패턴으로 움직일 수 있는 상태는 파워 출력 생산을 위해 중요하다는 것이 분명하다.

따라서, 몸통과 다리의 기능을 평가하는 것은 상체 기능이 완전한 파라카약 선수들에게 중요하다.

몸통 및 다리에 대한 테스트
Trunk and leg tests

새로운 장애인 올림픽 분류 체계를 설계하는 두 번째 단계는 몸통 테스트를 개발하고 다리 테스트를 수정하는 것이었다. 현재, 척수 손상(SCI)에 따른 근력 장애가 있는 사람의 몸통 근육에 대하여 운동 기능을 검사하기 위한 임상 시험 방법은 존재하지 않는다. 그러나 이것은 휠체어 럭비 및 노르딕 스키와 같이 장애인 올림픽 선수에 대한 몸통 기능 분류에 포함되었다. 최근의 연구에서는 근력 장애가 있는 사람(즉, SCI 이 있는 사람)의 복부 근육 기능을 파악하기 위한 수동 검사의 정확성을 조사했다. 그러므로, 파라카약 선수의 몸통 기능을 파악하기 위한 몸통 검사가 개발 및 실행되었다. 몸통 테스트에는 수동 근육 테스트(MMT)와 기능적 몸통 테스트(FTT)가 포함된다. MMT는 몸통 굴곡, 몸통 허리 신전, 몸통과 둔부 신전, 좌우로의 몸통 회전, 좌우로 몸통 굽힘 등 등의 7개의 몸통 근육 기능에 대한 테스트로 구성된다. 선수의 복부 근육은 0-2 사이의 척도 상에서 점수가 매겨진다. 운동 부하는 팔 위치를 변경하여 조절할 수 있다(**그림 9.7**).

MMT가 완료된 후, 선수들은 받침대 등 지지물의 도움 없이 앉은 상태에서 FTT를 완료하도록 요청 받았다. 이 테스트는 다음을 포함한다:

(i) 정적 운동: 팔을 가슴을 가로 질러 위로 똑바로 세우고 팔을 4 방향으로 뻗은 채 앉은 자세; (ii) 동적 운동: 몸통을 여섯 방향의 가동 범위를 통해 움직이는 동작;

(iii) 섭동 운동: 여섯 방향에서 밀기 및 회복;

(iv) 선수가 흔들리는 쿠션에 앉아있는 동안 섭동 운동: 여섯 방향에서 밀기 및 회복.

운동은 다음과 같이 0-2로 등급이 매겨진다. 분명한 실패(0), 의심스러움(1) 및 성공(2)이다.

모든 테스트의 점수는 총점수로 합산되며, 총점은 0-84점 사이일 수 있다. 다리 기능의 분류에 사용된 이전의 다리 테스트는 0-5점 척도 상에서 채점된 7개의 다양한 양측 운동, 즉, 스탠딩 스쿼트 테스트(standing squat test) 뿐만 아니라 둔부, 무릎 및 발목 굴곡/신전 강도와 ROM)으로 구성되었다. 새로운 다리 테스트는 신체적으로 비장애인 선수에 대한 3D 운동학적 분석에서 획득된 스포츠 특정적인 ROM을 통해 둔부, 무릎 및 발목 근력을 평가하는 7개 양측 테스트로 구성된다. 시험은 0-2점 척도 상에서 채점되는데 최대 점수는 28점이다. 이전의 스탠딩 스쿼트 테스트(standing squat test)는 앉은 자세에서 실시되는 단일 레그 프레스 테스트(leg press test)로 대체되었다.

수상 테스트
On-water test

패들링 중에 실시되는 기술 평가는 이전에는 수상 및 에르고미터에 상에서 관찰을 통해서만 이루어졌는데, 여기에는 점수가 매겨지지 않은 13개 항목이 포함되었다. 새로운 기술 평가는 현재 채점식 수상 테스트이며 0-2점으로 채점되는 6개 항목으로 구성된다. 이 6개 항목은 신체적으로 비장애인과 파라카약 선수에 대한 3D 운동학적 및 동적 분석 결과에 기초하여 선택되었다. 채점된 항목은 왼쪽 다리 움직임, 오른쪽 다리 움직임, 균형, 몸통 자세, 몸통 회전 및 몸통 측면 굴곡이다. 따라서 수상 테스트의 총 점수는 0-12 범위에 있을 수 있다. 몸통, 다리 및 수상 테스트에 대한 자세한 설명 및 지침은 ICF 웹 페이지(www. canoeicf.com)의 "파라카누" 섹션을 참조할 수 있다.

파라카약에 대한 새로운 장애인 분류 체계
The new Paralympic classification system for parakayak

새로운 장애인 분류 체계를 설계하는 세 번째 단계는 각 평가 테스트(몸통, 다리 및 수중)에 대하여 장애인 선수 그룹 내에서 그룹/클러스터를 정의하고 선수들을 각 클

(a)

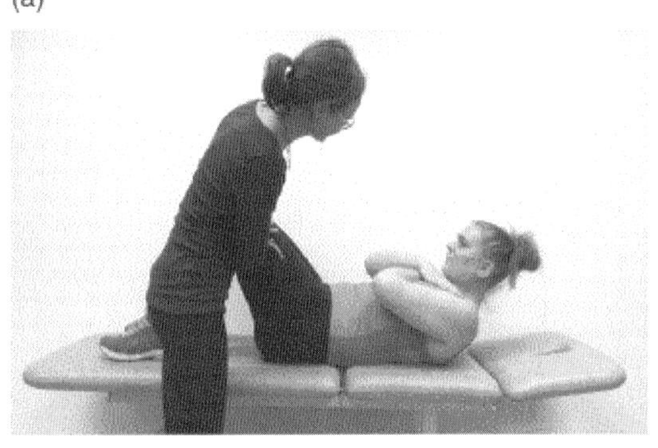

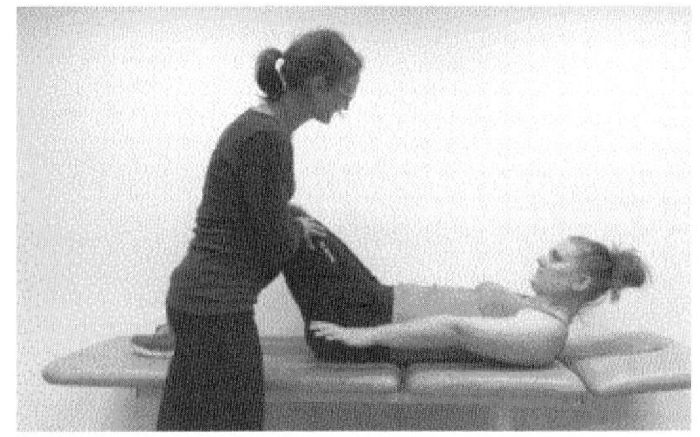

그림 9.7 (a) 가슴 위로 양팔을 교차시킨 상태에서 몸통 굴곡(2점), (b) 평면을 형성하고 있는 몸 위로 양팔을 완전히 뻗는 자세(1점)

래스로 분류하고, 최소한의 자격요건을 정의하는 것이었다. 그룹/클리스터를 정의하기 위해, 각 평가 테스트에서의 총점에 대하여 클러스터 분석이 실행되었다. 결과는 각 테스트에 대해 3개 클러스터가 있음을 보여주었다. 그림 9.8에 클러스터가 자세히 설명되어 있다. 선수를 세부적으로 각 클래스로 구분하기 위해, 각 테스트에서 채점된 클러스터 점수(1, 2 또는 3)는 3-9점 범위의 전체 분류 총점으로 합산되었다. 추가적인 분석 결과, 클래스는 3개로 나타났다.

가장 큰 장애를 가진 선수들은 카약 레벨 1 (KL1)로 분류되는데, 이러한 선수들은 일반적으로 몸통이나 다리에 기능이 없는 선수이다. 두 번째 클래스는 카약 레벨 2 (KL2)라고 명명되는데, 이러한 선수들은 일반적으로 몸통 기능이 제한적이고 다리 기능이 제한적이거나 전혀 없다.

세 번째 클래스는 장애가 가장 적은 선수들을 포함하며 카약 레벨 3 (KL3)이라고 명명된다. 이 그룹의 선수들은 일반적으로 몸통 기능이 완전하거나 거의 완전한 상태이며 다리 기능은 제한적이다.

새로운 최소 자격 기준은 신체 평가 다리 테스트에서 한쪽 다리에 최소한 4개 부위의 손실이 있어야 한다는 것이다. 이는 예를 들어 발목 1개에 기능이 전혀 없거나 동

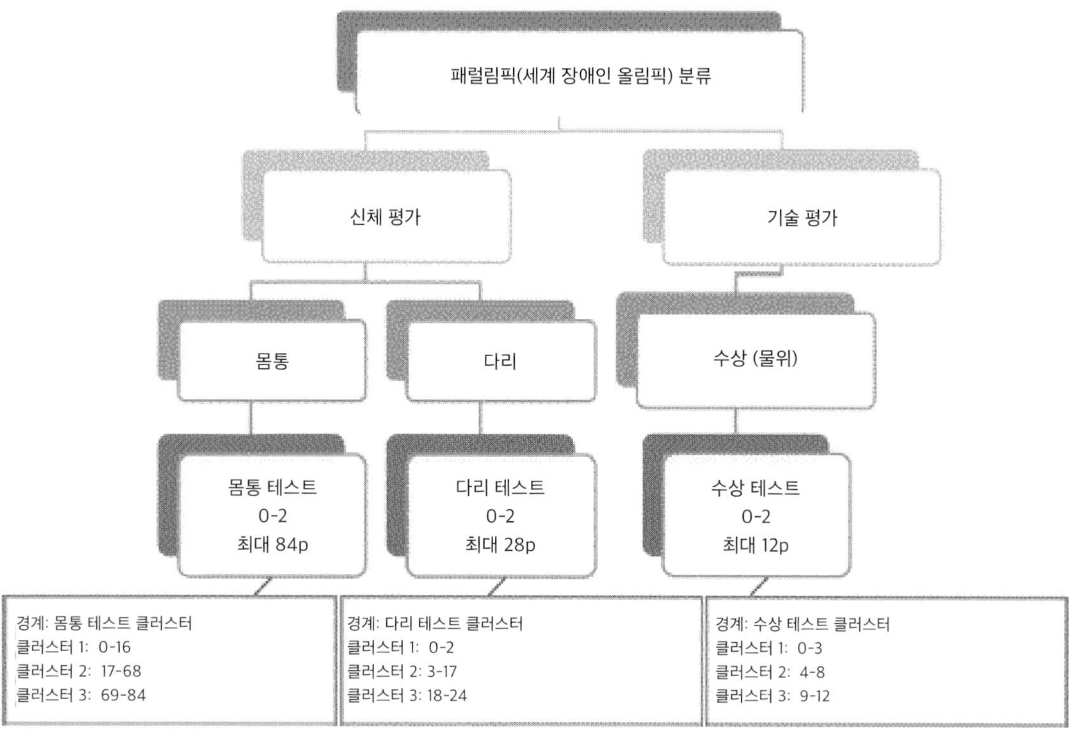

그림 9.8 몸통에 대한 테스트의 경우, 각 클러스터에 대한 점수 범위는 클러스터 1 (몸통 기능이 전혀 없거나 제한적인 경우)에 대하여 0-16, 클러스터 2 (몸통 기능이 부분적인 경우)에 대하여 17-68, 클러스터 3 (몸통 기능이 완전하거나 거의 완전한 경우)에 대하여 69-84이다.
다리에 대한 테스트의 경우, 각 클러스터에 대한 점수 범위는 클러스터 1에 대하여 0-2 (다리 기능이 없거나 제한적인 경우), 클러스터 2(다리 기능이 부분적인 경우)에 대하여 3-17, 클러스터 3에 대하여 18–28이다(다리 기능이 "완전한" 경우. "완전한 다리 기능"이라는 용어는 다리 기능이 가장 좋은 패럴림픽 선수를 정의하기 위해 사용되는 용어임). 최소 적격 기준은 24 점으로 설정되는데, 이는 선수가 4 점 손실이 필요함을 의미함에 유의해야 한다. 수상 테스트의 경우 각 클러스터에 대한 점수 범위는 클러스터 1에 대하여 0-3, 클러스터 2에 대하여 4-8, 클러스터 3에 대하여 9-12이다.

일한 다리의 발목 1개와 무릎 1개의 기능이 제한적이면 파라카약 선수로서 자격 기준을 충족된다는 의미이다.

신체적으로 비장애인 선수와 파라카약 선수 간의 생체 역학적 차이 Biomechanical differences between able-bodied and parakayak athletes

새롭게 분류된 장애인 선수 클래스(부류)와 신체적으로 비장애인 선수 간의 차이점을 파악하기 위해 고강도 패들링이 실시되는 중에 각 클래스에 대한 관절의 평균 각도 값을 계산했다. 신체적으로 비장애인 선수의 둔부 관절가동범위(ROM), 무릎, 발 굴곡 각도와 몸통 및 골반 회전 각도는 모든 장애인 선수들에 비해 유의한 차이를 보였다. 장애인 선수들 사이에서도 차이가 나타났는데, 신체적 장애가 더 심한 선수는 신체적 장애가 덜 심한 선수에 비해 관절가동범위(ROM)가 더 낮았다. 이는 파라카약에 대한 새로운 장애인 선수 분류 체계가 선수를 신체 기능에 따라 적절한 그룹으로 분류함을 보여준다.

결론 Conclusions

- 신체적으로 비장애인 집단에서 획득된 운동 범위 값은 파라카약 선수에 대한 스포츠 특정적인 근거 기반 분류 체계에서 참조 값으로 사용되었다.
- 선수가 카약을 타고 노를 젓는 동안 몸통을 전방으로 굽힌 자세로 앉고 몸통 회전 운동 범위를 증가시키면 더 큰 출력을 생성할 수 있다.
- 선수가 카약을 타고 노를 젓는 동안 둔부, 무릎 및 발 굴곡에서 움직임의 범위 증가는 파워 출력 증가와 상관관계가 있다
- 새로운 분류 체계는 다리, 몸통, 수상 테스트의 점수에 기초하여 선수가 분류되는 3개 클래스(KL1, KL2, KL3)로 구성된다

참고문헌

Brown, M.B., Lauder, M., and Dyson, R. (2011). Notational analysis of sprint kayaking: differentiating between ability levels. *Intl J Performance Anal Sport* 11: 171-183.

Limonta, E., Squadrone, R., Rodano, R. et al. (2010). Tridimensional kinematic analysis on a kayaking simulator: key factors to successful performance. *Sport Sci Health* 6: 27-34.

Nilsson, J.E. and Rosdahl, H.G. (2016). Contribution of leg muscle forces to paddle force and kayak speed during maximal effort flat-water paddling. *Intl J Sports Physiol Perform* 11 (1): 22-27.

Tweedy, S.M. and Vanlandewijck, Y.C. (2011). International Paralympic Committee position stand-background and scientific principles of classification in Paralympic sport. *Br J Sports Med* 45: 259-269.

제10장

마스터 카누 선수들의 운동 능력 향상

현대 스포츠 운동이 약 150년 전에 개발되었을 때, 젊은 사람들의 건강과 운동능력을 향상시키는 것에 초점이 맞춰졌다. 올림픽의 기본 정신에 입각하여 4년마다 개최되는 올림픽 대회는 여전히 "전세계의 젊은이"들의 경주라고 불린다. 그러나 요즘 올림픽 헌장은 변화하고 있으며 모든 사람을 위한 스포츠를 촉진하고 있다. "스포츠라는 실천은 인권을 위한 것이다. 모든 개인은 자신의 필요에 따라 스포츠를 실천할 수 있어야 한다." 올림픽 운동의 변화와 병행하여, 현대 국가들은 일반 대중을 위한 신체 활동을 장려한다. 그 이유는 간단하다: 신체 활동은 개인이 건강과 복지를 향상시키고 사회가 의료 비용을 줄이는 윈-윈(win-win) 상황을 가져온다. 고령 인구가 세계적으로 증가하고 있기 때문에 일반 대중의 신체 활동 증가 추세는 매우 중요하다. 고령자의 수가 증가함에 따라, 중년 및 고령자 선수(마스터 선수)의 수는 많은 스포츠에서 증가하고 있다. 국제 마스터 게임 협회(국제 카누 연맹[ICF]에 의해 인정됨)는 마스터 스포츠를 위한 세계적인 대표 기관이다. 국제 마스터 게임 협회는 (1985년부터) 세계 마스터스 게임을 주최하고 있으며 경쟁 스포츠가 평생 동안 계속되고 개인의 건강을 개선할 수 있다는 인식하에 젊은 성인뿐만 아니라 모든 사람들이 스포츠 활동과 마스터 스포츠에 참여하도록 권장한다.

레크리에이션 카누와 카약은 전세계적으로 인기가 높아지고 있으며, 모든 연령대의 애호가가 즐길 수 있다. 요즘 마스터 선수들은 월드 마스터 게임(World Masters Games) 및 ICF가 승인한 다른 대회를 포함한 다수 대회에서 경주에서 경쟁할 수 있다.

마스터 선수는 운동 능력을 유지하고 향상시키기 위해 노력하며 결과적으로 이러한 마스터 선수 그룹에서 훈련 방법과 영양(nutrition) 관리가 개선되었다. 실제적으로, 마스터 선수의 최고 운동 능력은 계속해서 향상되고 있으며 인상적인 운동 능력을 달성하고 있다. 그러나 운동 능력의 저하는 불가피하며 이에 대한 근본적인 이유를 이해하는 것이 중요하다. 이 장의 목적을 위해, 전형적인 마스터 선수는 50세 이상의 선수로 간주된다. 선수는 이 연령에 도달하면, 테스토스테론 수치 감소, 근육량 감소, 골 감소증 및 골다공증 위험 증가, 체중 증가 경향, 연조직 탄력 감소, 부상 가능성 증가 등 운동 능력의 변화를 초래하는 몇 가지 신체적 변화 등을 겪는 것이 분명하다. 이 장에서는 연령 증가에 따른 운동 능력 저하 요인과 마스터 선수에서 강조되는 몇몇 의학적 문제에 집중할 것이다.

연령에 따른 운동 능력 저하
Decline in performance with age

마스터 패들러의 연령 증가에 따른 운동 능력 저하를 설명하는 과학 연구는 아직 없으므로, 수영, 달리기, 사이클링(cycling) 등의 스포츠에 관련하여 마스터 선수에 대한 연구에서 도출된 정보에 의존해야 한다. 일반적으로 최대 지구력 운동 능력은 약 35세까지 유지되고, 50-60세까지 완만하게 감소하며 이후 점차적으로 가파르게 감소한다(**그림 10.1** 참조). 지구력이 연령에 따라 감소하는 주된 이유는 유산소 능력과 근육량 감소의 조합에 따른 것이다. 이러한 지구력 감소의 원인 중 하나는 동화 호르몬(anabolic hormone) 생산 감소이다. 마스터 선수의 기능적 능력 상실은 훈련으로 완전히 극복할 수 없다. 연령이 더 많은 선수는 젊은 선수와 동일한 운동 양과 강도를 유지할 수 없기 때문에 지구력이 제한적일 수 있다. 또한, 연령이 더 많은 선수는 젊은 선수에 비해 동일한 훈련 부하에 더 느리게 반응하고 회복하는 것으로 나타난다. 그러나 노화와 수반되는 변화 중 일부는 마스터 선수로 경력을 쌓기 전에 주로 앉아서 생활하는 방식을 장기간 지속한 결과 일 수 있음을 알아야 한다. 일부 스포츠에서, 연령 증가에 따른 지구력 저하의 정도는 남성보다 여성에서 더 큰 것으로 나타난다. 그러나 거의 동일한 수의 남성과 여성이 연령대 전반에 걸쳐 강도 높게 훈련하고 경쟁하는 부문인 수영에서는 연령에 따른 성별 지구력 차이가 거의 나타나지 않는다.

지구력 및 단거리 운동 능력 저하 Endurance versus sprinting performance decline

마스터 선수들의 달리기 세계 기록에 대한 연구에 따르면 마스터 선수들의 운동 능력은 연령이 증가할수록 단

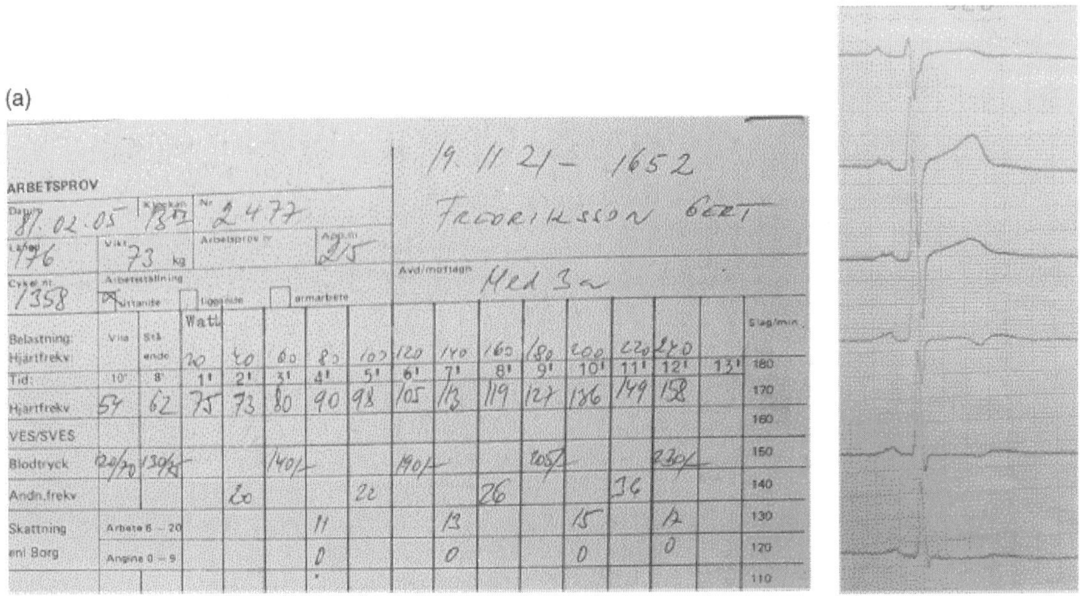

그림 10.1 (a) 전세계에서 가장 성공한 남성 올림픽 패들러인 Gert Fredriksson (1919–2006) 선수에 대한 건강 평가 테스트 데이터. 62세 연령에 체질량 지수(BMI)가 23.5 였고 여전히 규칙적으로 패들링을 했으며 사이클 에르고미터에서는 [Pmax = 3.3 W kg−1]로 나타났다.
(b) Gert Fredriksson는 심전도(ECG)에서 '운동 선수형 심장병(운동성 심장 비대)'으로 최종 진단되었다.

거리 운동 능력에 비해 거리별 경주에서 더 빠르게 감소한다. 이러한 관찰 결과에 일치하는 것으로서, 마스터 수영 선수들에서는 근거리 경주 운동 능력에 비해 장거리 경주 운동 능력이 크게 저하된 것으로 나타난다. 종합하면, 이러한 관찰은 단거리 운동에 비해 지구력 운동 능력이 연령 증가의 영향을 더 많이 받음을 의미하다.

그러나 여러 연령층의 육상 경기 기록을 분석한 결과, 포환 던지기 및 원반 던지기와 같은 에너지의 폭발적인 사용이 수반되는 스포츠에서는 연령이 증가할수록 달리기 훈련에 비해 지구력 저하가 더 빨리 발생하는 것으로 나타났는데 이는 지구력 보다는 근력이 더 빨리 약화된다는 것을 시사한다.

연령에 따른 지구력 운동 능력 저하의 생리적 측면 Physiological aspects of decline in endurance exercise performance with age

주로 젊은 지구력 운동 선수들에 대한 연구에 기초할 때, 지구력 운동 능력의 세가지 주요한 생리적 결정 요소는 변화하고 있다. 첫째, VO_{2max}(최대 산소 섭취량)은 일반적으로 지구력 운동 능력의 주요 결정 요인으로 간주된다. 둘째, VO_{2max}의 최대 분율 활용은 최대 안정 상태 운동량(젖산 역치)을 결정하다. 세 번째 요소는 운동 효율인데, 운동 효율은 산소 요구를 운동 부하와 관련시킨다. 그러나 후자의 생리적 매개변수는 다른 두 매개변수와는 완전히 별개의 것이 아니며 복잡한 상호작용을 보인다. 선수의 연령 증가에 따른 지구력 운동 능력 저하를 초래하는 근본적인 생리 메커니즘 중 일부는 명확하지 않다. 특히 젊은 성인 지구력 운동 선수와 비교했을 때 중심(예: 심장) 및 말초(즉 산소 추출) 요인의 더욱 구체적인 기여는 특히 불분명 하다.

25-30세 후, VO_{2max}은 주로 앉아서 생활하는 건강한 성인 남녀 모두에서 10 년마다 약 10 %씩 감소하며 연령 증가에 따른 VO_{2max}의 감소율은 훈련을 계속 수행한 마스터 선수와 젊었을 때 선수였던 사람에서 비슷할 것으로 보인다. VO_{2max}의 점진적인 감소는 연령에 따른 지구력 운동 능력의 저하에 관련된 주요 생리학적 메커니즘으로 인한 것으로 보인다. VO_{2max}와 지구력 운동 능력 간의 밀접한 연관성에도 불구하고 다른 요인들이 기여할 수 있다. 이러한 추론은 연령에 따른 지구력 운동 능력 감소율이 VO_{2max}의 감소율에 비해 더 작게 나타난 관찰 결과에 일치한다. 연령이 증가할수록, 지구력 운동 능력의 다른 요인들이 더 적게 감소하여 VO_{2max}의 감소 효과를 상쇄할 수도 있을 것이다.

VO_{2max} 는 Fick의 방정식으로 설명된다.

VO_2 = 심박동수(HR) x 스트로크 체적(SV) x K x (동정맥 산소 추출)

최대 중심(즉, 심장) 및 말초(즉, 산소 추출) 요인에서의 감소는 고령 마스터 선수의 VO_{2max}감소에 기여할 수 있는 것으로 보인다. 이에 대해서는 **표 10.1**을 참조할 수 있다.

고령 마스터 운동 선수는 젊은 지구력 운동 선수와 비교할 때 최대 심박출량 감소하는데, 이는 최대심박수(HRmax) 의 감소로 인한 결과이다. 이러한 결정 요인은 최대 심박출량의 연령 관련 감소를 중재하는 주요 메커니즘으로 간주되어왔다. 최대심박수는 연령이 증가함에 따라 감소한다. 특정 연령의 마스터 선수에서의 최대심박수는 다음과 같은 방정식을 통해 가장 잘 설명된다: 최대심박수 $_{age}$ = 211 - 0.64 × 연령.

표 10.1 지구력 훈련을 받은 남성의 최대 운동 시 '산소 소비량' 및 '산소 소비량 결정요인'

	젊은이 (28 세)	노인 60세)	연령에 관련된 변화(%)
산소 소비량(ml kg^{-1} min^{-1})	68.2	49.4	28
심박출량(l min^{-1})	27	21.7	20
스트로크 체적 (ml $beat^{-1}$)	147	132	10
심박동수(beats min^{-1})	184	165	10
A-V 차이 (ml $[100\ ml]^{-1}$)	16.7 8	15.2	8

출처: 4개 연구로부터 취합된 데이터. 자세한 내용은 Tanaka 및 Seals (2008) 참조.

그러나 나이가 더 많은 마스터 지구력 운동 선수에서는 최대 박출량(SV)이 약 10 % 정도 완만하게 감소한다. 또한, 말초 산소 추출의 감소는 VO_{2max}의 감소에 기여할 수 있다. 이러한 감소는 마스터 지구력 운동 선수에서 약 30년에 걸쳐 완만하게 감소한다(5-10 %). 젖산 역치는 약 4분 이상 지속되는 경주에서 운동 수행에 관련하여 좋은 예측 인자이다. 지구력 운동 선수에서는 연령이 증가함에 따라 젖산 역치의 절대 일률(work rate)은 감소하지만, 젖산 역치는 VO_{2max}(최대산소섭취량)의 비율에 대하여 표현된 경우에는 연령이 증가함에 따라 변하지 않는 것으로 나타난다. 후자의 결과는 노화에 따른 지구력 운동 능력 감소에 대한 젖산 역치 감소의 기여는 VO_{2max}의 감소에 대하여 부차적일 수 있음을 시사한다.

운동 효율(exercise economy)은 젖산 역치보다 낮은 수준에서 특정적인 준최대(submaximal) 운동 강도로 운동하는 동안 "안정 상태 산소 소비량"으로서 측정된다. 지구력 운동 선수들 사이에서, 운동 효율은 VO_{2max}이 비균일적인 그룹에 비해 VO_{2max}이 균일한 그룹에서 지구력 운동 능력에 대한 중요한 결정요인이다. 많은 횡단 및 종단 연구에서는 운동 효율 감소는 연령 증가에 따른 지구력 운동 능력 감소에 유의하게 기여하지 않는다는 사실을 확인했다.

많은 생리 요인들이 운동 효율을 결정한다. 이러한 중요한 요소 중 하나는 운동 효율에 긍정적으로 관련되어 있는 제1형 근섬유의 비율이다. 훈련된 지구력 마스터 선수는 젊은 지구력 운동 선수의 근육 섬유 분포와 유사한 근섬유 분포를 보이는 것 같다. 그러한 사실에 일치하는 연구 결과로서, 20년간 실행된 종단 연구는 격렬한 지구력 훈련을 유지함에 따라 근섬유 유형 분포가 연령에 따라 변하지 않는다는 것을 보여주었다. 그러므로, 연령이 증가하더라도 근섬유 유형을 유지하는 것은 마스터 선수의 운동 효율 유지에 기여할 수 있을 것이다.

연령에 따른 단거리 운동 능력 감소의 생리적 측면
Physiological aspects of decline of sprint exercise performance with age

특정 연령대의 단거리 운동 능력은 [젊은 연령에서의 무산소 능력]에서 [연령에 관련된 무산소 능력의 감소치]를 뺀 값으로 결정된다. 단기 근력은 아데노신 3 인산(ATP)의 분해와 크레아틴 인산(PCr)의 보충에 따라 좌우된다. 두 프로세스의 속도는 비교적 빠르지만, PCr 저장은 제한적이고 "더욱 느리고 산화적인 신진대사"로 보충 될 필요가 있기 때문에 고(高) 인산염에 기반한 힘은 제한된 시간 동안만 유지 될 수 있다. 따라서 운동 능력 향상은 기본적으로 "무산소" 메커니즘에 의존한다. 골격 근육 내에서 단거리 운동 능력 시에 힘은 주로 제2형 근섬유에 의해 생성된다. 한편, 제1형 섬유는 주로 지구력 경주에서 유산소 힘을 생성한다. 지구력 훈련을 받은 마스터 운동 선수의 근섬유 분포는 젊은 지구력 운동 선수의 근섬유 분포와 비슷할 수 있다. 그러나 65-75세 사이의 노인에 대한 종단 연구는 제1형 근섬유의 양이 감소한 것을 보여주었다. 이러한 고려사항에 비추어 볼 때, 연령이 증가함에 따라 단거리 운동 능력에 비해 지구력이 더 뚜렷하게 감소한다는 연구 결과는 타당할 것이다. 불행하게도, 근섬유 수준에서 마스터 운동 선수의 근육 기능을 조사한 연구는 거의 없으며 장거리 및 단거리 선수를 직접 비교한 단일 연구는 존재하지 않는다. 결론적으로, 건강한 나이가 많은 사람들에서뿐만 아니라 선수들에서도 40세 이후부터 40세 때 보유했던 무산소 능력의 1 %에 해당하는 무산소 능력이 상당히 선형적으로 감소한다는 다수의 증거가 존재한다.

마스터 선수에서의 훈련 측면
Aspects of training in master athletes

이 장에서 제시된 정보를 통해 알 수 있듯이, 마스터 선수는 인생의 현실에 맞서 끊임없이 싸우고 있다. 그러므로, 고령 운동 선수는 젊었을 때와는 달리 실수를 해서는 안 된다는 사실을 받아들이고 깨달아야 한다. 예를 들어, 나이 많은 선수가 훈련 양을 일시적으로 감소시킨다면 다시 훈련을 진지하게 재개 할 때 문제가 악화될 것이다. 이는 젊었을 때 훈련 휴식 시간으로부터 신속하게 회복했던 것과는 대조적이다. 그러므로 마스터 선수에게 중요한 문제는 훈련의 일관성이다. 노령 운동 선수에서는 다양한 운동 강도와 능력에 기초한 광범위한 기본 훈련을 유지하는 것에 집중해야 한다.

기본적으로, 체력을 유지하기 위해 관리할 수 있는 신체 훈련의 세 가지 요소가 있는데 이는 운동 지속 시간, 운동 강도 및 운동 빈도 이다. 노령 선수들은 운동 강도를 희생시켜 운동 지속 시간을 늘리는 경향이 있다. 주간 운동 양이 훈련의 초점이 됨에 따라, 운동은 길어지고 느려진다. 고령 선수는 노화 과정에도 불구하고 더 높은 강도로 운동을 해야 한다면 그 반대로 실행(운동 시간 단축, 운동 강도 증가) 할 필요가 있다. 근지구력, 무산소 지구력 및 단거리 파워에 중점을 둔 80 % 강도 인자(무산소/젖산 임계값 이하 및 이상)를 초과하는 운동이 매주 2-3회 훈련 프로그램에 포함되어야 한다. 이러한 변화는 일반적으로 훈련 시간을 단축하지만 주간 평균 강도를 높인다.

강도 훈련은 마스터 선수가 골밀도를 높이는 동시에 근육량을 유지를 위한 테스토스테론(testosterone) 분비를 촉진하는 가장 좋은 방법 중 하나이다. 전통적인 근력 강화 훈련은 무거운 중량을 사용하는 것이 일반적이지만 체중 만을 사용하는 다른 유형의 운동 또한 중요할 수도 있다. 강도 훈련은 빈번하고 정기적으로 실행해야 하지만 계절에 따라 다르다. 이러한 유형의 훈련은 노령 운동 선수의 뼈와 근육 건강을 향상시킬 것이다. 강도 높게 운동하기를 원하는 마스터 운동 선수들은 젊은 운동 선수들과는 달리 회복기에 실수를 하면 안 된다. 나이가 들면서 충분한 수면은 특히 중요하다. 수면 중에 체내에서 주로 성장 호르몬과 테스토스테론(testosterone)이 분비되기 때문에, 훈련 스트레스에 대처하기 위해서는 수면의 규칙성, 충분한 수면 시간과 수면의 질이 필요하다. 그러므로 고령 선수는 수면이 위태롭게 되지 않도록 매우 조심해야 한다. 선수가 아침에 일어나기 위해 자명종을 사용해야 하는 경우, 수면 시간은 너무 짧으며 좀 더 일찍 취침해야 할 필요가 있다.

수면 후, 회복을 향상시키기 위해 두 번째로 효과적인

방법은 충분한 영양 섭취이다. 우려할만한 두 가지 주요 영역이 있다. 길고 강도 높은 운동 직후의 회복 기간에는 탄수화물과 단백질을 충분히 섭취해야 하며 그 날의 나머지 시간에는 미량 영양소(비타민과 미네랄)가 풍부한 음식을 섭취해야 한다. 첫 번째는 길고 강도 높은 운동(짧은 시간 지속되는 운동 중에는 물 섭취만이 필요함)을 하는 중에는 당분을 섭취해야 하며 운동 후 회복을 위해서는 탄수화물(녹말) 섭취가 요구된다. 이러한 운동 중 및 회복 시간에 섭취해야 하는 식품은 미량 영양소이지만 글리코겐 저장을 재구축하기 위해 요구된다. 단기 회복이 완료되면, 선수는 전분과 설탕 섭취를 줄여야 한다.

연령 증가에 따른 지구력 저하의 생활방식 측면 Lifestyle aspects of decline in endurance performance with age

생활방식 요소는 마스터 운동 선수의 연령에 따른 운동 능력 감소에 기여할 수 있다. 동기 부여 및 훈련의 내적 동인이 약화될 수 있다. 연령이 증가함에 따라, 훈련 의욕의 기반이 되는 목표는 연령이 더 낮은 마스터 선수들에서는 개인 기록 달성에 관련되는 반면에 연령이 더 높은 마스터 운동 선수들에서는 건강에 대한 이득이 그 목표일 수 있다. 중년에 직업 및 가족에 관련하여 가중되는 책임감은 집중적인 훈련을 위한 시간과 노력의 확보에 영향을 줄 수 있다. 이 기간에 관련하여, 종단 연구는 훈련을 열심히 지속하는 운동 선수는 운동 능력을 상당히 잘 유지할 수 있다고 시사한다. 이에 대한 예는 **그림 10.1**에 제시되어 있다. 예로 제시된 선수는 항상 성공을 달성했고 적극적인 경력 활동 후에도 수 년 동안 훈련을 지속하고 있는 남성 올림픽 카약 선수 게르트 프레드릭손(Gert Fredriksson)이다. 그러나 고령인 상태에서는 고강도 훈련 부하가 오랜 기간 동안 유지 될 수 있다는 증거가 없다. 이와는 대조적으로, 입수 가능한 증거는 연령이 증가함에 따라 운동 훈련 부하가 전반적으로 감소함을 시사한다. 그러므로, 노화에 관련된 지구력 운동 능력 저하는 훈련 기간 중 수행할 수 있는 운동의 강도와 양의 감소로 인하여 크게 영향을 받는 것으로 보이다.

의학적 위험 Medical risks

운동 훈련 부하 감소에 기여하는 한 가지 요인은 노령 선수가 높은 훈련 부하로 운동할 때 발생되는 부상의 증가이다. 일반적으로, 고령 마스터 선수는 부상을 더 쉽게 입을 수 있는 반면에 부상에서 더 느리게 회복할 가능성이 크다.

그러므로 마스터 운동 선수는 시간이 경과함에 따라 운동 부하를 서서히 증가시켜야 한다. 현대 사회에서 35세 이상에서 발병되는 관상 동맥 질환(CHD)은 조기 사망을 초래하는 주요한 의학적 문제이자 위험 요소이다. 고령 레크리에이션 패들러와 마스터 운동 선수는 젊은 선수들에 비해 냉수(cold-water) 환경에서 더 많은 위험에 처한다. 그 이유는 다양하다. 첫째, 연령이 증가함에 따라 균형과 이동성이 약화될 수 있기 때문에 노화로 인해 보트가 전복될 위험이 증가한다. 둘째, 심정지, 심실세동 및 저체온증에 따른 기타 심혈관 질환(CV)은 기저 관상 동맥 질환(CHD)여부에 따라 발생 가능성이 증가한다. 이러한 맥락에서, 다른 스포츠에 비해 팔 운동은 혈압 상승을 유발하므로 그 자체로 심혈관 질환 발병 위험을 증가시킨다는 사실에 주목해야 한다.

지구력 유형의 운동을 하는 마스터 선수의 경우, 수년(수십 년) 동안 훈련을 받은 운동 선수들에서 심방 세동(비정형 리듬에 관련된 심장의 전기적 이상) 유병률은 5

배 증가한다.

일과성 무의식 및 균형 유지 능력의 상실을 초래하는 질병인 발작성 심방 세동(이전 단락 참조), 다양한 유형의 심실 부정맥, 제2형 당뇨병 및 만성 폐쇄성 폐질환 등의 호흡기 질환은 연령 증가에 따라 발생 가능성이 높아진다. 질병 자체 이외에도 많은 종류의 약물이 이러한 유형의 문제를 일으킬 수 있다. 현재 엘리트 선수에 대해서는 "대회 전 검사(스크리닝)"가 종종 수행된다. 그러나 마스터 선수에 대한 의료적 위험은 연령에 따라 많은 요인들에 의해 증가하기 때문에 "대회 전 검사 프로그램"에 이러한 마스터 선수들을 포함시키는 것이 타당할 것이다.

참고문헌

Ransdell, L.B., Vener, J., and Huberty, J. (2009). Masters athletes: an analysis of running, swimming and cycling performance by age and gender. *J Exerc Sci Fit* 7 (2): S61-S73.

Tanaka, H. and Seals, D.R. (2008). Endurance exercise performance in master athletes: age-associated changes and underlying physiological mechanisms. *J Appl Physiol* 586 (1): 55-63.

Trappe, S.W., Costill, D.L., Vukovich, M.D. et al. (1996). Aging among elite distance runners: a 22-year longitudinal study. *J Appl Physiol* 80 (1): 285-289.

Wright, V.Y. and Perricelli, B.C. (2008). Age-related rates of decline in performance among elite senior athletes. *Am J Sports Med* 36 (3): 443-450.

제11장
카누 스포츠의 다양성

서론

카누와 같은 다양성을 다른 스포츠에서 찾아보기는 매우 어렵다. 2개의 올림픽 분야와 파라카누 뿐만 아니라 스포츠에는 다양한 활동이 펼쳐지는 다양한 분야가 있다. 서프 스키나 바아(Va'a)를 활용한 장거리 해양 경주에서부터 파도 위에 서서 곡예를 부르는 모험에 이르기까지, 카누는 신체 활동과 수상 스포츠를 즐기는 모든 사람들에게 매력적이다. 모든 경쟁 분야는 "국제 카누 연맹(ICF) 거버넌스 모델"에 포괄되며 정기적인 경쟁을 벌인다. 기술위원회는 월드컵 및 세계 선수권 대회 일정을 조직한다. 선수들은 하나 이상의 분야에서 경쟁할 수 있다. 카누는 올림픽 경기를 통해 선수들을 하나로 연결하는 강력한 연결 고리 역할을 한다. 급류(wildwater), 프리스타일, 마라톤 및 해양 경주는 슬라롬과 단거리 경기와 더불어 흥미를 더한다. 레크리에이션 형태의 카누는 세계에서 가장 빠르게 성장하는 활동 중 하나인데, 전세계적으로 최소한 5300만 명의 "레크리에이션 패들러"들이 있다. 정기적인 신체 활동에 따른 건강상의 장점 외에도, 카누는 심미적인 즐거움을 가져다 주며 안전하고 재미 있다. 또한, 카누는 환경과 하나가 되게 한다. 카누는 모든 연령층에게 매력적인 활동이다. 최근, 패들링은 만성 질환 환자의 관리를 위한 목적으로도 사용되고 있다. 카누가 의료에 적용됨에 따라, 카누는 독특한 형태의 건강 관리 방안으로 활용되고 있다. .

여성 카누 선수 Women in canoe

카누에서 여성이 경쟁할 수 있기까지는 힘들고 오랜 세월이 걸렸다. 여성은 카약에서 상당히 경쟁적이고 슬라롬과 단거리에서 남성과 동일한 수준의 스킬과 기술적 능력을 보유하고 있지만 올림픽 카누에서 여성이 출전하기까지는 상당한 시간이 소요되었다. 주된 이유는 스포츠의 성 평등과 관련된 문제로 인한 것이기도 했지만 경주용 카누를 타고 노를 젓는 능력이 있는 여성을 받아들이기를 꺼려했기 때문이었다. 이 분야에 관련된 위험에 대하여 근거 없는 인식이 만연했다.

이해하기 어렵지만, 여성들은 올림픽 스타일 카누의 일방적 운동 패턴이 생식 기관에 영향을 미쳐 불임(infertility)과 부상을 유발할 것이라고는 경고를 받았다. 그러한 미신에는 아무런 근거가 없다. 여성 카누 선수들은 모든 국가 연맹에서 받아들여졌다. 이 분야에서 발생하는 여성에게 발생되는 부상은 어깨 관절 및 요추 염좌, 전완근 건병증(forearm tendinopathy) 및 무릎 하단의 슬개 대퇴(patellofemoral) 문제 등과 같이 남성과 동일한 부상이다. 여성은 200 m (C1) 및 500 m (C2) 거리의 경주에서, 슬라롬에서는 싱글 카누(C1)로 경쟁하고 단거리에서는 C1과 더블 카누(C2)로 경쟁한다. 여성 카누 선수는 ICF 대회에서 단거리 및 슬라롬 경주에서 메달을 획득했다. 카누는 2020년 도쿄 하계 올림픽(**그림 11.1** 및 **11.2**, **표 1.1** 및 **1.2** 참조)의 프로그램에 포함될 예정이다.

그림 11.1
여성 싱글 카누 (C1) 단거리 패들러.

그림 11.2
여성 C1 슬라롬 패들러

마라톤 Marathon

마라톤 경주는 포티지(portage)와 함께 장거리 패들링을 관여시킨다. 출발점과 도착점은 종종 동일 위치에 있으며 대중이 볼 수 있는 포티지가 설치되어 있다. 여성과 남성은 마라톤 경주에서 경쟁하고 있으며 경주의 거리는 다양해지고 있다. 더블 카약(K2)과 C2, C1뿐만 아니라 C1 및 싱글 카약(K1)에서도 경주가 펼쳐진다. 클래식 마라톤은 종종 한 장소에서 다른 장소로 노를 젓는 경로를 포함하며 때로는 다양한 수상 조건을 관여시킨다. 이러한 경주 중 일부는 매우 인기가 있으며 수백 또는 수천 명의 선수들을 끌어들인다.

생리학적으로, 마라톤은 시작될 때와 종료될 때 질주가 이루어지는 유산소 운동이다. 포티지(portage)는 보트와 패들을 단거리 지상 운반하고 보트로 되돌아와 계속 노를 젓는 과정을 관여시킨다. 워시 라이딩(wash riding)은 소중한 에너지를 절약할 수 있으며 유용한 보트 기술이다(**그림 11.3** 및 **11.4**). 성공을 위해, 에너지 가용성, 수화 및 열 스트레스는 유산소 능력 및 경주 전력과 결합된다. 부상은 과도한 사용에 따른 것이다. 근육 피로가 흔히 발생된다, 선수가 자주 겪는 부상은 전완 건염(tendinopathy), 회전근개(rotator cuff) 염좌 및 어깨 충돌 등이다. 갈비뼈의 스트레스 골절과 봉우리빗장관절(견봉쇄골관절)의 퇴행성 변화는 드문 일이 아니다. 마스터 패들러는 심혈관 질환에 대한 검사를 받아야 한다.

그림 11.3 남성 싱글 카약(K1) 마라톤 대회에서 에너지 절약을 위해 '워시 라이딩(wash riding)'을 선보이고 있다.

카누 자유형(프리스타일)
Canoe freestyle

자유형 카누는 인기가 높아지고 있다. 선수들이 곡예를 수행할 수 있도록 파도가 높이 솟구치거나 정지한 물체가 있는 강에서 경쟁이 펼쳐진다. 이 선수들은 화려한 기술을 선보일 수 있는 카누 체조 선수이다. 보트 디자인은 빠르게 진화하여 기동성 및 규모 측면의 개선을 가능하게 하여 스포츠의 급속한 발전을 촉진한다. 2006년, ICF는 카누 프리스타일을 공식 분야로 인정했다. 선수들은 가능한 많은 다른 동작과 기술을 수행하는 시간을 설정하고 스타일에 대하여 추가 점수를 획득할 수 있다. 결승전에서는 45초 라운드를 3회 실시하여 판정된다. 사용되는 기술은 프리 스타일 스노우 보더(freestyle snow-boarder), 서퍼(surfer) 및 스케이터(skater)에서 볼 수 있는 회전, 스핀 및 뒤집기 등의 기술과 유사하다(**그림 11.5** 및 **11.6**).

유연성, 강도 및 전력은 운동 수행 능력을 위한 필수 전제 조건이다. 인상적인 코어(core) 근력은 경쟁에 필수적이다. 보트 및 패들의 접촉이 가능하기 때문에 운동 선수는 보호 장비를 착용한다. 수영 능력은 필수적이다. 외상에 관련된 부상이 발생할 수 있다. 찰과상 및 근육 좌상이 흔히 발생한다.

카누 폴로
Canoe polo

카누 폴로는 종종 수영장의 평수(flat water)에서 진행된다. 경쟁은 실내 또는 실외에서 펼쳐지며 열 스트레스(thermal stress)가 우려 될 수 있다. 경기장은 23x35 m 직사각형이며 골문은 각 끝에서 머리 위로 매달려 있다. 사용되는 공은 수구에서 사용되는 공과 동일하며 그물 안으로 공을 던져 골인 시킨다. 한 팀은 5명의 선수로 구성되며 3명의 대체 선수가 있다. 경기는 전반전 및 후반전 각각 10분 동안 진행된다. 국제적인 수준에서는 단거리 경주의 속도와 슬라롬의 카약 컨트롤 및 수구의 볼 기술을 결합한다.

선수들은 상대 선수를 물 안으로 밀어 넣거나 상대방의 보트를 들이 받거나 올라 타는 것도 가능하다. 독특한 기술, 전술 및 장비가 사용된다. 선수들은 얼굴을 보호하기 위해 철망이 달린 헬멧과 패딩 조끼를 착용한다. 보트의 기수와 꼬리 부분에는 충돌 사고를 방지하기 위해 충격 흡수 장치가 장착되어있어 선수의 부상과 보트/패들의 손상을 방지한다. 보트가 전복 될 수 있으므로 선수는 능숙하게 수영할 수 있어야 한다. 상체는 노를 젓거나 던지기를 위해 사용되는데 회전근개(rotator cuff) 염좌가 발생할 수 있다. 일반적으로 말하자면, 카누 폴로는 과격한 운동으로 보일 수 있지만 충격이 적은 스포츠이며 부상률은 낮다(**그림 11.7** 및 **11.8**).

그림 11.4 포티지(portage) 중에 더블 카약(K2) 마라톤 대회에서 경쟁하는 선수들

그림 11.5 경쟁 중인 자유형(프리 스타일) 패들러

그림 11.6 자유형(프리스타일) 경쟁에서 선보여지는 곡예 같은 동작

급류 경주
Wildwater

급류 경주는 빠르게 흐르는 물, 강한 물살 및 강한 와류(소용돌이)가 있는 까다로운 자연 환경에서 진행된다. 이 도전적인 환경에서 선수는 경주 중에 부상을 입을 수 있으므로 보호 장비를 착용해야 한다. 경쟁에는 두 가지 유형이 있다. 클래식 급류 경주에서, 선수들은 클래스 III 에서부터 IV 급류까지 다양한 거리의 코스를 경주한다. 기록의 기준은 시간이다. 이러한 급류 경주는 정상파(standing wave), 급류, 폭포, 암석 및 다른 장애물을 헤쳐나갈 수 있도록 힘, 유산소 능력, 그리고 강을 "읽는" 능력을 요구하는 어려운 경주이다.

그림 11.7 카누 폴로 경기에서 여성 선수가 골을 넣으려 하고 있다.

단거리 급류(wildwater) 경주는 훨씬 짧은 코스에서 진행된다. 세계 선수권 대회에는 남성과 여성을 위한 클래식 및 단거리 경주가 있다. 개인 및 팀 경주에서 성별에 대한 범주는 K1, C1 및 C2 이다(**그림 11.9** 및 **11.10**).

그림 11.8 카누 폴로 경쟁

그림 11.9 더블 카누(C2) 급류 경주에서 경쟁하고 있는 선수들

그림 11.10 K1 급류 경주에서 경쟁하고 있는 선수

드래곤 보트
Dragon boat

고대 중국에서 시작된 드래곤 보트 패들링은 경쟁적인 수준 및 레크리에이션 수준에서 국제적인 카누 분야로 발전하고 있다. 이 긴 카누는 20명의 패들러들이 노를 저으며 작은 버전에서는 10명의 선수들이 외날(single-bladed) 패들을 사용하여 노를 젓는다. 종종, 드래곤 보트는 정교하게 장식되며 드러머(북 연주자)와 조종사 또는 스윕(sweep)을 포함한다. 드래곤 보트 패들링은 카누 경주에 입문하기 위해 훌륭한 경기이다. 이 경기에 참여하면 건강 상의 예측 가능한 개선을 달성할 수 있다. 이 경기는 모든 연령대에 적합하고 팀워크를 보장한다. 노를 젓는 것은 홍겹다.

대형 드래곤 보트 축제는 레크리에이션 패들러, 클럽 및 기업 팀 사이에서 인기가 높다. 다른 그룹에서는 건강 회복을 위한 의료적 개입으로서 이 활동을 활용한다.

타이밍과 기술은 운동 수행 능력의 중요한 지표이다. 패들은 체적이 작다. 이 스포츠의 성공은 동시성(synchrony) 패들링을 토대로 한다. 다양한 경주 거리(국제 대회에서는 200-2,000 m)가 있으며 유산소 능력뿐만 아니라 근력과 근지구력이 필수적이다. 선수는 보트의 한쪽에만 앉아서 노를 젓는다. 기술이 적절하게 사용되려면 골반과 천장 관절(sacroiliac)을 통한 회전이 요구된다. 한편, 요추의 변형이 발생할 수 있다. 상부 어깨의 충돌 증후군(부딪힘 증후군)은 빈번하게 발생하는 문제이다(**그림 11.11** 및 **11.12**).

해양 경주
Ocean racing

해양 경주는 ICF 거버넌스(ICF governance)에 속하는 최신 카누 분야이다. 해양 경주에는 장거리 서프 스키, 바다 카약 및 바아(Va'a) 경주가 포함된다. 바아(Va'a)는 사모아, 타히티, 하와이에서 "보트" 또는 "카누"를 의미하며 전세계에 걸쳐 "아웃트리거 카누"로 알려져 있다. 해양 경주에서 경쟁하는 운동 선수는 지구력과 보트 기술을 모두 갖추고 있어야 한다. 따뜻한 해안 지역에서 매우 인기 있는 스포츠인 해양 경주는 호주, 캘리포니아, 하와이 및 남아프리카 등의 지역에서 대규모로 펼쳐진다. 서프 스키(surf skis)를 타는 선수는 풍속 20노트(knot) 이상으로 불어오는 바람에 맞서 노를 젓는 도전을 경험할 뿐만 아니라 바람으로 높게 솟은 파도를 타고 바다 위를 날 수도 있다. 운동 수행 능력을 제한하는 요소는 "유산소 능력", "수화 작용", "연료" 및 "열 및 과도한 사용으로 초래되는 부상의 회피" 등이다. 바아(Va'a)는 매우 인기가 있으며 경주는 1인 및 6인 보트로 진행된다. 약 10 km에서 초장거리에 이르는 다양한 거리의 경주뿐만 아니라 단거리 경주 또한 진행된다(**그림 11.13-11.15**).

그림 11.11 드래곤 보트 경쟁

그림 11.12 '드래곤 보트'에서 경쟁하고 있는 이란의 여성 패들러

그림 11.13 서프 스키(surf ski) 경주가 시작되고 있다.

그림 11.14 서프 스키(surf ski) 경주에서 경쟁하는 여성 및 남성 선수들

그림 11.15 대해(大海)에서 경주하고 있는 6인 아웃트리거 카누(OC6) 선수

그림 11.16 카누 항해(canoe sailing)

카누 항해
Canoe sailing

카누 항해는 ICF에서 유구한 역사를 갖고 있다. 카누 항해는 경쟁과 레크리에이션 목적을 위한 가누가 유럽에 등장했던 19세기에 스포츠로 시작되었다. 유명한 카약 "롭 로이(rob roy)"의 제작자인 존 맥그리거(John MacGregor)는 1866년에 영국왕립카누클럽(British Royal Canoe Club)을 설립했다. 얼마 후, 카누 클럽의 회원들은 방향타와 돛을 사용하여 경주하기 위한 특수 보트를 개발하고 있었다(**그림 11.16** 및 **11.17**). 이 기술은 이후에도 발전했다. 현재, 스포츠는 고도로 기술적이다. 선수들은 풍력을 이용하는 대형 경주용 돛으로 추진되는 작고 매끄러운 카누를 타고 항해한다. 선수들은 고속으로 노를 저을 수 있으므로 훌륭한 경주가 펼쳐진다. 경쟁에서 뛰어난 두각을 나타내려면 상당한 신체적 능력, 근지구력, 민첩성, 체력이 필요하다. 상지 건염(tendinopathy), 허리 염좌는 흔하게 발생하는 문제이다.

그림 11.17 롭 로이(Rob Roy)를 타고 있는 영국왕립카누클럽의 설립자 '존 맥그리거(John MacGregor)'